戦場のニーナ

Nakanishi Rei
なかにし礼

講談社

戦場のニーナ

戦場のニーナ　目次

装丁／菊地信義
装画／ムンク「病める子」より

第一章・私は誰

1

大地は燃え上がっていた。

森林は火炎放射器で焼きはらわれ、草原は戦車によって踏みにじられた。建物らしきものはすべて爆破され、生き物という生き物は、犬であれ猫であれ、家畜の果てまで撃ち殺された。

二十メートル間隔できっちりと隊列を組んだソ連軍戦車軍団四十台は突き出した長い砲身の先から絶え間なく弾丸を放ち、キャタピラで地面を噛み、轟音を響かせながら日本軍陣地に襲いかかった。空には、その攻撃を援護するソ連軍戦闘機数十機が縦横無尽に飛び交い、急降下をし、銃撃を加え、爆弾を投下する。爆発音とともに大地が炸裂し炎が噴き上がる。

炎と煙にかすむ地平線のむこうにはさらになお赤々と燃える太陽が、戦争という名の殺戮を半ば賛美するかのように、大自然の交響を奏で沈んでいく。

戦車も戦闘機もなく、銃にこめる弾丸さえもない日本軍兵士たちは、手榴弾を手に戦車に体当たりし、最後には白刃を夕陽に染めて突撃し、果てていった。

ソ連軍戦車隊が日本軍陣地にのしかかってきた。

轟音が大地を揺るがせた。

陣地は歪み、崩れ落ちていった。

爆発音がして白閃光が走った。

ある者は頭をかかえ、ある者は空にむかって両手を挙げ、ある者は抱きあった。悲鳴と号泣、それらすべてを黒い大地が押しつぶしていく。

長い闇と死の臭い。

銃撃と爆撃の音はいつまでも鳴りやまなかった。戦車が通過するたびに陣地はさらに押しつぶされ、闇は濃くなっていった。

長い長い闇の中で、私は泣いていたのだろうか。

「おい、どこかで子供が泣いているぞ」と男の声。

「子供？　まさか」とこれもまた男の声。

「いや、確かに聞こえた」

「空耳じゃないですか。隊長」

「しっ！　ほら、子供の……いや、赤ん坊の泣き声かな」

「本当だ。どこだろう」

「土の中だ」

「ええ？　日本軍は赤ん坊にまで銃を持たせて戦わせてたんですか？」

笑い声があがった。

「軍人の家族が逃げ込んだのだろう」

男の足音が近づいてきて、言った。

「わが軍の完全勝利です。この陣地の周囲四キロ以内に生き残っている日本人は一人もおりません」

「ご苦労！　しかし、どうやらたった一人生き残っている可能性がある。急げ！　この子供を救出するんだ。乱暴にやるんじゃないぞ」

最初の男の号令のあとに、シャベルで土を掘る音がつづいた。

私はもはや泣いていなかった。

私の身体は宙に浮いた。男の手によって抱きあげられたらしい。

「なんだい。まだ小さな女の子だ」

「生きているか？」

「虫の息です。しかも、目の下に傷を負っています」

「ほっぺたを軽くたたいてみるんだ」

私はふたたび泣いた。

「おお、生きている。この子の親らしき者の遺体はないか。よく確認しろ！」

「確認は無理です。誰が誰やらさっぱり分かりません。ですが、この子のそばにアルバムが落ちていました」

「ふむ、たぶんこの子の写真はこの子のものだろう。念のためこの一枚はとっておく。あとは破棄しろ」

「はい。そうします」

「おい、懐中電灯をかせ！」

　闇の中から救出されて、私が最初に見たものは、目を射る激しい光だった。

「それにしてもひどい傷だ。急いで応急処置をしなくては。衛生兵を呼べ」

「その子を連れて帰るんですか？」

「そうだ。戦う時は皆殺しにする。しかし戦い終わったあとは、生存者の命を尊重するのが戦争の礼儀というものだ」

「ならば、この子に名前をつけませんか」

「なにかいい名前でも浮かんだか」

「ええ。ニーナ、はいかがですか」

「ニーナ？　チェホフの『かもめ』の主人公の名前だな」

「ええ。この戦場の風景は、『人も、ライオンも、鷲（わし）も、角を生やした鹿も、鵞鳥（がちょう）も、蜘蛛（くも）も、水に棲（す）む無言の魚も、海に棲むヒトデも、人の目に見えなかった微生物も、――つまりはいっさいの生き物、生きとし生けるものは、悲しい循環（めぐり）をおえて、消え失せた』というニーナのセリフそのもののように思えまして」

「よし。ニーナにしよう。そして家族名はフロント（戦場）だ。ニーナ・フロンティンスカヤ。どうだ、いい名前ではないか」

「ニーナ・フロンティンスカヤ。いい名前だ」

「この子が無事生きながらえるよう、みんな協力してくれ」

男たちの笑い声と拍手が聞こえる。


この世の終わりを思わせる戦場で拾われた一枚の写真がある。それにはいまだに硝煙と死の臭いがからみついているが、写真そのものは、色褪(いろあ)せたとはいえ、揺籃期(ようらんき)の幸福をたっぷりとふりまきながら写真たてにおさまっている。

殺戮のかぎりをつくした戦場で、たった一人生き残った子供がいた。その子供は今、白髪まじりの老女となって、自分とおぼしき赤ん坊の写真を見ている。

裕福な生活を思わせる着物を着た赤ん坊の顔に傷はないが、老女の右目の下には、戦場で負った傷の痕がある。六十年の歳月を経た今となっては、赤ん坊と老女は似ているとも言えるし似ていないとも言える。がニーナはこの赤ん坊が自分であることを確信している。なぜならニーナにははっきりとした記憶があるからだ。

その写真を見るたび、ニーナは幼児だった自分が奇跡的に救出された時のことを思いだす。いまだ三歳になるかならないニーナに記憶があったとは思えないが、成長するにつれなんどか聞かされた話が、あたかも自分の記憶のように脳に刻まれたのだろうか、それとも、潜在意識の底に隠れていた記憶が、人の話を聞いたことによって顕在化したのか、そのことは明確ではないが、いずれにしても今となってはもう条件反射のように、赤ん坊時代の写真を見るたび、ニーナの頭の中にはこの世の終わりにも似た戦場のシーンがまざまざと思い描かれるのだ。そしてニーナは、自分の命の不思議を思い、考える。

私は何処から来たのか。私は誰なのか。そして私は何処へ行こうとしているのか。

この質問を、ニーナは物心ついてから今日まで、五十年以上も自分自身に問いつづけてきた。しかし答えらしきものはたった一つ、自分が拾われたのは〝戦場〟だったということだけ、あとはなに一つ分からない。両親の名前も分からない。ゆえに自分が何人であるかも分からない。ロシア人なのか中国人なのか朝鮮人なのか日本人なのか、それさえも分からない。幼い頃、一応中国人と認定されたが、それは、敵国だった日本人とするには色々な不都合があったからで、科学的根拠はなかった。

今日も一日、同じ質問を自分に問いかけ、答えのないことに疲れはてた。

ボルシチとパンで簡単な夕食を済ませたあと、ニーナはＣＤのスイッチを入れた。メゾソプラノの慈愛に満ちた歌が流れてきた。マーラーの交響曲第二番『復活』第四楽章である。それを聴きながら紅茶を飲んだ。


おお、紅の小さき薔薇よ！

人間は大いなる困窮のうちにある！

人間は大いなる苦痛のうちにある！

願わくば我を天国にあらしめん！


窓の外を見ると、エカテリンブルグの夏の夜空は瑠璃色の鮮やかさで、星の光さえ拒絶しているかのようであった。

天国とはこんな夜空のむこうにあるのだろうか、と考えるそばから、何処から来たのかも分からない人間が、そう都合よく天国へ行けるはずもなかろう、という声が身内から立ちのぼってくる。その言葉に返す言葉はなかったが、メゾソプラノが次のフレイズを歌うと、いつものことではあるが、ニーナはほっと安堵(あんど)を覚えるのだった。

　我は神から生まれたが故に
　神のもとへと再び帰るのだ

そして、ニーナは思う。私は何処から来たのか分からない人間ではあるが、帰りつくところだけは天国と決まっているらしい。ならば、そのことだけを楽しみに、もうしばらく生きてみようと。

第五楽章に入るとメゾソプラノは一層、ニーナを勇気づけてくれる。

　信じなさい
　お前は意味もなく
　この世に生まれたのではない！
　意味もなく
　生き苦しんだのではないことを！

音楽が終わると、頬の涙をそっと指先でぬぐい、CDの電源を切る。それが一人暮らしのニーナの、ここ数年来つづけている夕食後の儀式であった。

食事の後片づけにとりかかろうと立ち上がった時、電話が鳴った。

「はい。こちらニーナ・フロンティンスカヤ」

「ニーナ、大至急テレビをつけて!」

アンナの声だった。

「チャンネルは?」

「4チャンネルよ」

「なにがあったの?」

「あなたにとって重大なことよ。いいから、早くテレビつけて。時事ニュースよ」

「ありがとう」

電話を切ると同時にテレビをつけた。

一瞬、間があって映しだされた画面の中で女性アナウンサーが言う。

「この日本人男性のエカテリンブルグ訪問の目的は、旧日本軍兵士の遺骨収集です。シベリア抑留者の中にはこの地域にまで労働に出され、そのまま亡くなった人も多かったとか……」

画面には、遺骨を埋めたと思われる土の上に花を手向けて、両手を合わせている男性が映っている。

これが日本人か――。

ニーナにとって初めて見る日本人だった。しかも、その初めて見る日本人がエカテリンブルグにいる。

この人に会いたい。と思った時、ニュースはほかのテーマに変わった。

ニーナの身体は突然ふるえはじめた。

止めようとしても止まらない。

エカテリンブルグはウラル山脈の東側に位置する人口百二十九万の文化都市ではあるが、首都モスクワから遠く離れている。飛行機で三時間、列車でなら二十七時間もかかる。訪ねてくる日本人はめったにいない。

千載一遇のチャンスだ。これを逃したら、もう一生チャンスはないかもしれない。そう思うと、ますますふるえは激しくなった。

玄関口のドアをたたく音がする。

「ニーナ、いるの？　いるなら早く開けて！」

アンナだ。

「来てくれたのね」

ドアを開けてニーナは言った。

「そりゃあ来るわよ。重大事件ですもの。さ、早く、でかける用意をして！」

「でかけるって何処へ？」

「テレビ局に決まってるじゃないの。あなた、あの日本人に会いたくないの？」

「会いたいわ」

「会いたいなら早く着替えてらっしゃい。私、ウラル通りで待ってるから」

ニーナは着替えにかかった。身体のふるえはまだおさまらず、ボタンをかけるのに手間取ったが、赤ん坊時代の写真をバッグに入れることは忘れなかった。

ニーナは道幅の狭いソヴィエツカヤ通りを右にむかって歩き、ウラル通りに出た。

アンナはカローラのエンジンをかけっぱなしで待っていた。

「ごめんなさい、お待たせしてしまって」

ニーナは助手席に座りドアを閉めた。

「あなた、あの写真持ってきたでしょうね」

「もちろんだわ」

ニーナは大きなハンドバッグをたたいてみせた。

「貴重な証拠ですものね」

アンナはにこりと笑い、車を発進させた。

「アンナ、あなたの親切には感謝するわ」

「友達の一大事は私にとっても一大事よ」

アンナは、ニーナが勤めていたルナチャルスキー記念国立オペラ・バレエ劇場の後輩で、年齢はニーナより十歳若いが、ニーナと同じコレペティートル（練習用ピアニスト）を務めている。ロシア人特有の太りかたをした明るい女性である。家も近所だ。

ウラル通りをまっすぐ走ってガガーリン通りを右折、マルイシェヴァ通りに入り、左折してヴァシモーヴァ・マールタ（三月八日）通りへ。

アンナは言った。

「あなたが中国人であるはずないわ」

「私もそう思っているわ。でも、一度認定された民族名は簡単には変えられない決まりがあるの。一度願い出てはみたけれど、役所はけんもほろろ、相手にしてくれなかったわ」

「だから、あなた自身がやらなくてはならないんだわ」

「役所の決め事をくつがえす自信はないけど、どこまでも自分自身の問題として、納得いくまでやらなくてはね」

「そうよ。日本人でも朝鮮人でもいいのよ。とにかく正しいルーツを知ることが大事なのよ」

「私の身体に流れている血のルーツ。私は何処から来たのか。それが分からないと、私の人生そのものがフィクションに思えてしまう」

三十分ほどかかってホフリャコーワ通りにある4チャンネルのテレビ局に着いた時は、夜空はすっかり暗くなって星さえ輝いていた。

駐車場に車を止め、受付に急いだ。

夜とはいえ、テレビ局は明るく、人の出入りも多かった。

「あの、時事ニュースの担当者にお目にかかりたいんですけど……」

アンナは自分の身分を言い添えた。

受付嬢はすぐに電話で取り次いでくれて、一、二分も待つと、顎鬚（あごひげ）を生やした中年男性がエレベーターから降りてきた。

「やあ、私は時事ニュースの担当プロデューサー、ドミートリー・コーシキンですが、なにか……」

プロデューサーはニーナたちが苦情でも言いにきたのかと、警戒の表情を見せていた。

「今日のニュースに出ていらした日本人はまだエカテリンブルグにおられるのでしょうか。おられるなら、お会いしたいんですけど」

アンナの言葉を聞きながら、コーシキンは二人の女を上から下まで点検していた。

「どんな理由で？」


コーシキンがニーナたちの訪問をあまり歓迎していない様子はありありと感じられた。

「えーと、こちらのニーナさんが……」

アンナは一瞬言いよどみ、ニーナに視線を送った。それを受けて、ニーナは言った。

「実は、私、日本人かもしれないんです」

「ほほう、日本人かもしれない。ということは、今現在、あなたは何人なんですか」

ニーナは答えた。

「今現在の私はロシア人です。ただし民族名は中国人ということになっております」

「でしょう？　ならば、あなたは日本人ではない」

「でも様々な理由から、私が日本人である可能性は高いのです。ですから、あの時事ニュースに出ていらした日本人の方にお会いしたいのです」

「会ってどうするのですか。あの方に日本人として認めてもらおうとでも……」

「そんなつもりはありません。ただむしょうに会いたいのです。エカテリンブルグに日本人が来ているのかと思うと、もう血が騒ぐと言いますか、なにしろじっとしていられなくて、駆け付けました。ぜひともあの方に会わせてください」

「そんな話にはまったく説得力がない。私は忙しい」

コーシキンは立ち去ろうとした。が、それを引き止めるようにアンナが言った。

「私はニーナが日本人であることを信じています」

「なにを証拠に？」

「赤ん坊の時の写真があるのです。ニーナ、お見せして」

ニーナはバッグから取り出した写真をコーシキンに渡した。

日本の民族衣装をまとった赤ん坊の写真を見て、コーシキンは驚きの溜め息をもらした。

「これでもあなたはお疑いですか」

「こいつは凄い！　これがあなた、ニーナさんですか」

「はい。そう信じております」

「もし、この写真の赤ん坊が本当にあなた自身だとしたら、あなたは日本人以外の何者でもない」

コーシキンはニーナと写真をなんども見比べた。

「あなたがプロデュースしたニュース番組で、一人の女性の運命が大きく変わるかもしれないのですよ。力になってください」

アンナは強く言った。

コーシキンはうなずき、

「分かりました。自分の報道した番組から新しい事態が派生したのですから、きちんと対応します。ホテルまでご案内しましょう。少しお待ちください」

と言ってエレベーターに消えた。

「アンナ、ありがとう。私一人ではとてもこうは行かなかったわ」

「すべてはその写真があればこそよ。まったくその写真のあること自体が一つの奇跡だわ」

上着を着、ネクタイを締めたコーシキンが戻ってきて言った。

「お車ですか？」

「ええ」

「では、ついてきてください。ホテル・アトリウムパレスです」

コーシキン自らが運転する車のあとについて駐車場を出て右に行き、クイビシェヴァ通りを右折して直進。十分ほどで世界貿易センターの隣にあるホテルに着いた。

コーシキンはフロントの客室係に尋ねた。

「日本人のお客さんで、フクシマさんはおられますか。フクシマ・ヒロシさんです」

客室係はキーボックスを調べて、

「フクシマさんはお出かけです。ですが、念のためにお部屋を呼び出してみましょう」

応答はなかった。

「やはり、お出かけです」

「どこへ出かけたか分かりませんか」

「分かりません。残念ながら」

「帰りの時間も分かりませんか」

「ええ。なにも聞いておりません」

「フクシマさんはいつまで滞在なさる予定ですか」

「明日の朝七時の飛行機ですから、五時には出発なさると思います」

客室係の背後の時計は午後九時半を少しまわったところだった。

コーシキンは独り言のように言った。

「つまり今夜しか会うチャンスはないということです。帰るまで待つとしましょう。明日早いのなら、そう遅くなることはないと思いますよ」

「そうしましょう」

とアンナが言い、ニーナも同意したが、とにかくあのテレビで見たフクシマという日本人がもうじきこのホテルのロビーに現れるのかと思うだけでニーナの胸は高鳴った。

三人はロビーの一隅にあるソファに腰を下ろし、入り口を見張るようにして待った。が、日本人らしき人物は一人として入ってこなかった。

時計は午後の十時半をまわった。

ロビーの人影はまばらになった。

もう帰るべきだろうか、とニーナが考えていると、コーシキンが言った。

「こうまで遅いということは、ロシアの知人たちとお酒でも飲んで盛り上がっているのでしょう。フクシマさんの帰りはたぶん夜中になると思います。そうなるとホテルでは話すところもなくなります。フクシマさん、あなた方はおうちに帰ってらしてください。フクシマさんは私がかならずつかまえ、どんなに遅くなろうとも、ニーナさんのお宅にお連れします」

「でも、それではあなたに申し訳ありません。それにそのフクシマさんにご足労をかけてしまいますし……」

ニーナがおずおずと言うと、

「いや、私のことならご心配なく。すべてはうちの番組から始まったことですからね。フクシマさんはなんとか私が説得しますよ」

コーシキンは白い歯を見せて笑った。

「では、お言葉に甘えさせていただきます。これが私の住所と電話です」

ニーナはコーシキンに名刺を渡し、アンナの運転する車で家にむかった。

エカテリンブルグの街は都心を離れると一気に暗くなる。街灯の設備が不完全なこともあるが、家々の明かりも暗いのだ。

日本人を伴って、コーシキンはこんなに暗い道を迷わずに来ることができるだろうか。沢山立ち並んでいる同じようなアパートの中から私の住むアパートを探しだせるだろうか。私の小さな家までたどり着けるだろうか。やはりあのままホテルで待っているべきではなかったろうか。それよりもなによりも、フクシマという日本人は明日早いからといって、私に会うことを拒むのではないだろうか、とニーナの心は不安に揺れ動いた。

ウラル通りで止めてもらい、ニーナは車を降りた。

「ありがとう、アンナ。コーシキンさんがフクシマさんを連れてきたら、電話するわ」

「かならずよ、ニーナ。どんなに遅くなってもよ。飛んでいくから」

アンナは車を走らせ、窓から手を振った。

家に着いたら十一時だった。

アンナやコーシキンと一緒にいた時には治まっていたのに、一人になったとたんにまた身体がふるえはじめた。

私は誰なのかと考えはじめるとふるえは一層激しくなった。生身の日本人がすぐそばにいるのに、なぜ会えないのか。会えば、私が誰なのか分かるのに。そんな身勝手な思いが、下のほうからぐいぐいと突き上げてきて、ニーナは立っていることさえ、つらかった。

ニーナはソファに座り、じっと時計を見上げてふるえに耐えていたが、客が来るというのに、お茶を出す用意もしていない自分に気がついた。

キッチンで、ふるえる身体を押さえるようにして、やかんでお湯を沸かし、紅茶のセットも整えた。黒パンを四角く切って、チーズやサラミソーセージをはさんでサンドイッチをこしらえた。目がうつろで視線が定まらず、おまけに手がふるえていたから、チーズやパンをなんども取り落とした。

深夜の十二時になった。

耳を澄ましてみるが、物音一つ聞こえない。

やかんのお湯が冷めてしまったので、また沸かしなおし、チーズやパンが乾くといけないと思ってサンドイッチを冷蔵庫に入れたが、冷蔵庫に入れたほうがなお乾くのではなかろうかと思ってまた取り出したり、ニーナはかたときもじっとしていられなかった。

静寂の中にお湯の沸く音だけが鳴っていた。

テーブルの上には、クッキーの袋が開けられてあったが、食べれば音がすると思うとつまむ気にもなれなかった。

　喉がからからだった。

　ニーナはグラスで水を飲んだ。そしてバッグから写真を取り出すと、両手でしっかりと握って正面にすえ、凝視した。手はふるえていた。

　十二時半になった。

　いくら耳を澄ましても、人の来る気配はない。

　ニーナは、写真の中の赤ん坊時代の自分にむかって祈るように叫んだ。

「私の魂よ。お前は私が日本人であることを知っている。お前が、お前の力で私を日本人に会わせてください。そうすれば、なにかが始まる。しかし、この機会を逃したら、私は一生、自分が日本人であることを証明できない……」

　ニーナは泣いた。泣きすぎて眩暈（めまい）をおこし、へなへなと床にくずれおちた時、トントントンとドアをたたく音がした。

　来た！

　ニーナは立ち上がり、ドアを開けた。

　目の前に、テレビで見たとおりの、眼鏡をかけ温和な笑みを浮かべた日本人の顔があった。

「私がフクシマです」

　その日本人はロシア語で言った。

「私がニーナです。ニーナ・フロンティンスカヤ」

　この人に抱きつきたいとニーナは思った。が、そんなことをしてはいけないというもう一人の

自分もいた。ニーナは迷いに迷って、二、三度足踏みをしたが、次の瞬間、

「ああ、私の日本！」

叫ぶやいなや、フクシマの首に抱きついていた。

フクシマはニーナの重みを受けて後退(あとじさ)りし、戸惑いの表情を浮かべたが、すぐに体勢を立て直して、ニーナの身体に腕をまわした。

ニーナはフクシマの顔のあちこちにキスの雨を降らせた。

「ああ、日本人、日本人、初めて見る日本人。私はどんなにこの日を待ちのぞんでいたことでしょう」

涙をはらはらと流し、うわごとのようにつぶやく。

「私の身体に流れているのと同じ血があなたの身体に流れている。私とあなたは同じ目の色、肌の色をしている。ああ、これが日本人の匂いなのね」

次には、くんくんと鼻を鳴らしてフクシマの体臭をかいだ。

「私はこの世に生まれ落ちた時から今日までの六十年間、昼も夜も、寝ても覚めても、日本に恋焦がれてきたような気がする。その恋がやっととどいたんだわ。ああ、私は今、日本という私の祖国に抱かれている」

ニーナは声をあげて泣いた。

フクシマも涙を浮かべ、いつしか力をこめてニーナを抱きしめていた。

長年別れていた肉親同士の再会を思わせるようなニーナとフクシマの熱い抱擁だった。

ニーナが涙をふいている時、コーシキンがやっと声をかけた。

「ニーナさん、遅くなってすみませんでした。フクシマさんがホテルに帰ってきたのが十二時だったものですから。それに道が暗くて、このアパートを探すのに難儀しました。でも、とにかくたどり着けて良かった」

ニーナはアンナのことを思い出し、ちょっとの間を盗んで電話をかけ、コーシキンがフクシマを連れてきたことを告げた。

「ぼくが紹介する前に、二人が抱きあってしまうなんて、いったいなんなんでしょう。不思議ですね。言葉とかそういうものではないなにかが通じあうのでしょうね」

コーシキンの言葉を、フクシマと一緒に来た中年の女性が日本語に訳していた。

「こちらは通訳のマリアさん、日本ウラル友好協会の方です」

駆け付けてきたアンナをニーナが紹介した。

「ニーナのために、コーシキンさん、ありがとうございました。そしてフクシマさん、明日お早いのに、よくぞいらしてくださいました」

アンナは友人のために精一杯の誠意をこめて言った。

「私の名前はフクシマ・ヒロシといいます……」

フクシマはロシア語に日本語をまじえながらとつとつと語った。日本語の部分は通訳のマリアが訳し、コーシキンが横から話を補足した。

フクシマ・ヒロシは、日本ウラル友好協会の日本代表をつとめているのだが、彼と協会にとって、エカテリンブルグ近郊で亡くなったシベリア抑留者たちの遺骨収集はかねてからの念願だった。今回のエカテリンブルグ訪問は、エカテリンブルグ市やロシア国の協力もあって、実に実り多い結果が得られた。それを祝して、日本ウラル友好協会のメンバーであるロシア人たちとロシア料理のレストランで楽しい夕食をとり、ウオトカを飲み、時事ニュースに取り上げられたことなど歓談はつきなかったが、明日早いこともあって、宴は十二時少し前に終わった。

　通訳をともなってホテルに帰ると、テレビのニュースで世話になったコーシキンが薄暗いロビーに立っていて、言った。

「フクシマさん、今から私と一緒に来てください」

「こんな夜中に、いったい何があったんですか」

「大事件です」

　コーシキンは手短に事の経緯を話した。

「なんですって、日本人の残留孤児がこのエカテリンブルグにいるってことですか」

　フクシマは信じられない面持ちだ。

「そうです。しかも、その人は民族名を中国人として断定され、自分の魂のルーツを失っています。あなたが会って、そのルーツを解き明かしてあげてほしいのです」

「その人が日本人であるという証拠のようなものはあるのですか」

「写真があります」

「コーシキンさん、あなたは見たのですか」

「見ました。私にはかなり信憑性(しんぴょうせい)のあるもののように思えました」

「ロシアにも日本人の残留孤児がいるという噂は聞いたことはあるが、それが事実だとしたら大変だ」

「ですから、私と一緒に来てください」

「私は明日早いのだが……」

「そんなこと言っている場合ですか」

「まったくその通りだ。行きましょう」

こうしてコーシキンはフクシマと通訳のマリアを乗せ、ニーナの家のあるソヴィエツカヤ通りをめざしたのだった。

フクシマとコーシキンの話を聞き終わって、ニーナはぽつりと言った。

「私は今日まで生きてきて本当によかった。こんなことがあるなんて、私の人生も捨てたもんじゃないわ。神様にも友達にも、この世のすべてに感謝しなくては。特にアンナ、あなたには」

ニーナはアンナの手をとり、あらためてみんなに紹介した。

「この人がニュースを見て、教えてくれたんですの」

「私はただ、ニーナの生い立ちについては日頃からよく知っていたものですから」

アンナは太った身体全体で恥じらった。

「私もニュースでフクシマさんを取り上げた甲斐がありましたよ」

コーシキンは得意気に言う。

「ねえ、ニーナさん、あの赤ちゃんの時の写真をフクシマさんに見せてあげてください」

ニーナは写真たての中から写真だけを取り出してフクシマに渡した。

フクシマは、色の褪(あ)せ具合や紙の古さなどから、この一枚の写真が経てきた時間の長さを推し量りつつ、じっと見入っていた。女の赤ちゃんは大きめの、どこからどう見ても日本の着物を着せられて写真におさまっている。

「おそらく、これは初めてのお正月に撮ったものでしょう」

フクシマはつぶやいた。

「どうして、お正月とわかるんですか」

とニーナが訊いた。

「この晴れ着と思われる着物には綿が入っています。いわゆる綿入れです。そしてこの赤ちゃんの首には襟巻きのようなものが巻かれています。旧満洲の寒い冬に撮った写真であることは間違いないです。ただし、なんでもない日に写真を撮る訳がないので正月と推理しただけです」

「私は一年目の誕生日かと思ってましたが」

ニーナが意見を差し挟むと、フクシマは、

「現代の習慣から見るとそう思われても不思議はありませんが、たぶん違っているでしょう。私もニーナさんと同じ年頃ですが、当時の日本人は年齢を数えでかぞえてましたから、生まれた時にまず一歳で、初めて迎えた正月に二歳になるのですよ。正月は新しい年になるという意味と一つ歳が増えるという二重の意味を持っていたのです。つまり誕生日のようなものなのです。そこでお祝いに写真を撮るということは、お金持ちの家ではよくあったことです」

戦時中の日本では写真を撮るには写真館に頼まねばならず、それはとても贅沢なことだった。その事情は旧満洲においても変わらなかったはずだ。赤ん坊の着ている着物の豪華さからも十分にうかがえるように、この子の家は相当に裕福だったようだ。

「では、この時の私は……いえ、この赤ちゃんは何ヵ月でしょうか」

ニーナの質問にフクシマは答えた。

「あと、生後百日記念にも祝いの写真を撮る習慣がありましたが、この赤ちゃんの顔は、百日というにはしっかりとしすぎている。六ヵ月から八ヵ月ってところではないでしょうか」

「というと、私は前年の四月から六月に生まれたということになるのでしょうか」

「いえいえ、今のはただの推測です」

と言って、フクシマが写真を裏返してみると、そこには17, abr. 1945と書いてあった。

「この日付は?」

「私の第一発見者が失くなった日です」

「あなたを発見した人が記したんではないのですか?」

「第一発見者から私を託されたムラビヨフ閣下が書いたのです。つまりその前日に、私が発見され、私の実の父と母が死んだのです」

「そういうことか」

重い沈黙が部屋をつつんだ。

「素朴な疑問ですけど、この赤ちゃんはなんていう名前をつけられていたんでしょうね」

フクシマの言葉の意味をニーナは理解できなかったようだ。

「紀子か、昭子か、貴子か、千代子か、君江か、久子か……とにかく日本人の女の子の名前がつけられていたはずだ」

「その名前を私は知りたい」

「そしてその名前を、お父さんやお母さんは死の間際に叫んだに違いない」

「本当に、私はなんていう名前だったのだろう。そして死ぬ時に、父と母は私の名前を叫んでくれたのだろうか」

記憶にないはずの出来事を思い出そうとして、ニーナはひたすら遠くのほうをみつめていたが、思い出せるはずもなく、むなしく頭を振った。が、ニーナの神経はふたたび高ぶりはじめ、唇をわなわなとふるわせた。

「フクシマさん、お願いです。私を探してください」

「私も探してあげたい。本当のあなたを」

フクシマの声はうるんでいた。

ニーナは言った。

「私は誰ですか。私は何者ですか。私の本当の家族名と名前はなんというのですか。フロンティンスカヤという家族名は、私が拾われた場所である『戦場』を意味するロシア語からきています。ニーナという名前は一人の兵士がその場で思いついたものです。自分のルーツをたぐろうとしても、途中で糸はぷつりととぎれてしまう。私には父もなく母もなく、ただ戦場で拾われたという事実だけが残されている。フクシマさん、私の両親は誰だったのでしょう。私の両親は私にどんな名前をつけたのでしょう。私の祖国はどこの国なんでしょう。お願いです。私が誰なのかを探るチャンスをください。私を探してください」

ニーナの哀願にフクシマは力強く答えた。

「できうる限りの協力をいたします。私は今回このエカテリンブルグ付近で亡くなったシベリア抑留者の遺骨収集に来たのですが、生きながらなお身も心も魂もさまよっているあなたを、どうして見過ごすことができましょう。あなたの故国が日本であることをまずあなたが心底納得し、そしてそれを万人に認めさせることは、遺骨収集よりも優先すべき事業であると私は受け止めてます。日本に帰り次第、国に働きかけますのでご安心ください」

「お願いします。お願いします」

ニーナは両手でフクシマの手を握り、それを力いっぱいなんども揺すった。

時計の針は夜中の一時をすでに回っていたが、帰ろうとする者はいなかった。ニーナは目をきらきらと輝かせ、アルバムを持ち出し、それをひろげ、若い頃の写真に注釈をつけ、早口にしゃべりつづけた。

「これはなんですか？」

一枚の写真を指差してフクシマが言った。

フクシマの指の先にある写真には数人の少女たちが写っていたが、その中央にいる少女の顔はインクで消されていた。

「これは小学校時代、自分が誰なのか分からない自分自身を嫌悪して、私の手で自分の顔を塗りつぶしたのです」

その塗りつぶし方がいかにも乱暴で、しかも徹底していて、全員言葉もなかった。

「フクシマさんは明日、いや今日の朝七時の飛行機で日本へ帰らなければなりません。そろそろおいとましないと……」

コーシキンのこの言葉でみんなわれに返り、立ち上がった。

「フクシマさん、私はあなたに、この赤ん坊時代の写真と最近の私の写真をお預けして、私の未来を託します。どうぞ、よろしくお願いします」

「こんな貴重なものを託されたからには、かならず……」

フクシマはニーナにもう一度固い約束をし、ニーナの手を強く握った。コーシキンも協力を約束し、二人は帰っていった。

ニーナは門口に立って、夜の闇に消えていくフクシマ、コーシキン、マリアのうしろ姿にむかっていつまでも手を振っていた。

「ニーナ、私も明日、いえ今日だわね。仕事があるから帰るわ」

アンナは申し訳なさそうに言った。

「あら、帰っちゃうの、淋しいわ。でも、アンナ、本当に今日はありがとう。あなたのお陰で私の長年の夢がかなうような気がするわ」

「そうなることを祈るわ。おやすみ」

「おやすみなさい」

一人っきりになると、ニーナの興奮はいっそう高まった。明かりを落として、ベッドサイドの小さなライトだけにしたのだが、部屋中が真昼のように明るく感じられた。

三時になり四時になっても、眠くならない。なにか自分の人生が初めて確固とした実体を得たような、そんな手応えを胸の奥底に感じた。やがてそれはじわりとした喜びとなって解けだし、涙となってこみあげてくる。

自分がこの世に生まれ落ちた日は知るよしもないが、写真の裏に書いてある一九四五年八月十七日という日は、自分が死から蘇った日であることは確かで、第二の誕生日といっていい。そして今日、二〇〇二年八月十日は、迷える魂が正しい道を見出す第三の誕生日になるかもしれない。

ベッドに横になり、天井を見上げたままニーナはじっと動かなかった。涙の流れるにまかせていることが心地好かった。

ニーナの耳に、子供たちのはやし声が聞こえる。

「ニーナ、ニーナ、名なしのニーナ！」

「父なし、母なし、国なしニーナ！」

子供の頃、ニーナはよく苛められた。

ニーナはうずくまり、手袋をした手で両耳をおおうが、決して泣かない。泣くと涙が、極寒のロシアでは、目に痛いからだ。

子供たちは泣かないニーナが気に食わない。そこでまたはやす。

「親なしニーナ、名なしのニーナ！」

ニーナには、ニーナ・フロンティンスカヤという名前があるのに、この名前が適当につけられたものであることを子供たちは知っている。そしてニーナの民族名は中国人と認定されているが、それが便宜上のものであることも子供たちは気づいている。本当の名前も祖国も分からないということは、ニーナ本人にとっての大問題であり、最大の悲しみであるということを十分承知した上で、子供たちはなおもそのことを咎めないではいられない。

孤児院にいるのはほとんどが戦争で保護者を失った子供たちで、かならずしもロシア人の子ばかりではない。中には中国人の子もいれば朝鮮人の子もいる。ニーナも中国人の子と認定されたのだから、中国人の子供たちと仲良くすれば良さそうなものなのに、それが難しい。

中国人の子供たちと一緒にいると、ニーナは違和感のようなものがこみあげてきて、本当に吐いてしまう。

中国人の子供のほうも拒絶する。

「ニーナなんて中国の名前じゃない」

朝鮮人の子供たちも同じだ。

「ニーナは朝鮮人の子じゃない。臭いが違う」

むろんロシア人の子供たちにしてみたら、決して白人とは言えない肌の色をした女の子に、ニーナなどというロシア風の名前がついていること自体に納得がいかないから、これもまた苛める側にまわる。

ニーナは、ニーナというロシア風の名前でありながらも、肌の色ゆえにロシアにおいてかえって異質な存在となり、肌の色が似通っているにもかかわらず、ニーナという名前ゆえに中国、朝鮮、どちらの子供たちにも仲良くしてもらえなかった。そしてなお悪いことに、ニーナ自身が、どの民族の子供と一緒にいてもなじめないということで、二重にも三重にも他国者（よそもの）であった。ニーナにはこの世に身を置くべき場所がなかった。

孤児院の子供たちばかりではなかった。小学校に行けば同じことが起きる。小学校は孤児院よりも生徒が多い分、苛めもきつくなった。ニーナはつとめて平然を装うのだが、子供たちはニーナが泣くまで苛めることをやめない。そしてついにニーナが泣きくずれると、それをまた子供たちははやし立てる。

ニーナは本当に悲しくてたまらずに泣いているのだが、子供たちはニーナが嘘泣きをしているといってまた苛めるのだ。

なんという不条理だろう。私に責任のないことなのに、私が痛みを背負わねばならないなんて。どうして自分が誰なのか分からないのか。どうしてこんな天涯孤独な身に生まれ落ちてしまったのか。

子供たちの輪の中で、ニーナは声をあげて泣いていた。

その頃、孤児院の友達の誕生パーティがあった。ニーナもささやかな祝いの品を持って参加したのだが、パーティの終わり近くに、当の誕生日の女の子がニーナに訊いた。

「ニーナのお誕生日はいつなの？」

「…………」

ニーナはぽかんと口を開けたまま答えられない。なぜならニーナは自分の正確な誕生日を知らないからだ。

イリーナ・ルスチェンコ、つまり二番目の養母がニーナを養育することの許可を役所から得たのは一九四六年十月のことだが、その時イリーナはニーナの誕生日を一九四〇年八月十六日と届け出てしまった。それには大人の打算があってのことらしい。物心ついたニーナにイリーナが言ったことがある。

「子供を養育するについては年齢によって国から支給される養護費に差があるんだよ。四歳以下の子を養育しても、さほどの額はもらえないけれど、五歳以上の子だとまあまあの額がもらえるのさ。ま、そういう訳でね、お前には無理矢理六歳になってもらったのさ」

「じゃ、市民病院に来た時、私は何歳だったの？」

「二歳かしら、三歳かしら、四歳だったかもしれない。でも、五歳でなかったことは確かかね」

この言葉を聞いた時、ニーナの立っている地面は足下から崩れ落ちた。ニーナはそれまで、言われた通りに自分の誕生日を信じていたのに、その自分の誕生の日というものがこの世からかき消えてしまった。

「私はどこで生まれたの？」

「中国のチャムスよ。お前はチャムス生まれの中国人なの。お役所もそう認定したのだから間違いないよ」

イリーナはそう答えたが、もはやニーナにとってイリーナの言うことのなにもかもが信用ならなかった。

ソ連の新学期は九月一日で、その日までに七歳になった子供が小学校に入るのだが、一九四七年の九月、イリーナが役所に届け出たニーナの誕生日がもし正確なものだったとしたら、ニーナは当然小学校に上がれるはずなのに上がれなかった。理由は、成長が遅れているということだった。イリーナの出生届はやはりでたらめだったのだ。その時、小学校の医務局員が改めて推定したニーナの年齢は六歳。翌一九四八年九月一日、ニーナは小学校一年生になった。

「私の誕生日？」

尋ねた女の子に向かって、

「知るもんか！」

吐き捨てるなり、ニーナはその場を飛び出して自室へ戻り、アルバムを取り出すと、そのうちの一枚の写真の、自分の顔の部分を青インクのペンで、ほとんど憎しみをこめて、めちゃめちゃに塗りつぶしたのだ。

あれは小学校高学年の頃だったけれど、四年生だったかしら五年生だったかしら……。

ニーナの思い出が曖昧なのではない。ニーナの生きている現実が曖昧なのだ。

子供たちのはやす声が聞こえる。

「親なしニーナ、名なしのニーナ……」

ニーナはいつしか眠りに落ちていく。

ニーナは楽しい夢を見たことがない。自分の人生を回想すると、どの場面もその風景は涙にかすんで揺れて見える。だから夢ぐらいは楽しいものを見たいと願いつつ眠りにつくのだが、願いは一度としてかなえられず、涙をいっぱい流しながら目覚めるのが常だった。

それが今日だけは違った。

大きな船に乗っていて、船は港に入ったところで、ニーナはその船のデッキに立っている。船は汽笛を轟(とどろ)かせ、ニーナは両手で耳をおさえる。見知らぬ波止場のはるかむこうの山並みから、今しも太陽が黄金の光をはなって昇りつつあった。あたりに人影はなく、ニーナはひとりぼっちであったが、心は幸福にみちあふれていた。幸福……言葉では知っていても、体験したことのない感情だ。

母のぬくもりも父の優しさも、家庭を持ち子供を育てる喜びも、知らずに今日まで生きてきたが、故郷に帰還するという幸福だけは残されていたということの感動。

ニーナは夢の中で叫んだ。

「私はついに帰ってきた！　長い長い旅を終えて、私は故郷へ帰ってきた。そこには私を待っている人がいて、街がある」

そこで夢はとぎれ、ニーナは目覚めた。

うれし涙、それさえニーナは知らなかったが、枕をぬらしていたのが悲しみの涙でないことは分かった。

そんな幸福感が、日がたつにつれて薄らいでいき、不安がつのりはじめ、またいつものように悲しい夢を見るようになった頃、フクシマ・ヒロシから、待ちに待った連絡があった。十月に入ってすぐのことだった。彼に渡してあった二葉の写真と日本の四季に彩られた美しいカレンダーが同封され、手紙はロシア語で書かれてあった。


親愛なるニーナ様。

お元気ですか。エカテリンブルグは秋たけなわで、プーシキン通りの並木もさぞかし美しく色づいていることでしょう。私は、あの日の驚きをかかえたまま、日本に帰るや早速、厚生労働省社会援護局・援護企画課中国孤児等対策室に報告に行きました。

厚生労働省側の回答は、ロシアにも日本人孤児がいるであろうと当然予想はしていたが、実際にいるとなると問題は別だ。慎重にしかし前向きに対処したいところだが、なにしろ初めてのケースであり、また真偽のほども分からないので、そう軽々に行動はできない。幸い写真もあることであるし、幼児期と現在の写真の骨格検査などをした上でなんらかの返答をしたいと思う。それまで暫く(しばら)の猶予をいただきたい、というものでした。

お役所仕事ですから、時間がかかると思いますが、私の得た感触では可能性ありです。希望を持って待っていてください。また、ご連絡いたします。

束の間の秋が終われば厳しい冬です。風邪など引かれぬようご自愛ください。

フクシマ・ヒロシ

二〇〇二年十月一日

追伸、お預かりした貴重な写真はコピーを取りましたので、返却いたします。素人判断ですが、赤ちゃんと今のあなたは瓜二つです。間違いありません。

フクシマからの親切な手紙を読んでニーナは少し安堵した。

それっきり連絡のないまま冬になった。

氷点下三十度を越す寒さともなると、目張りをしている窓の隙間(すきま)から吹き込む風さえ喉に染みた。厳しい冬を、ニーナはひとりぽつねんと過ごした。アンナが時々やってきてくれて、一緒に料理を作ったりおしゃべりをしてくれるのだが、ニーナがあまりにしょんぼりとしているものだから、彼女の訪問も次第に間遠になっていった。

年が変わり、花という花がいっせいに咲く春も終わり、気がついたら、フクシマと会った夏さえ終わろうとしていた。一年がむなしく過ぎたのだ。

ニーナはたまりかねて、フクシマに手紙を書いた。

親愛なるフクシマ様。

その後いかがなりましたでしょうか。

催促めいたことを言ってはいけないと重々承知しておりますが、望みが大きかっただけに、今は不安にかられております。ほんのわずかの情報でも結構ですから、知らせてください。お願いいたします。なにしろ私も老齢ですので、命のあるうちに、答えが出なかったらどうしようと、そんなことばかり考えております。

吉報をお待ちしております。

二〇〇三年八月二十日

ニーナ・フロンティンスカヤ

フクシマから長文の返事が来たのは九月の終わりだった。


親愛なるニーナ様。

さぞかしご心配のことと思います。

実は、私は日本へ帰ってすぐに、私が住んでいる福岡の新聞社にあなたの話をしました。新聞に取り上げられて、少しでも話題になってくれたら、厚生労働省の動きも早まるのではないかと考えてそうしたのですが、残念ながら興味を持ってもらえませんでした。

あなたという、戦争に翻弄された一人の人間がいて、戦後五十八年が過ぎても、その人にとっては戦後が終わっていないどころか、戦争そのものがまだつづいているような状態だというのに、日本の新聞社は、そんな記事は終戦記念日用のもので、平時にはなんの価値もないと言い放ったのです。これが、先の戦争にたいする日本人のおおかたの感情なのだと改めて痛感しました。平穏な時の流れの中で、苦くてつらい過去をわざわざ思い出させてくれるなと言いたいのでしょう。こういう国民感情があるがゆえに、中国残留孤児の問題も迅速に進まないのではないかと思います。しかもあなたは、ロシアで発見された初めての残留孤児です。生きていただけでも奇跡的な大ニュースだと私には思われるのですが、新聞社は事の重大さよりも記事のタイムリー性を重視するのです。実に嘆かわしい話です。

それならばと、私は今年に入ってから、読朝新聞を訪ねてみました。終戦記念日にふさわしい記事ではないかという私の熱弁が効いたのか、ついにあなたのことが、読朝新聞全国版の八月十二日朝刊に、囲み記事ではありますが、二葉の写真とともに載ったのです。同封したものがその記事ですが、あらかじめロシア語に訳しておきましたから、どうぞお読みください。間違ったことは書いてないと思います。この記事によって世間の話題を少しは喚起できるのではないかと淡い期待を抱いていたのですが、それは見事に裏切られました。なんの反響もないまま、一月が過ぎてしまいました。業を煮やした私は、その記事を同封して、厚生労働省に手紙を書きました。つまり、新聞に取り上げられるほどの事件なのに、いったいなにをぐずぐずしているのか、骨格検査とはそれほど時間のかかるものなのかと。返ってきたのはいわゆるお役所的決まり文句の「鋭意進めております」で、おまけにこうまで言うのです。「この先、この問題はこちらで処理したいと思うから、あなたは手を引いてもらえないか」。まるで自分たちの縄張りを荒らしてもらっては困ると言わんばかりの口振りです。私は断りました。私にはあなたと交わした約束があるからです。いくら役所が出てきたからといって、ではよろしくお願いしますと言って引きさがれる訳がないではありませんか。私にはあなたの日本人鑑定問題と帰還問題の結末を見届ける義務があるのです。そんな訳で、厚生労働省はたぶん来年の八月十五日を目途として取り上げるのではないでしょうか。役所も新聞社も魂胆は同じような気がするからです。

どうぞ力を落とすことなく、絶対に祖国の土を踏むんだという意志を持って、生きぬいてください。

私が身を退いたほうが、役所の動きはよくなると思いますが、ニーナさんのご意見をお聞かせください。

二〇〇三年九月十八日

フクシマ・ヒロシ

ニーナは同封されている日本の新聞を見た。そこには自分の幼児期と現在の写真のついた記事が載っていた。添付されてあるロシア語の文章を読んでみた。

――私は誰？　ルーツを知りたい。戦争によって見失った「私」を探して。満洲のトーチカ内でソ連兵に救出され、ロシア・ウラル地方の中心都市エカテリンブルグで育った初めてのロシア残留孤児、ニーナ・ペトローヴナ・フロンティンスカヤさんは、戦後五十八年経った今なお望郷の思いをつのらせている。日本ウラル友好協会日本代表のフクシマ・ヒロシ氏が手掛かりを託され情報収集に乗り出した。

――ニーナさんは一九四五年八月中旬、中国黒竜江省東南部の牡丹江周辺で、旧ソ連軍戦車軍団の砲火攻撃を浴びて全滅した日本軍のトーチカ内で旧ソ連軍兵によって発見され救出された。その時の推定年齢は二歳数ヵ月か。トーチカ内の日本人は、民間人も含めて全員が死んでいたが、ニーナさんは死体の折り重なった中でかろうじて命をとどめていたものと思われる。

幼児は顔に怪我を負っていたため、発見した兵士のピョートルは、すぐに医療衛生隊へ移送し治療を受けさせた。そこで幼児にニーナ・ペトローヴナ・フロンティンスカヤという名前をつけた。ニーナとはチェホフ『かもめ』の主人公の名前に、ペトローヴナとはピョートルという兵士の名前に、フロンティンスカヤとは発見された場所であるフロント（戦場）にちなんでいる。

その後、ニーナさんはエカテリンブルグの複数の孤児院に預けられて成長し、ルナチャルスキー記念国立オペラ・バレエ劇場の練習ピアニストになったが、現在は退職して年金生活を送っている。

「親がどんな人だったのか、日本はどんな国なのか知りたい」

日本名も出身地も分からず、トーチカ内で兵士たちがみつけた幼児期の写真だけを手掛かりに、ニーナさんはこれまでにも日本大使館に問い合わせるなどしてみたが、なんらの情報も得られなかった。

昨年八月、日本ウラル友好協会日本代表のフクシマさんがシベリア抑留者の遺骨収集のため、エカテリンブルグのテレビに出演した際、それを見たニーナさんが助力を求めた。

「あきらめていたが、最後の望みを託したい」

フクシマさんはニーナさんの故郷を思う気持の強さに打たれて、力になりたいと思ったと話す。

記事の内容にニーナはなんの不満もなかった。それよりもなによりも、フクシマの努力に頭の下がる思いがした。

ニーナの返事は簡単明瞭であった。

親愛なるフクシマ様。

私がこの世に生かされたということが奇跡であるように、あなたと出会ったことも一つの奇跡です。この奇跡の行く末をあなたとともに見届けたいと思います。

二〇〇三年九月二十五日

ニーナ・フロンティンスカヤ

クリスマスの頃、フクシマから手紙が来た。

親愛なるニーナ様。

喜んでください。

随分長いこと待たされましたが、厚生労働省からついに回答が来ました。

写真による骨格検査の結果、幼児期の写真と現在のあなたの写真は同一人物のものであることに間違いないという検査結果が出たそうです。つまりあの写真の赤ちゃんは、あなたがそう信じ、私たちもそう思ったとおり、あなた自身だったのです。ですからあなたの祖国は日本であり民族名も日本人です。あなたの祖国が判明したことは自分のことのように嬉しいです。

ただし、これはあくまでも写真による鑑定結果であって、本人に会って、きちんとした調査をしてみなければ、最終的な結論は出せないと厚生労働省は言ってます。それはもっともだと思います。ですがとにかく、あなたが、自分自身に違いないと思いつめて大事にしていた写真が他人のものでなくてよかった。それだけでも、私はほっと胸をなでおろしております。おめでとうございます。

二〇〇三年十二月二十二日

フクシマ・ヒロシ

ニーナはアンナに電話をかけた。

「アンナ、すぐ来て！　嬉しい知らせがあるの」

「随分と声がはずんでいるわね。いったいなにがあったの？」

近所に住んでいるアンナはものの五分もしないうちにニーナの家のドアを開けた。

「ね、アンナ、私はやはり日本人だったのよ。写真の骨格検査でそれが分かったの」

「本当？　あの赤ちゃんの写真はあなただったのね」

「そうなの」

「ああ、ニーナ、素晴らしい」

アンナはニーナを抱きしめた。

「すると、ニーナ、あなたは日本へ行くことになるのね」

「たぶん。日本の役所の人が私に会いにきて、そこで最終的に確定したら、日本へ行くことになるでしょうね」

「あなた、日本へ帰る気？」

「そんな、なにも考えてないわ。今はただ、自分の身体の中に流れているのが日本人の血であることが分かったことが嬉しいの。ずうっと私は民族名を中国人として過ごしてきたのだから」

「それにしても、長い時間がかかったわね」

「もう私、ダメかと思ってたわ」

「私だって、意気消沈しているあなたを見るのがつらくてならなかったわ」

「本当に心配かけてごめんなさい」

「そんなのいいのよ、友達なんだから。ところでニーナ、もう一つ、耳寄りなニュースがあるわ」

「いいニュース？　悪いニュース？」

「さあ。あなたのほうの結果がなかなか出ないから、言い出せないでいたのだけれど、あなたが日本へ行く可能性が出てきた今となったら言えるわ」

「なによ、アンナ、早く言って」

「マエストロがね……」

「マエストロって？」

「マエストロのダヴィッド・レービンよ」

「ダヴィッドがどうかしたの？」

「実は今、日本にいるのよ」

「なんですって？」

「日本のオーケストラの指揮者として迎えられたそうよ」

愛する、いや生涯で一度だけ愛しあったダヴィッドが日本にいる。考えただけでニーナの胸は熱くなった。

「ほら、ニーナ、急に日本へ行きたくなったでしょう」

「ええ、行きたいわ。行ってあの人に会いたいわ」

ニーナは笑いながら涙を手ではらった。

国外で指揮活動をしているダヴィッド・レービンの消息が絶えてから十年以上が経っていた。音楽家が行き来することはむろんあるが、ソ連における日常生活で、自由主義諸国の音楽事情を知る方法はないに等しかった。

「いいもの見せてあげましょうか」

「なに？　見せて」

「ほら」

アンナが差し出したのは、演奏会のチラシだった。すっかり年をとり白髪になったダヴィッドが颯爽（さっそう）と指揮棒を振っている写真が大きく載っている。

「日本のチラシね」

「そうよ。ダヴィッドから送られてきたらしいわ」

ニーナには意味不明な言葉がならんでいたが、ダヴィッド・レービンという名前のところはローマ字になっていて、そこは読めた。

「ダヴィッドが日本にいるなんてねえ」

アンナはニーナの気持を代弁するかのように言った。

「アンナ、あなたはいつ知ったの?」

「チラシが送られてきたのは一ヵ月前かしら。劇場はこの話題でもちきりだったわ」

「ダヴィッドがこんなに立派になって」

「ニーナ、目がきらきらしてきたわよ」

「まさか」

ニーナは恥じらいつつも、乙女のような目をして遠くのほうを見るのだった。

2

あれは一九六〇年のことだから、今から四十三年前だ。それは確かなのだが、自分がいくつの時だったとはっきり言えないのがもどかしかった。二十歳だったのか、十九歳だったのか。養母の届け出た一九四〇年八月十六日というニーナの誕生日は、市役所によって訂正され一九四一年八月十六日とされた。それにのっとってその後のニーナの人生は進行してきたわけだから、十九歳で間違いはなさそうなのだが、それとても絶対とは言い切れない。でもまあ、ひとまず十九歳ということにしておこう、とニーナは思うのだった。

十九歳の春のことだった。

ルナチャルスキー記念国立オペラ・バレエ劇場の五階にある稽古場でニーナは懸命にピアノのレッスンをしていた。

『くるみ割り人形』の「トレパーク（ロシアの踊り）」がどうしても上手く弾けないのである。早く激しいフレイズをさりげなく、しかも楽しげに弾かなくてはならない。ロシアの匂いを充満させて。それが難しいのだ。

繰り返し繰り返し練習しても、ついに納得がいかず、太い溜め息をついた時だ。

「そんな弾きかたじゃダメだよ」

誰もいないはずの稽古場で声がした。

ニーナははっとして、あたりを見回した。

声の主は副指揮者のダヴィッド・レービンだった。ダヴィッドは入り口の柱にもたれて立っていた。

ニーナは立ち上がって挨拶し、

「いつからいらしてたんですか」

「『トレパーク』の最初あたりからかな」

「私初めて、全曲を任されたものですから、ご迷惑をかけてはいけないと思ってレッスンしてたんです」

「でも、あの弾きかたではいつまでたったって上手く弾けないよ」

「なにが悪いんですか」

「そうだな。君のピアノは個性が強いというか雑念がありすぎる。コレペティートルっていうのは練習用のピアノだ。だからといってただ達者に弾けばいいというのではない。指揮者の意図を理解し、その意図に従って演奏しなくてはならない。君はその指揮者の意図を理解しないままレッスンしているから、いつまでたっても、目的地に到達できないでいるのだ」

「指揮者の意図って……。この公演の指揮をするのはどなたですか？」

「ぼくだよ」

ダヴィッドは真顔で言う。

「本当ですか？」

「嘘！」

ダヴィッドは笑った。

「指揮者は正指揮者のマエストロ・コジンスキーなんだけど、ぼくが副指揮者でお手伝いするんだ」

ダヴィッドは稽古場に入ってきた。

「そうだったんですか」

「だから副指揮者のぼくが、正指揮者の意図を君に伝えてあげるよ。さ、いいかい」

ダヴィッドはニーナの弾いているピアノのそばに立ち、指揮棒をかまえるポーズをとった。ニーナはびっくりして、

「今ですか」

「そうだよ。ぼくの指揮のとおり演奏するのだ。大事なのは無心になることだ」

「はい」

ニーナは緊張で身がかたくなった。

「では、いくよ。『トレパーク』。激しく楽しく、それだけだ」

ダヴィッドは鋭い目付きをして「うん」と一声うなると、両手を振り下ろした。と同時にニーナはピアノをたたいていた。ピアノ全体が鳴った。自分が今まで出したどんな音よりも力強く音楽的だった。

ダヴィッドは顔を真っ赤にし、うなずいたり、うっとりとした表情を浮かべ、どんどん曲を進めていく。まるでオーケストラを指揮するような動きだ。その動きには、作曲家が作品に託した思い、指揮者の作品にたいする愛情、正しいテンポ、そのテンポの揺れ具合、フォルテ、フォルティッシモ、ピアノ、ピアニッシモ、曲想の甘さ、辛さ、それらすべてのニュアンスがこめられていた。ニーナは無心になり、ただひたすらダヴィッドの目と両手の動きを凝視しつつ演奏していたのだが、不思議なことに、自分のものとは思えないほどに指がよく動いた。不得手なところにさしかかり、今にもつまずきそうな感じになっても、ダヴィッドの指揮のままに弾いていると、細かい音符を一つとしてはずすことなく、縦横無尽に指が鍵盤の上を駆けめぐるではないか。

「なんという指揮者の力だろう」

ダヴィッドの発するオーラに圧倒され、それに身をまかせてピアノを弾きながら、ニーナは恍惚としていた。わずか一分そこそこの曲なのに、弾き終わったニーナはがっくりと疲れていた。

ダヴィッドは拍手をし、

「ほうら、できたじゃないか。これでいいんだよ」

「でも、私、なんか魔法にかけられたみたいで、こんどまた弾ける自信はありませんわ」

「一度弾けたらもう大丈夫。この次だってかならず弾ける。今日のぼくの指揮を忘れなきゃいいんだ。それよりどう、散歩に行かない？　外は春だよ」

「私、レッスンしないと……」

「つづきはまた今度、ぼくが教えてあげるよ。さあ、行こうよ」

　ダヴィッドはピアノの蓋を閉め、ニーナを抱きかかえるようにして立たせた。ニーナは逆らわなかった。

　五階の稽古場から駆けるように階段を下りてレーニン大通りに出ると、エカテリンブルグはまさに春だった。

　ウラル山脈にほど近いこの街の冬は長く厳しい。一番寒いのは一月で氷点下三十度にまで達する。三月いっぱいまで氷点下十度前後の寒さに閉ざされ、四月に入ると春の足音がしはじめる。街の中央にある大きな市街池（ガラッコイ・プルードウ）をおおっていた氷が割れて流れだし、路上の雪も解け、道がぬかるむ一方で、木の芽が色づき花の蕾（つぼみ）がふくらんでいく。そして五月になると、林檎、アカシア、しゃくなげ、あんず、……花という花がいっせいに咲きほこる。

　そよ風に吹かれながら、ダヴィッドとニーナはレーニン大通りを西に向かってゆったりと歩いた。外套を脱いで外へ飛び出した人々の顔はどれもこれもがはじけそうに笑っている。トランバイ（路面電車）が走りすぎていくが、その乗客たちも笑顔だ。

　中央郵便局の前でダヴィッドは、市街池を指差して言った。

「ほら、見てごらんよ」

ダヴィッドの指差すかなたには、巨大な人工池があり、それはゆったりと左にカーブしていて、かなたには橋がかかっていた。岸辺に茂る木々の緑もあざやかだった。

「この市街池は一七二三年にイセチ川を横切るようにしてダム建設が施工された時にできたものなんだ。エカテリンブルグに美しいところは沢山あるけど、春、右手に労働組合会館の白い建物を視界に入れつつ、このあたりからながめる景色がぼくは一番好きだ。ニーナ、君はどう思う？」

ダヴィッドはニーナより五歳ほど年上だろう。鼻の高い知的な横顔のむこうに、澄み切った空を映して池は青々とひろがり、そのまま雲のかなたまでもつづいている。

人生には可能性がいっぱいあるような、その可能性は求めればかならずかなえられそうな、そんな希望にみちた景色だった。モスクワ音楽院を卒業した若者がいかに将来への夢に燃えているかが分かった。

ニーナは正直に言った。

「エカテリンブルグがこんなに美しいところだなんて、今日の今日まで知りませんでした」

「それはどういうこと？」

ダヴィッドはニーナの顔をのぞきこんだ。

その視線をさけて、ニーナは答えた。

「私、自分のことばかり考えていて、外の景色を見る余裕がなかったんだと思います」

「つまり、人を好きになったことがないということか」

「さあ、どうでしょう……」

返答に窮するニーナの肩に手をかけてダヴィッドは言った。

「今日の演奏を聞いて思ったんだけれど、君とぼくは似たもの同士かもしれない。君の演奏を聞いているとぼくはむしょうに淋しくなる。人の気持を淋しくさせる涙の塊みたいなものが君の演奏にはあるのだ」

「私たちがヴァイオリンにかぎらずピアノでも、ユダヤ人の演奏を聞いた時に感じるあの望郷の思いとでもいうようなものでしょうか」

「たぶんね。どうして君の音楽にはそれがあるのだろうと、それが気になってずうっとあそこに立っていたんだ」

「どうしてあなたは、私の演奏にそれを感ずるのですか？　素人に毛の生えた程度のコレペティートルのピアノに」

ダヴィッドははるかに市街池を見やりながら言った。

「それはぼくがユダヤ人だからさ」

「えっ、そんなこと軽々しく言うものではありません」

「だから、さっき言ったじゃないか、君とぼくは似たもの同士だって」

ダヴィッドはニーナの手をとった。

ニーナはふるえてうつむいた。

「君はきっと一人で毎晩泣いているんじゃないかな。そんな気がする。その悲しみの理由をぼくは知りたくなった」

ダヴィッドの言葉が愛の告白であろうことはニーナにもなんとなく分かったが、なにぶんにも恋をした経験がないゆえに確信が持てなかった。

ニーナはただおろおろと、

「私なんか、あなたたちユダヤ人のような選ばれた民でもなんでもない、中国系ロシア人のつまらない人間です」

「それは君がかぶっている一つの殻であって、その下に君の真実があるんだよ。それにぼくは触れたいんだ」

「そんな……」

ニーナはダヴィッドの手をふりほどき、

「そろそろ帰らないと、稽古が始まります」

来た道を戻りはじめた。

「今日の稽古はぼくが指揮することになっているんだ。じっくりと教えてあげるよ」

ダヴィッドは明るく言い、なにごともなかったかのように肩を並べてまた歩いた。

ルナチャルスキー記念国立オペラ・バレエ劇場の前身は一九一二年に建設されたエカテリンブルグ国立アカデミー・オペラ・バレエ劇場である。やや乳白色がかった白亜の殿堂で、内部は皇帝の建物にも匹敵する豪華さを誇っている。柿落(こけらお)としを飾ったのは愛国的作曲家ミハイル・グリンカのオペラ『皇帝に捧げし命』であった。その後、革命があり、劇作家であると同時に革命家でもあり、のちに教育人民委員（文部大臣）になったルナチャルスキーの名前を冠するようになったが、エカテリンブルグにおける芸術の拠点としてのこの劇場の存在価値は変わることなく、むしろ一九二〇年代半ばからは、豊富なレパートリー、高い音楽水準、斬新な演出方法、そして多彩な歌手やダンサーをかかえていることから、ソヴィエト国内最高の劇場と言われるまでになった。

市のメインストリートであるレーニン大通りに面して劇場は建っていて、下から見上げると四階建てにしか見えないが、実際は五階建てで、その五階部分が稽古場になっていた。

五階まで階段で上がった。

「いいかい。今日の稽古は『トレパーク』からやるからね」

「さっきの？」

「そう」

「どうして二幕の途中から始めるのですか」

普通、稽古は第一幕からやるのが常識ではないのか。ニーナは意味がのみこめなかった。

「うん。『トレパーク』をさっきやったように、ぼくの指揮でみっちり弾いてくれたら、今度の『くるみ割り人形』にたいする指揮者の意図がみんなによく伝わるのではないかと思うのだ。だから、やっておくれ」

「はい。分かりました」

稽古場にはダンサーやスタッフが次々とやってきた。演出家、振付師、舞台装置係、照明係、衣装係、小道具係……、稽古初日ということもあって、みな興奮していて、広いはずの稽古場が熱気でむんむんしていた。

劇場の支配人や正指揮者マエストロ・コジンスキーの挨拶や激励のあったあと、稽古が始まった。

「諸先生方、仕事に入る前に、まずは『トレパーク』を聞いてください」

ダヴィッドは、今度は指揮棒を持っていて、それをさっきよりもいっそうの真剣さをこめて振り下ろした。

ニーナは無我夢中でダヴィッドの指揮についていった。

一音も間違えることなくニーナは弾ききった。それだけで精一杯だったのだが、稽古場に拍手が鳴り響いた。コレペティートルの演奏に拍手がくるなんて異例のことだった。

「これが私が理解しているところの、マエストロ・コジンスキーの『くるみ割り人形』です。今までの夢のようなおとぎ話に人間的リアリティをもっと色濃く加えたいというのが先生の意図です。みなさん、よろしくお心得ください」

ダヴィッドの作戦は当たったようで、その後の稽古は実にスムーズに進行した。指揮者の意図のもとに、振付も照明もなにもかもに変更が加えられた。

稽古が終わり、トランバイに乗って、デカブリストフ通りの家に帰ったのは深夜に近かった。

鏡を見た。

「私は変わった」

今日の出来事のせいだろうか。

ニーナはダヴィッドの情熱的な瞳を思った。

ドアが開き、養母のソーニャがパジャマに赤いガウンをはおった姿で入ってきた。

「お帰り」

「もう休んでると思って声をかけなかったの」

「別にいいのよ」

「遅くなってごめんなさい」

「稽古初日だもの、遅くなって当然。それよりニーナ、あなた鼻歌なんかうたったりして、珍しいわね」

「私、鼻歌うたってました？」

全然気付いてなかった。

「うたってたわ。『トレパーク』を」

「稽古初日で興奮してたんだわ、きっと」

「それだけじゃなさそう」

「それに今日は素晴らしい天気だったし」

「ま、いいわ。ニーナ、あなた、お腹空いてない？」

ダヴィッドと散歩したあと、そのまま稽古に入ってしまったから夕食をとる時間がなかった。

ニーナはたまらなく空腹を感じていた。

「ママ、本当言うと、とても空いてるの。なにかあるかしら」

「そうだろうと思って、晩ご飯をとっといてあげたわよ。今、温めるわ」

「ありがとう」

ソーニャがボルシチとピロシキを温めてくれている間、ニーナは食卓に座り、ザクースカ（前菜）にレモンをかけて食べた。この時もニーナは知らぬ間に鼻歌をうたっていた。

「今夜のニーナはやはりいつもと違うわね」

ニーナはナイフについているケータ（サーモン）をパンできれいに拭きとり、鏡がわりにそれをのぞいてみた。そこにはつい先程、鏡の中に見たのと同じぽっと上気した自分の顔があった。

ニーナは心の中でつぶやいた。

（こんなに嬉しげな表情をした自分を見るなんて初めての経験だわ）

「ねえ、ニーナ、今日あったことを正直に話して聞かせて」

「ママになら、なんだって喜んで話すわ」

ニーナは、ダヴィッドとのことを話した。一人でレッスンしているところを見られたこと。そして稽古をつけられたこと。市街池（ガラツコイ・プルードウ）まで散歩したこと。稽古に入るや最初から最後まで、ダヴィッドは片時もニーナから目を離すことなく指揮をしつづけたことなどを。

「それだけ？」

帰りがけに、明日もまた稽古場で落ち合う約束をしたのだが、そのことは言わないでおこうと思った。

「それだけよ」

ニーナの頬はいっそう赤らんだ。

ソーニャはにこりと笑ったが、すぐに暗い表情をつくり、言った。

「心というものは、自分でもどうにもならないものだから、私がなにを言っても無駄なことは知っているわ。でもね、できることなら、ダヴィッドとはつきあわないほうがいいと思うわ」

ニーナは当惑し、口をとがらせた。

「私はまだつきあおうなんて思ってないわ」

「嘘よ。もう始まっているわ」

「なにが言いたいの？」

「つきあったら、あなたはきっと悲しい思いをするだろうということよ」

「どうして？」

「誤解してもらっては困るけど、私には人種偏見なんてありませんからね」

「分かってます。そうでなかったら、私を育てたりはしてくれませんもの」

「その通りだわ。だけどね、経験をつんだ判断力のある大人として、また愛する養女の身の上を心配する養母として、黙っていられないのよ」

六十年間生きてきた女の信念にみちた言い方だった。

「なにが言いたいの？」

ニーナはおずおずと訊いた。

「彼はユダヤ人なのよ」

「ママ、知ってたの？」

「それは知ってるわよ。私はあの劇場では古株よ」

ソーニャのコレペティートルとしての経歴は長く、実力があり、上司の覚えもめでたく、後輩たちの人望も厚いことをニーナは分かっていた。功労芸術家として国家から勲章までもらっている。だからこそこうして三部屋あるアパートメントを劇場から与えられている。普通のコレペティートルなら、もっと辺鄙（へんぴ）な場所にある共同住宅の一室を割当てられるのが精一杯のところだ。

「彼が大学を卒業して、劇場付きの指揮者になったのは二年前。その時、ユダヤ人としての彼を採用すべきかどうか理事たちが迷っているのを見てたもの。しかし彼の実力にはみんなが脱帽したのよ」

「でも、どうしてユダヤ人だといけないの？」

「ユダヤ人にもいろんなタイプがあるわ。今住んでいる土地に同化しようと努力する影の薄いユダヤ人、自分たちの国を作ろうとして、ついに作ってしまった愛国心の強いユダヤ人、またどこに生きていようとユダヤ人であることを前面に押し出してみせようとするちょっと鼻持ちならないユダヤ人。でもね、自分を進化させることに関しては、ユダヤ人芸術家が一番熱心なのではないかしら。それはね、祖国を失ったものの宿命であると同時に特権でもあるんだわ。よく言えば世界人、悪く言えば流浪（るろう）の民。だから彼らは己の進化のためならどこへでも旅立っていく。ひとところにじっとしていることがない。たとえ家族を棄（す）ててでも、自分の進化を求めて顧みない。音楽家は特にそうだと思っていいわ」

「ダヴィッドも？」

「むろんよ。彼には才能があるのよ。あのありあまる才能をエカテリンブルグで終わらせなければならない理由なんてなにもないわ」

「…………」

「いつかは来ると思っていたけれど、ついにその日が来たのよ。むしろ遅かったかもしれない」

「なんのこと？」

「あなたが恋をする日のことよ」

「恋？」

「そう、恋よ。年頃ですもの」

「恋って、あの恋？」

「そう、あの恋よ」

「まさか。私、全然、そんなこと考えたことない」

　ニーナは目を輝かせ、

「私が人を好きになるなんて……」

　と自らに問うた。

「信じられないわ」

「そうよ。あなたが人を好きになったのだわ。それはママとしてとても嬉しいこと。でもね。相手が相手だけに、もう今から辛いのよ」

　ソーニャは涙を流した。

「ママ、泣かないで。私はママの悲しむことはしないから」

「ねえ、ニーナ、あなたとダヴィッドとの間にまだなにもないことは知っているわ。でも、もうすでになにかが始まっていることも確かなのよ。私はあなたにやめてもらいたくて泣いたんじゃないの。あなたに言いたいことはただ一つ。ダヴィッドを好きになろうと思ったら、どんな結末を迎えることになろうと、決して後悔しないという決意を持ちなさいということ」

「未来はないっていうことね」

「そうよ」

「はい。分かりました」

「これはあなたの人生の問題。私は考えるための資料を与えただけ。すべてはあなたの意思が決めること。分かってるわね」

「分かってます」

ニーナはソーニャの目を見て、しっかりとした口調で、まるで宣誓でもするかのように言ったが、心はうつろだった。なにが起きているのか自分でもよく分かっていないのだ。

自分の部屋に戻り、もう一度鏡の中の自分の顔を見た。手で触れてもそれと分かるほどに、両の頬がほてっていた。今日一日のことがさざ波のように脳裏に打ち寄せてくる。そこにはいつもダヴィッドの笑顔があった。

「君はきっと一人で毎晩泣いているんじゃないかな。そんな気がする。その悲しみの理由をぼくは知りたくなった」

ニーナをじっとみつめて言ったダヴィッドの言葉が耳もとによみがえってくる。

ニーナは見えないダヴィッドに問いかける。

「私の悲しみの理由を知りたい？　ダヴィッド、あなたに、私の悲しみの理由が、本当に理解できるかしら」

ニーナは自分の顔を見る。右目の下にうっすらと傷が残っているが、この傷はむかしはもっと深く、瞼（まぶた）はだらりと下がっていた。

ニーナは生まれてはじめて自分の顔を見た時のショックを忘れない。

あれは、四歳か五歳の時、ニーナはすでに前の養母であるイリーナの家に預けられていた。

「ニーナ、ニーナ、親なしニーナ！」

「ニーナ、ニーナ、醜（みにく）いニーナ！」

子供たちはニーナを取り囲んではやし立てる。中にはうずくまって泣いているニーナの顔をわざわざ手で起こし、目の前で醜い表情を作ってみせる子までいる。

泣き泣き家に帰ったニーナは養母のイリーナに訊いた。

「ねえ、ママ、醜いってどういう意味？　私って醜いの？」

イリーナは台所仕事の手を休めることなく、

「そうだね、醜いってのはね、形が整っていないということかしらね」

「私の顔は形が整っていないの？」

「まあ、普通の子のようにはね」

「私ってどんな顔しているの？」

「おやまあ、ニーナ、お前知らなかったのかい。じゃあ今、鏡を見せてあげるわよ」

寝室から手鏡を持ってくると、

「いいかい、ニーナ、決して驚くんじゃないよ。お前はひどい傷を負っているんだからね」

イリーナは念を押した。

ニーナはうなずき、鏡を受け取ると、明るい窓際へ駆け寄り、ゆっくりと鏡をのぞいた。

「私ってこんな顔してるのか……」

右目の下に深い傷があり、右の瞼がだらりと垂れ下がっていた。左の目に傷はなかったが、ニーナは自分の顔が歪（ゆが）んでいることに驚いた。みんなが自分のことを「醜いニーナ」と言う理由が分かってみると、涙がぽろぽろと流れてきた。

ニーナはイリーナに訊いた。

「ねえ、ママ、私の顔にはなぜ傷があるの？」

「それはね、お前が中国の戦場でソ連兵によって拾われた時、ひどい怪我をしていたんだよ」

「この傷は治らないの？」

「治らないみたいだよ。それでも、お医者さんは精一杯やってくれたらしいけど」

ニーナは自分が中国人であると聞かされていたから、肌の色や髪の色についてはさほど気にならなかった。中国人や朝鮮人はみんなニーナと同じような肌の色をしていたからである。それよりもなによりも、ニーナは右目の傷がうらめしかった。これでは「醜いニーナ」と言われても仕方ない。

ニーナはまたイリーナに尋ねた。

「ねえ、ママ、みんなにはママやパパがいるのに、私にはどうしてママやパパがいないの？　ママはどうして私の本当のママじゃないの？」

泣きじゃくるニーナに、

「お前は戦場で拾われた子だって言っただろう……」

イリーナは話して聞かせる。

一九四五年八月の終わり頃、中国東北部の野戦病院から数多くの傷病兵がエカテリンブルグ市民病院へと移送されてきた。その中に右目を負傷した幼いニーナがいたのだ。ニーナの傷は深かったが、どうにか視力を失うことなく治療はその年いっぱいで終わった。ほかは健康だったので、病院側はニーナの引き取り手を探した。病院の事務局員として勤務していたイリーナはその話を聞きつけ、ニーナ・ペトローヴナ・フロンティンスカヤと名付けられ、チャムス生まれの中国人とされる子供を引き取ったのである。そこには理由が二つあり、一つは孤児を養育すれば国から養護費がもらえるということ。しかも、五歳以上の子ともなるとその金額はバカにならない。もう一つはいつ復員できるかわからない夫を待つ身の、その孤独を慰めるためにも、子供がなんとしてもほしかったのだ。

「イリーナ・ママは、私の本当のママでないけど、ずうっとママでいてくれるの？」

その頃、ニーナはいつも心配げにイリーナに問いかけ、イリーナはイリーナで、

「ニーナを手放すようなことはしないよ」

口癖のように答えていたものだが、その言葉はあっさりと反故にされた。

一九四六年秋、イリーナの夫ワレリー・ミハイロビッチが復員した。イリーナは歓喜したが、夫のワレリーは、ニーナの顔を見るなり不機嫌になり自分の故郷であるウクライナに帰ってしまった。そしてイリーナにも帰ってこいと言う。しかし、ニーナという養女はおいてこいとの命令だった。翌年イリーナは泣く泣くニーナを、二月革命通りにある就学前孤児院にあずけ、夫のいるオデッサにむかって行ってしまった。

わずか一年の親子関係だった。

中二階のついた建物である就学前孤児院でも、子供たちの苛めは激しかった。

「親なしニーナ、醜いニーナ！」

泣き付く相手のイリーナがいない分、ニーナの受ける衝撃は大きく、悲しみは心の奥底にたまり固まっていくのだった。

一九四八年九月、ニーナは小学校に上がることになり、サッコ・イ・ワンチェッチ通りにある孤児院へ移った。

学校の成績は中位であったが、学校という新しい場所が増えた分、苛める子供たちも増えた。

「親なしニーナ、国なしニーナ、名なしのニーナ、醜いニーナ！」

そう言われつづけ、悲しみの頂点に達して、写真に映っている自分の顔をインクで塗りつぶした頃、孤児院にムラビヨフが訪ねてきた。

年の頃は六十いくつ。白髪の温厚な紳士だった。

孤児院の院長室で彼は言った。

「みんなに苛められているあなたが哀れでならない」

「私を哀れとお思いなら、私の顔の傷を治してくださいませんか」

「そうだね。やってみよう」

ムラビヨフのお陰で、ニーナはエカテリンブルグ市民病院で右目の瞼を上げる手術を受けた。薄い傷が目の下に残ったものの、以前とは比べものにならないくらい、ニーナの顔立ちは整った。一九五三年、小学校五年生のことだった。

あれから八年経ち、十九歳になったニーナは鏡を見ている。現在の顔に醜いニーナの顔が重なりあう。すると現在の顔が泣いているかのように歪む。

「ああ、ダヴィッド、私はあなたが大好きです」

声に出して言った瞬間、涙があふれてきて、ニーナは嗚咽(おえつ)した。

通称コレペティ、コレペティートル（Korrepetitor　ドイツ語）はオペラ、バレエ、オラトリオ、ミュージカル等の公演において、歌手やダンサーが、オーケストラとの本格的リハーサルに入る前に、役柄を自分のものにすべく練習する際、伴奏を務めてそれを助けるピアニストのことをいう。ある部分を集中的にやったり、中断したり、同じところをなんども繰り返したりして稽古するのはオーケストラには不向きであるため、この仕事が生まれた。

指揮者ないしは副指揮者はコレペティにたいしてまるで本物のオーケストラを指揮するかのように入念な指示を出して稽古を積み重ねていく。それゆえにコレペティにはオーケストラ用の総譜（スコア）を瞬時に頭の中でピアノ用に編曲して演奏するという特殊な技能が要求される。そしてまた、なによりもまずコレペティがきちんと指揮者の意図を表現できないことには、それに乗って歌う歌手または踊るダンサーの表現も成立しえない。優秀でしかも経験豊かなコレペティは指揮者の意図をしっかりと理解し、初役の歌手やダンサーに解釈上のアドヴァイスを与えたり、個別に指導したりもする。歌劇場やバレエ団は三、四人のコレペティをかかえているのが通常であるが、ルナチャルスキー記念国立オペラ・バレエ劇場ではオペラ部門、バレエ部門それぞれに四人のコレペティがいて、ニーナはバレエ部門の一人である。

翌日、ニーナはそわそわと落ち着きがなく、朝食もとろうとしない。

「コレペティは実力だけじゃないのよ。体力がものをいうんですからね。ちゃんと食べなくてはダメよ」

そう言って、コレペティの大先輩であるソーニャはニーナに無理矢理食べさせ、

「コレペティって公演全体を支える土台のような仕事で、一度やったらやめられないくらいに楽

しいものだわ。で、幕が開いてしまうとお役御免。この時にはいちまつの淋しさもあるけど、心新たに次の公演の稽古に入っていく。コレペティは稽古という名の本番に全力を出しきる稽古場の芸術家。不思議な存在よね」

しみじみと言った。

「だって、今回、私初めて、全曲の稽古に参加するんですもの。責任も感じるし、興奮もするわ」

「あら、それだけ？」

ソーニャの質問にニーナはうふふと笑い、

「行ってきまあす」

と言って家を出た。

今日もうららかな春の青空だ。

ルナチャルスカヴァ通りのデカブリストフ停留所で第十五番トランバイに乗った。トランバイは窓を開け放ち、春風が乗客たちの間をさわやかに駆け抜けていた。五つ目のオーペルヌイチアートル（オペラ劇場）停留所で下車すれば劇場は目の前。家からちょうど三十分だ。

楽屋口から入り、

「お早うございます」

大きな声で挨拶すると、

「お早うニーナ、やけに張り切ってるね」

管理人のカザコフが髭むじゃの丸い顔で笑いかけ、ピアノの鍵を渡してくれる。

ニーナは一気に五階まで階段を駆け上る。

ピアノの蓋を開け、まだ息もととのわないうちに弾きはじめる。『くるみ割り人形』の代表曲「花のワルツ」だ。

木管とホルンの導入部からハープのカデンツァにつなぐところを繰り返し練習し、そこをなんとかマスターしてから主部に入る。四本のホルンによって奏でられる豪華絢爛たる主旋律をピアノ一台で表現するのは至難の業ではあったが、ニーナは一心不乱に練習した。約七分の曲を十回ほど練習し、やっと弾けたと思った時、

「ダメだよ。そんなのチャイコフスキーのワルツじゃない」

ダヴィッドの声だった。

「…………」

「ニーナ、君はワルツというリズムを誤解してるんじゃないかな」

「どういうことでしょう」

ニーナはおずおずと訊いた。

「君はワルツを、単なる優雅なダンス音楽と思っているようだけれど、ワルツっていうのはもっと激しく情熱的で、しかも知的なものなんだよ」

「情熱的で知的？」

ニーナはわけが分からなかった。

「ワルツは抵抗の音楽なんだ。むろんワルツはそれまでにあったレントラーという舞曲が発展したものではあるけれど、この三拍子のリズムにモーツァルトもベートーヴェンもショパンもシュ

トラウス二世もみんな革命への思い、というと過激だが少なくとも新しい時代への期待をこめて作曲したんだ。ソヴィエト革命が成就した時、レーニンは仲間たちになんて言ったと思う？　諸君、ワルツを踊ろう！　だ。シュトラウス二世が『美しき青きドナウ』を作曲したのは一八六七年、チャイコフスキーが『花のワルツ』を作曲したのは一八九二年、つまりロシアはヨーロッパから二十五年遅れてワルツの名曲を手に入れたわけだけれど、革新派詩人プーシキンの原作であるオペラ『スペードの女王』を作曲したチャイコフスキーはさすがだ、ワルツの持っている危険思想をしっかりと理解していた。だからこの『花のワルツ』は一見したところ少女趣味的ロマンチックなものに見えるかもしれないけれど、実は違うんだ。チャイコフスキーは、自由思想に憧れたヨーロッパの先輩作曲家たちが発したメッセージへの返信としてこのワルツを書いている。そのことを知らずしてこのワルツを演奏すると、たまらなく安っぽいものになる。君の演奏がそれだ。最初のホルン四本の意味を全然分かっていない」

ダヴィッドは真剣に怒っていた。ニーナは足がすくんだ。

「さあ、弾いて！　ワルツは魂の解放なんだ。自分の中に眠っているもう一人の自分を目覚めさせるんだ。新しく生まれ変わるんだ」

ニーナはダヴィッドの言葉を頭の中に反芻（はんすう）しながら弾いた。

「まだまだ。もっとおおらかに」

ダヴィッドの言うことの一つ一つがニーナにとって初めて聞く言葉で、それを理解しようと思うと手が動かず、手に意識を集中すると頭がおろそかになる。

「もっと知的に、エレガントに！」

ダヴィッドの声は鞭（むち）の音のようだ。

ニーナの頭は混乱した。それでも懸命に弾きつづけていると、

「笑顔の陰に鋭い牙が隠されていないとつまらない」

訳の分からないことを言って、ダヴィッドは首を振る。

ニーナは突如弾くことをやめ、憮然（ぶぜん）とした表情で言った。

「私、弾けません」

重い沈黙が流れた。

「私、この仕事、降ろさせていただきます。もう一度一から勉強しなおします」

あんなにも心にかかっていたダヴィッドが、今ではただの口うるさい男にしか思えなかった。

「無理だね」

「なぜですか」

「こんなことを君に教えられるのはぼくしかいないからさ」

「………」

近付いてきて、

「ねえ、ニーナ」

ダヴィッドは言った。

「ワルツを演奏するっていうことはね、踊る男女のようにぐるぐるとかぎりなく回りながら螺旋（らせん）階段を上っていって、ついには真っ青な天にまで上りつめるということなんだよ。人間が神ともっとも近いところにまで達することなんだ。無限なる円を描いて回りつづけ、脳髄の酸素が希薄

になった時、その時初めて、人間は神の声を聞くんだ。神がいやなら天でもいい。とにかく、自分の中のもっとも崇高な部分と出会うことができるんだ。それを魂の解放というんだが……」

「魂の解放なんて、私には関係ありません」

　ニーナは口答えした。

　ダヴィッドは、

「ほう……」

　にっこり笑うと言った。

「じゃ、ニーナ、君はなぜピアノを弾いているの？」

「それは……」

　答えようとしたが、生活のために技術を身につけたかったとか、音楽の仕事は人々に楽しみを与えるとか、その内容があまりに俗っぽく思われ、ニーナは言いよどんだ。

「じゃ、ニーナ、君はなぜ、そんなに懸命になって練習をするの？」

「上達するのが嬉しいからです」

「そう。昨日までできなかったことを今日はできるという喜び。確かに新しい自分の発見だ。でもね、それは次元の低い世界での話だ。魂は解放されない」

「私には難しすぎます」

　ニーナは不貞(ふて)くされたような表情をした。

「ちっとも難しくないさ。難しいのは君が心を閉じているからさ」

「私、心を閉じているでしょうか」

「閉じているさ。そうでなかったら、どうして君のピアノはそうまで悲しいの？」

「私の演奏は悲しいですか？」

「悲しいさ。聞いていると気が滅入るほどに悲しい。でも、君はそれに気付いていない。なぜなら、その悲しみが君にとって自然な状態だからだ」

「………」

ニーナは確かに悲しい人生を生きてきたけれど、ことさらそのことを表に出そうとしたことはない。むしろ人に見せまいと努力してきたといっていい。でも、それが見えてしまうとしたら……。

「私には、どうすることもできない……」

涙が鍵盤の上に落ちた。ニーナは服の袖でそれを拭いた。

ダヴィッドはちょっと突き放すようなニュアンスで言った。

「ニーナ、君は、自分の知っている世界だけが人間世界のすべてだと思っているだろう」

「ええ」

「人間はね、君が考えているよりもっと神秘でもっと奥深いものなんだ。大作曲家たちはみんな大詩人、大哲学者だから、彼らの音楽は人間の神秘や深遠にたいする敬意と愛情にあふれている。音楽をやるということは、それらに触れるということなんだ」

「私はこの目で確認できるものしか信じられないのです」

「希望も？」

「希望ってなんですか？」

「ニーナ、君はなんて悲しいことを言うのだ」

「なにかを期待して裏切られたことはあります。それをなんどか繰り返すと、傷つくことを恐れて期待しなくなるものです。ましてや希望なんて、今までに一度も持ったことがありません」

「…………」

ダヴィッドは涙ぐんだ。

「ニーナ、ぼくは君に、希望を与えたいと心から思うよ」

「意味が分かりません」

「君が救われるためにも」

「私は神も信じていないのです」

「いや。君の心に希望は生まれる。絶対に生まれる」

ダヴィッドは近付いてくると、椅子に座っているニーナをうしろから抱きしめ、唇を重ねた。

ニーナはしっかりと口を閉じて、唇を許すまいとした。ダヴィッドは両手でニーナの顔をおさえ、無理矢理ニーナの口を開けようとする。開けていったいなにをしようとしているのだろう、と考えているうちに、ダヴィッドの息の匂いがたまらなく甘美なものに感じられた。ニーナは口を薄く開いた。すると、ダヴィッドの舌が入ってきた。がニーナは歯を閉ざして、それ以上の侵入を防いだ。

「ニーナ、もっと口を開いておくれ」

耳元でささやくダヴィッドの声にニーナの全身から力が抜けた。

ニーナは歯を開いた。

ダヴィッドの舌がぬるりと入ってきて、ニーナの口の中を嬉しげに暴れまわった。

「ニーナ、君の舌をおくれ」

ニーナはその言葉に従った。

互いの舌がからまりあい、舐(な)めあっている。

これがキスというものなのか。

ダヴィッドはごくりと音をさせてニーナの唾液を飲み、ニーナもダヴィッドの唾液を飲んだ。

「初めてのようだね」

「ごめんなさい。なにも知らなくて」

「ぼくにとっては嬉しいかぎりだ」

「先生、本当に私のことが好きですか」

「好きさ。大好きさ」

愛の言葉をささやくのももどかしげに、ダヴィッドはニーナの唇と舌をむさぼる。

ダヴィッドの手がニーナの頭を撫で、それに応えるようにニーナもダヴィッドの首に手をまわすと、ダヴィッドの手がニーナの胸に触れてきた。

服の上からではあるが、ダヴィッドはニーナの乳首をつまんだ。ニーナはあっと声をあげ、ふるえる両手でダヴィッドにしがみついた。身体の芯のようなところから熱いものがこみあげてきて、なにか叫ばないではいられないような気持になり、こんどはニーナのほうから唇を求めていった。自分の吐く息の匂いが犬のそれのように生臭かった。

「ニーナ、君の心の奥底にわだかまっている悲しみをぼくの愛で溶(と)かしてあげたい」

「溶かしてください」

「溶けるさ。ぼくを愛したら」

「人を愛する？」

「人を愛したこともないということか」

「愛されたこともありません」

ダヴィッドは、唇を離すと、潮の引いたような冷静な声で言った。

「ニーナ、今日から君はきっと希望を持つと思う。希望とはなんなのか。考えながらピアノを弾くのだ。そうすれば、君はめざましく進化するだろう」

「ええ。進化したいわ」

「むろんぼくも希望を持つ。ぼくの希望の真ん中に君がいることを忘れないように」

ニーナも同じようなことを言いたかったけれど、言葉が出てこなかった。

「さ、稽古を始めようか。そろそろみんながやって来る頃だ」

ダヴィッドは指揮をするポーズをとり、ニーナがピアノに向きなおると、その手を振りおろした。

ニーナは弾いた。「花のワルツ」。導入部のホルンの響きに、ヨーロッパとロシアで呼応しあった自由思想への憧れをたっぷりとこめて弾いた。

「そうだよ。その通りだ」

ダヴィッドは大きくうなずいた。

主旋律を晴れ晴れとした気分で弾いた。ピアノとたわむれているといっていい。ニーナの目の前には「希望」という字が、まるで雲間からのぞく陽光のように燦然と輝いていた。それはダヴィッドの顔になったり、またもとに戻ったり、わけもなく幸せだった。

いったん稽古が始まると休憩や食事をとるための時間はない。出番のないダンサーたちそれぞれが稽古場の片隅でサンドイッチや果物にかじりつく。むろん私語は厳禁であり、片時も他人の稽古から目を離してはいけない。がスタッフは特別扱いで、椅子とテーブルが与えられ、仕事上のことにかぎり私語も許されている。

「花のワルツ」の部分を終わってほっとしたところで、ほかのコレペティに替わってもらい、ニーナもスタッフ席で一休みした。

ダヴィッドはと見ていると、「こんぺい糖の精の踊り」を一回指揮し終わるや、

「あとは今の通りやっておいて。ぼくも少し休憩する」

そうコレペティに言い残して持ち場を離れ、ニーナのそばへやって来た。

その間も稽古は進行し、振付師の指示に従ってダンサーたちは踊る。

「ニーナ、とても良かったじゃないか。あれでいいんだよ。ワルツには自由への憧れがあふれていなくてはならないんだ。それができてたよ」

ひそひそ声で言った。

「ダヴィッド先生のお陰です。本当に私、なにも知らなくて。すみません」

人の目もあるので、ことさら他人行儀に頭を下げた。

「そうだ、来る途中、劇場前のカフェで買ってきたんだけど、一口食べないか。お腹空いただろ

う」

ダヴィッドは鞄の中からサンドイッチを取り出し、ニーナの前に差し出した。

「ありがとう」

ニーナはその一切れをとり、口に入れた。

生ハムに塩がきいていて美味しかった。

ニーナは、興奮のあまり弁当の用意もしていなかったことを反省した。

「ダヴィッド先生、ニーナ先生、コーヒー飲まれますか」

少女のようなダンサーがポットからついだコーヒーをカップに入れて持ってきてくれた。

それを一口飲み、もう一切れサンドイッチを食べた。それだけでもうお腹はいっぱいだった。

「もう食べないの？」

「ええ。私、胸がいっぱいで」

「どうして？」

「なんだか私、浮かれているようで、先生から希望という言葉を教わってからというもの、その言葉が目の前にちらついて、私を喜ばせるのです」

「本当に？　希望が見えた？　それは素晴らしい」

ダヴィッドはにっこり笑い、

「あともう少し、稽古に精を出すか」

立ち上がると、

「さ、君も」

ニーナをうながした。

稽古は、午後の二時に始まり、『くるみ割り人形』の第二幕を総体的にやって、終わったのは九時だった。

劇場を出て停留所にむかって歩いている時、ダヴィッドが肩を寄せてきてささやいた。

「ニーナ、ぼくの家に寄っていかないか」

「先生のお宅は?」

「ヴァシモーヴァ・マールタ通りだ」

「私と反対方向です……」

「話し足りない感じがしてね」

「私も」

オーペルヌイチアートル停留所で六番のトランバイに乗った。人目もあったけれど構わず、ニーナはダヴィッドと並んで座った。

(話し足りないことは確かだけれど、本当にそれだけだろうか。ダヴィッドはもっと多くのことを私に求めてくるのではないだろうか。なにを求められようと、拒むつもりはないが、私にはなにがなんだかよく分からないのだ。恋なんて初めてなんだもの。昼間の稽古場で交わしたキスなら、もう一度されてみたい。あんな恍惚とした気分になったことは、生まれて一度もなかった。あの甘美なキスの先にならば、きっと物凄い幸せが待っているのだろう。それを知りたい。ああ、これが希望というものなのだろうか。ダヴィッドが愛しい。この人から離れたくない。これが恋なのだろうか)

思うそばから、

(ダメ、これ以上期待してはダメ！　期待したら必ず裏切られるのだから。心を閉ざしていれば、絶対に傷つかないですむ。自分が大事なら、そうすべきだ。希望？　そんなものなくたって生きていけるわ)

　ともう一人の自分が反論する。

ニーナの心は揺れ動いていたが、それでも期待する心のほうが強く、手は汗ばみ、身体がほてり、足ががくがくとふるえてきた。

隣に座っているダヴィッドは、今日一日の仕事を反省しているのだろう、なにか口ずさみながら、手でリズムを刻んでいた。その真剣そのものの横顔に見とれていると、

「さ、次だ。ニーナ、降りるよ」

ダヴィッドが立ち上がった。

降りたのはクイビシェヴァ停留所だった。夜気の中に甘い匂いが感じられた。なぜだろうと思っていると、ニーナの疑問に答えるように、

「この辺には果樹園が多くてね、それで空気が甘いんだ」

とダヴィッドが言った。

薄紫色の夜空を背景に黒々と影をつくる木立ちがあり、その中にぽつんぽつんと家があって、窓から明かりがもれていた。

ダヴィッドの家もそれらのうちの一つだった。

「これがぼくの家だ。むろん劇場から貸し与えられているものだけれど」

古くて小さな平屋建ての一軒家だ。

ダヴィッドが鍵を回すと、分厚い木でできたドアは内側にむかってゆっくりと開いた。

ダヴィッドは明かりをつけた。

「この家はね、十九世紀に建てられたもので、もう百年を超えているんじゃないかな」

しっかりとした木造の家だが、なにしろ古いため壁板も天井も床板もすべてが黒ずんでいた。

「黒い家って素敵ですね」

ニーナは家の中を見まわした。

入ったところが居間と食堂、ドアで仕切られたむこうがたぶん寝室なのだろう、と思っていると、ダヴィッドはそのドアを開けて、言った。

「ニーナ、こっちへおいで」

ニーナはたじろいだ。

「そんな日常的なところにいたんじゃダメだよ。こっちへおいで。この部屋は小なりといえ一応芸術家の書斎兼寝室だからね。創造の神と交信できる程度の非日常性はあるつもりだ」

ニーナはなにも答えなかったが、足は自然に動いていた。ゆっくりとダヴィッドのほうへ歩いていた。

ダヴィッドは言った。

「悪いけど、お茶もお酒も出さないよ。ぼくたちは二人っきりになりたくて、今ここにいるんだからね。その気持を完成させなくては」

ダヴィッドの前を通って部屋に入った。

この部屋も黒かった。スタンドピアノ、勉強机、本と総譜(スコア)で埋まった本棚。そして黒いカヴァーをかけられたベッド。その枕元にはオレンジ色のライトがともっていた。カーテンも黒っぽかった。ターンテーブルが回っていて、ピアノ三重奏が流れていた。むせぶようなヴァイオリンの音色にニーナは泣きそうになった。

「チャイコフスキー……」

「うん。『偉大な芸術家の思い出のために』だ」

「美しい……」

うしろでドアが閉まる音がして、ニーナは振り返った。

ダヴィッドはなにか怖いような目をして立っていた。

「ニーナ、ぼくは君の心の中にある悲しみの氷を溶(と)かしてやりたいと言った。でも、それはぼく一人ではできないんだ。君の意志がなにより大事なんだ。君自身がその悲しみの氷を溶かしたいと思わないかぎり絶対にそれは溶けない。しかし、君一人でもできないことなんだ。男と女の肉体と精神が結ばれてはじめてできることなのだ。だから、君にその気がないんだったら、昼間のキスのつづきはしないでいよう」

「あれは私の生まれてはじめてのキスでした。あの瞬間から、私はあなたの言うとおり希望を持つようになりました。それなのにあなたは、その希望をもう取り上げるのですか。もう裏切るのですか」

ニーナは今にも泣きだしそうな表情で言った。

「ごめん。言葉が足りなかったようだ。ぼくが言いたかったのは、これから先へ進んでいく前に、君の意志と愛情を確かめたかっただけだ。ぼくは君が大好きだ。ニーナ、君はどうなの、ぼくのことが好きなの？」

「よく分からない。でも、あなたにキスされたいし、あなたにキスしたい。もうたまらなく。こんな感じを好きというなら、私、あなたのことが大好きです」

「ニーナ、そう言ってほしかったのさ」

ダヴィッドはニーナをひしと抱きしめ、唇を重ねてきた。ニーナはもはや昼間のニーナではない。ダヴィッドの舌を受け入れ、それに自分の舌をからめていった。

二人は抱きあったままベッドへ倒れ込んだ。

ダヴィッドの匂いを感じ、ダヴィッドの身体に押さえつけられて、ニーナの呼吸は乱れ、心臓の鼓動も高まった。ニーナの口を自分の口でふさいでいながらも、ダヴィッドの手はニーナの身体のあちこちをまさぐり、やがて下に降りていって、スカートの中でふたたび上がってきた時、

「ダヴィッド先生、なにをするのですか」

ニーナは身を固くした。

「ぼくたちは結ばれるんだ」

ダヴィッドはくぐもった声で言った。

「なぜ、そんなことをするんですか？」

「君の心の奥にある悲しみの氷を溶かすためさ。さ、身体から力を抜いて。抵抗するのはもうよせよ」

「私、初めてなんです。結ばれるって、どんなことをするんですか？」

「質問はもういい。黙って目を閉じて、ぼくの前に身も心も投げ出すんだ」

ダヴィッドは怒ったような表情だ。

ニーナは両手でわが身を抱いたまま、ふるえていた。

「ダヴィッド先生……」

「ダヴィッドって呼んでくれ」

「ダヴィッドが怖いわ」

「どんな風に？」

「悪魔みたいに」

「それはぼくをけなしてるの？」

「半分けなして半分褒めてるつもりだわ」

「ありがとう。神や天使より悪魔と言われたほうが、君を犯しやすい」

「私を犯す？」

「そう。犯すんだ。犯された君は、ぼくと秘密の契約を結ぶことになる」

「契約？」

「そう。世界中で君とぼくの二人だけ。国家も社会も関係なく、二人だけで交わす絶対的な約束だ」

「なにを約束するの？」

「それは今から言う」

「やはりあなたは悪魔だわ」

「ぼくも君に犯されるんだ。つまり君も悪魔だってことだ。そのことを覚悟しないと上手くいかない。分かった？」

よく分からなかったが、

「分かったような気がする」

とニーナは答えた。

ダヴィッドはニーナの服をゆっくりと脱がせにかかった。

「ぼくのことが好きかい？」

「キスの時は確かに好きでしたけど、今はよく分かりません」

「好きって言ってくれなくっちゃ、服を脱がすわけにはいかないな」

「好きっていう言葉ではもの足りないようなそんな感じなんです。だから、好きって言いたくないんです」

「それでも好きって言うんだ。それが優しさの始まりだ。好きって言うことによって君の心も変わっていく。そしてすべてがスムーズに進行する。さあ、言ってごらん」

ダヴィッドはニーナにキスをし、耳元で、

「好きだよ」

とささやいた。

ややあってから、ニーナも小さな声で、

「好きです」

「そう、それを言いつづけるんだ。それが第一の約束だ」

ニーナはダヴィッドに言われたとおり、「好き」という言葉をつぶやきつづけた。ダヴィッドがブラウスやスカートを脱がす際には自らも身体を動かして協力しながらも、ニーナはつぶやくことをやめなかった。靴を脱がされ、ストッキングを脱がされる時にもつぶやきつづけた。まるで天にむかって祈るかのように。

ブラジャーもパンティも取られ、ニーナは黒いベッドカヴァーの上に裸で投げ出された感じだった。それでも絶え間なく「好きです」とつぶやきつづけていた。

「きれいな身体だ」

ダヴィッドは感に堪えたように言った。

ニーナは自分の身体を鏡に映してまじまじと見たことがなかったから、ダヴィッドはお世辞を言っているに違いないと思った。

「君は二十歳？」

「十九だと思います」

「そうか。女の一番美しい時だ」

ダヴィッドはニーナを柔らかく抱き、優しくキスをした。ダヴィッドの手付きは、服を着ていた時とはうって変わって、ガラス細工をあつかうような慎重さだ。チャイコフスキーの『偉大な芸術家の思い出のために』は第二楽章の第六変奏のワルツを奏でている。

ダヴィッドの手が乳房に触れた。ダヴィッドの口が乳首を吸った。

ニーナは熱い吐息をもらして、「好きです」と言った。

ダヴィッドの手が臍のあたりをさまよい、その下の茂みにかすかに触れた時、ニーナの全身に緊張が走った。

ダヴィッドはかまわず、茂みをかき分け、指をすべり込ませてきた。

「こんなに熱く燃えているのに、ニーナ、君の心の奥底に冷たい氷の塊があるなんて信じられない」

そう口走ると、ダヴィッドはニーナの茂みに顔を埋めた。

「あっ」

ニーナは誰かにむかって助けを求めたかったが、誰を呼んだらいいのか分からなかった。「お母さん」と叫びたいけど、母の名前も知らないし、イメージもない。父にかんしても同様だ。親戚もいない。神も信じていない。ニーナは言葉を失い、ただただ茫漠とした恐怖を抱いて口をぱくぱくさせていた。

天涯孤独な人間が誰かと結ばれるということに、果たしてどういう意味があるのだろう。そう考えている間もなく、身体が裂かれるような激痛を感じた。「好き」という言葉はもはやむなしかった。

なんという痛みだろう。こんな痛みのむこうに甘美な世界があるなんて信じられない。

ニーナは、今までに人を好きになったこともなく、また人に好かれて肉体関係を迫られたこともない。だからとりたてて純潔を守ってきたという意識もなかったから、それをダヴィッドに与えたからといって、後悔の念はいささかもなかった。しかし生まれて初めて経験する恐怖の瞬間に助けを求める相手のいないことの淋しさがいっそう心を冷え冷えとさせた。

ニーナはただ身体を硬直させ、天井をにらんでいた。

ダヴィッドは息も荒く、獣のように身体を動かし、また一段と奥へ入ってこようとしたが、ふとためらい、

「ニーナ、君、本当にぼくが初めての男だったんだね」

感動を込めて言った。が、その声はニーナの耳にははるか遠くから漂ってくるかのようにしか聞こえなかった。

ダヴィッドがくちづけを求めてくる。

それをさりげなくかわして横を向くと、サイドテーブルの上に写真たてがあり、そこには黒い帽子をかぶり、ユダヤ髭をはやした父親と晴れやかに笑う母親にはさまれて、こちらにむかって笑うダヴィッドの顔があった。その写真たてをニーナはダヴィッドには気付かれぬようそっと伏せた。

「ニーナ、好きだよ。君も好きだと言ってくれなくては」

ダヴィッドはニーナの乳房をもみ、乳首にくちづけしてささやいた。

「…………」

「ニーナ、どうしたの、約束を忘れてしまったのかい？」

「分からないの。本当に私、分からないの」

全身無感覚な状態になっていたが、頭だけは冴えわたっている。ニーナは天井をにらんだまま考えた。

誰であれ、今生きている人間の肉体には、何万年何億年の時を経て脈々と受け継がれてきた血

が、その血の歴史とともに流れている。それを遺伝子というかＤＮＡというかは知らないが、とにかく想像しただけでも気の遠くなるような、無限ともいえる血の歴史のあることは確かだ。それを可能なかぎりさかのぼってみたいと誰しもが思うであろうが、実行に移す人はめったにいない。家系図を自慢するような家柄の人はともかく、大抵の人は父母を思い、祖父母を思い、せいぜいが曾祖父母あたりまでを血の流れの具体的な現象としてながめ、あとは想像の世界に雲散霧消させて納得する。自分の命がどこからどうもたらされたのかということについて一応の確認ができればそれでよしとする。

男と女が結ばれるということは、そういう長い血の歴史をかかえた者同士が、めぐり合い、愛しあい、抱きあうということではないのか、とダヴィッドの家族写真を見た今は特にそう思う。ダヴィッドの背中のむこうに、はるか夜空のかなたまで綿々とつらなる、ユダヤ人何千年の血の歴史があることをニーナは手に取るように想像できた。そしてその血の歴史はまた無辺の広がりを見せ、ユダヤ民族という名の同胞が地球上いたるところに網の目のように存在していることもまた実感した。

それに比べてこの私は……、とニーナはわが身を思った。私の背中のうしろにはなにもない。自分の背中が今触れている黒いベッドカヴァーよりももっと暗くて底知れない虚無が背中の下で大きな口を開けているように思われてならない。ニーナにだって延々と受け継がれた血の歴史はあるはずなのに、そのリレーのバトンはニーナの手にしっかりと渡されることがなかった。ニーナにだって同胞がいるはずなのだが、どこにいるのか、それがはっきりとしない。中国人とは認定されてはいるが、なにを証拠にそうなったのか、その証拠を見たことがない。つまりニーナは、縦の線からも横の線からも断絶された状態でぽっかりと宙に浮いているようなものだった。普通に言う天涯孤独よりももっと厳密な意味で孤独だった。夜空にある名もなき星のように孤独だった。

点と点が結ばれて線となり、線に幅が与えられて平面となり、平面に厚みが与えられて立体となり、立体となって初めて物体は誕生し、空間に存在すべき位置を占めることができるというのを幾何学の基本とするなら、ニーナはただの「点」にすぎないのだった。この世に存在すべき位置を持たない、ただの一点。

果たして、自分はこの世に本当に生きているのだろうか、とまでニーナは考える。

最初の痛みはややややわらぎ、ダヴィッドが自分の身体の中に入っていること、そしてそれが緩やかに動いていることが明瞭に感じられた。が、なんの喜びも感じられなかった。昼間、稽古場でキスを交わした時、あれほどまでに陶然と酔えたことが嘘のようだった。

「ニーナ、どうしたの？　君の身体が冷たくなっていく」

不安気にダヴィッドは言い、ニーナの顔をのぞきこんだ。

「ニーナと呼ばないでください」

「どうして？　君はニーナじゃないの？」

「それは私の二つ目の名前です」

「最初の名前はなんていうの？」

「それが分からないんです」

「そうだね。君は中国人だもの、ニーナなんて名前を親がつけるわけがない」

「中国人であるかどうかも分からないんです」

「じゃ、君は何人なの？」

「私にも、分からないんです」

「じゃあ、君は誰なの？」

「もう、やめてください」

ニーナはダヴィッドの身体を押しのけるようにした。

ダヴィッドは急に怒ったような顔になり、ニーナから身体を離して立ち上がった。

「ぼくたちは約束したじゃないか。好きと言いつづけるんだって。それを破るからいけないんだ」

「そんな約束、無意味だわ」

「無意味じゃない」

「どうして？　好きかどうかも分からないのに」

「分からなくていいんだ。どうせ人間の心は移ろいやすいものだから。しかし、約束を交わしたからには、それを守ることによって、人間は一つの確かな存在になれるのだ」

「確かな存在に？」

「約束を交わした人間と人間はある大いなるものの下で兄弟となるのだ」

「大いなるものって？」

「神でもないし天でもない。その人間の中にあるなにか大いなるもの、神々しいものだ。君にだってそれはあるはずだ」

「それってユダヤの教え？」

「そうとはかぎらない。たとえば、オーケストラは一人の指揮者のもとで約束を守るからこそ成り立つ」

　オーケストラと言われて、ニーナは少し分かったような気がした。

「君の人生には悲しいことがたくさんあったに違いない」

「その悲しみが、私の場合は骨身にまで染み込んでいるんだわ」

「だけどそれを忘れて……」

「そんなこと無理だわ」

「君はコレペティだろう？　指揮者の指示通り演奏することが仕事だろう？　だからやるんだ。ただただ、好きですという言葉を愛の音符に乗せてささやきつづけるんだ。そう約束したじゃないか」

「無意識的に？」

「いや、意識的にだ。前向きな言葉をつぶやき、その上にさらに前向きな言葉を重ねていく。それを意識的につづけることによって人間は上昇していくのだ」

「ワルツを踊るように？」

「そうさ。無限の繰り返しの中にわが身を投じるのだ。君が君自身を棄てきるのだ。そうしなければ、君の心の中にある氷の塊はいつまでたっても溶けやしない」

「自分を棄てる？」

「そうさ。自分を棄てるとは、自分自身から解き放たれるということだ。君が生きてきた過去、今おかれている環境、伝統や習慣や常識や親族の絆や、生きているとか死んでいるとか、男であるとか女であるとか、そういう君の肉体と精神にまとわりついているあらゆる束縛から解き放たれることだ。ニーナという名前からも。だから、君が誰であるかなんてまったく関係のないことなんだ。それこそが自由だ」

ニーナはふとさっき頭の中をよぎった幾何の基本を思い出した。点と点が結ばれて線となり、線に幅が与えられて平面となり、平面に厚みが与えられて立体となり、立体となって初めて物体は存在すべき位置を得ることができる。つまりそれをちょうど逆に進行して、物体であるはずの自分の意識から、厚みを奪い、平面を奪い、線を奪い、ただの点になれと、ダヴィッドは言っているのではないのか。

ニーナはわれ知らず微笑んだ。

「ニーナ、なにがおかしい」

「天涯孤独という私の身の上は、あなたの言う自由にもっとも近いところにあるような気がしたの」

「そうさ。天涯孤独であることはむしろ喜ぶべきことなのだ」

ダヴィッドも微笑んだ。

「自由になるとは、肉体も精神も失って一個の魂的存在になるということだ。それは死に似ているが、死なないでどうして生まれ変わることができよう」

「難しそうだけど……」

「自我を捨て去って、ただただ相手を肯定する優しい思いになりきること。そのために好きと言いつづけるのさ」

「魂となったあなたの点と私の点が結ばれて、一本の線ができるのかしら」

「そう。すべてはそこから始まるんだ」

「ああ、ダヴィッド、あなたは私の悲しみに光を与えてくれたわ」

ニーナははらはらと涙をこぼした。

「ニーナ……」

ダヴィッドが唇を重ねてきた。

ニーナの身体はふたたび熱っぽくよみがえった。

「ダヴィッド、ごめんなさい。私の中に、もう一度、入ってきてくださるかしら」

「好きって言うかい?」

「言いつづけるわ。永遠に」

ダヴィッドは立ち上がり、荒っぽく服を脱いでいった。ニーナの目の前にダヴィッドの若々しい裸体があった。いきりたつ男の肉体をニーナは美しいと思ったが、こんなものによって自分の肉体が貫かれたという実感はなかった。

ダヴィッドはニーナの身体を動かし、ベッドカヴァーと上掛けをめくった。ニーナは真っ白いシーツの上に寝かされた。

「いいかい、ニーナ、ぼくが君を犯すだけでなく、ニーナ、君もぼくを犯すのだ。君の意志でだ。男も女もない、好きならそうするのだ」

ニーナは大きく身体を開き、そして言った。

「ダヴィッド、好きよ。入ってきて。あなたが欲しいわ」

「欲しければ、自分で取りにくるんだ」

ニーナはダヴィッドの顔を両手ではさみ、その唇に激しくくちづけした。

「ああ、ダヴィッド、好きよ。大好きよ」

「可愛いね、ニーナ、ぼくも大好きだよ。こんどは本当に入るよ」

「えっ、本当にって？」

ニーナにはダヴィッドの言っている意味が分からなかった。

ダヴィッドはニーナの身体を押し開き、ふたたび入ってきた。最初ほどでないにしても、やはり痛みはあった。

「ニーナ、好きって言うんだ」

ニーナは言われたとおりにした。

ダヴィッドが身体を押し込んでくるたびに、新しい痛みが走った。それに耐えるように、ニーナは「好きです」とうわごとのようにつぶやきつづけた。

「ニーナ、こんどこそ逃げるんじゃないよ」

ダヴィッドは首を抱いてニーナの身体の自由を奪うと、腰のあたりにぐいと力を入れた。

「あっ！」

激痛という表現をはるかに超える痛みがニーナの全身を貫いた。

「好きか？」

「好きです」

「もっと言うんだ。言いつづけるんだ」

「好きです」

と言いながらもニーナは歯を食いしばり、ダヴィッドの背中に爪を立てる。

「ニーナ、愛している」

「私もよ。ダヴィッド、愛しているわ」

「愛しているなら、君もぼくを奪うんだ」

ダヴィッドのいきりたつものが自分の肉体を貫いていることが感じられたが、視点を変えれば、それはニーナの肉体がダヴィッドのいきりたつものをくわえこんでいることにもなる。ダヴィッドの言っている意味がなんとなく分かった。

「好きかい？」

「好き以上だわ」

「愛してるかい？」

「その言葉でももの足りないけれど、愛してるわ」

ダヴィッドと肉体同士がつながっていることに、ニーナは無上の喜びを感じていた。

「ああ、ダヴィッド、私は一人じゃないのね。私にはあなたがいるのね」

「そうだよ。君にぼくがいるように、ぼくには君がいる」

つながったまま、二人はキスをした。

一心同体、とニーナは思った。

「もう、これ以上痛いということはない。落ち着いて感覚を鋭敏にしていけば、かすかな快感があるはずだ。あったら、それを君の意識で増幅させていくんだ。好きと言いつつ」

ダヴィッドのいきりたつものはニーナの中で優しく暴れていたが、痛みの下から快感らしきものが、薄皮を剝ぐように少しずつ生まれてきているのが感じられた。

「好きよ。愛してるわ」

ニーナはそればかりをつぶやき、身体の芯にある快感を追い求めた。そのために身体が自然に動いた。それは猥褻(わいせつ)な動きではあったが、そうすることで、ニーナの精神的自由は拡大していった。

まるでワルツだ。ワルツを踊っているようだ。こうしてダヴィッドと一心同体になってワルツを踊りながら無限の螺旋階段を上っていく。そうすればきっと私の魂は解放されるんだわ。

「ニーナ、気持いいかい？」

「いいわ。でも、なんだか私、変だわ。頭がおかしくなりそう。ねえ、ダヴィッド、どうしたらいいの？　私、怖いわ」

ニーナはダヴィッドにむしゃぶりついた。

「好きと言いつづけて、もっと上へ上っていくのだ」

「ああ、ダヴィッド、好きよ、好きだわ」

ニーナは泣きはじめた。ダヴィッドに抱かれている今、悲しいことはなにもないはずなのに、涙が出てとまらない。ニーナの心の奥底にわだかまっていた悲しみの氷の塊が溶けだしているのかもしれなかった。

ダヴィッドは激しく身体を動かして言う。

「ニーナ、もっと上へもっと上へ行くんだ。昇りつめるんだ」

「ああ、私、どうにかなりそう」

「どうにかなってしまうんだ。怖くても決して立ち止まるな。どこまでも行くんだ」

ニーナはダヴィッドとぴったりと一分のすきもなく結ばれていた。

「ニーナ、君はなんて素晴らしいんだ」

「ああ、ダヴィッド、怖いわ」

「大丈夫、君は今、幸福の絶頂にいるはずだ」

ダヴィッドは身をのけぞらすと、両手でニーナの乳房をもみしだき、苦痛に耐えるような顔をした。その顔は汗まみれで、髪の毛は乱れて前に垂れさがり、唇は歪んでいた。がそれを見てニーナの快感はいっそう高まった。

大きな波が押し寄せてきた。と思うと身体の中心部でなにかが爆発し、ニーナは突き上げられた。目の前が真っ白になり息が止まった。身体の血液という血液が、水分という水分が、堰を切ったようにどっと外へあふれでていくようだった。

ニーナの目から滂沱として涙が流れた。

「ああ、ダヴィッド、幸せ。気持いいわ」

ダヴィッドが少しでも動くと、ニーナは悲鳴をあげた。

「ダヴィッド、お願い。動かないで」

身体のどこを触られても、ニーナの全身に痙攣が走った。

ニーナはうわごとのように言う。

「ねえ、ダヴィッド、ここはどこなの？　星が見えるわ。私とあなたは抱きあったまま夜空に浮かんでいる。二人っきりで……」

十九年間生きてきて初めて、ニーナは自分の存在を肯定することができた。

生きる喜びとはこのことなのだ。

唇も乳房も尻も腿も足も、そして今ダヴィッドと結ばれているヴァギナも、すべてがダヴィッドの愛撫を受けたことによって、その存在に価値が生まれた。それは新しく命を与えられたことに等しい。

「ニーナ、ぼくはもう我慢ができない」

「ダヴィッド、あなたなにを我慢してるの？」

ニーナの質問には答えず、ダヴィッドはニーナの身体からそのいきりたつものを抜いた。ニーナは身体に穴が開いたような空しさを感じた。と思うと、ダヴィッドは「うっ」とうめいてニーナの身体の上にのしかかり、そのまま身をよじった。

ダヴィッドのいきりたつものがなにかを放出したらしく、それをニーナは腹のあたりに感じた。ダヴィッドの体重が前より重くなった。

「ニーナ、抱いてくれ」

その声のせつなさに驚いて、ニーナは力いっぱいダヴィッドを抱いた。

「好きかい？」

「好きだわ」

「じゃ、口に含んでくれ」

「なにを？」

「これを」

ダヴィッドはいきりたつものをニーナの目の前に差し出した。ニーナはぎょっとしたが、ダヴィッドの目はニーナに懇願していた。

ニーナはそれを両手で握り、あわててくわえた。口が裂けそうだった。

いきりたつものの中から生臭い液体が出てきた。ニーナはそれを飲みくだしていったが、そのたびにダヴィッドは身をよじって喜びを表した。ニーナにはその姿がとても愛しいものに思えた。

「ニーナ、君は最高だ」

「ダヴィッド、あなたも最高よ」

「ぼくも今、幸福の絶頂にいる」

ダヴィッドのいきりたつものはニーナの口の中を栗の花の匂いのようなものでいっぱいにして、次第に柔らかくなっていった。

「最初からこんなに感じるなんて、君は素晴らしいよ。この次からはもっと凄いことになるに違いない」

ニーナは顔を赤らめ、ダヴィッドの腕の中に身を寄せていった。

二人は寄り添ったまましばらくうつろになっていた。

静寂の中になにか音がする。

「なんの音かしら」

ダヴィッドも耳を澄まし、

「レコードだ」

それは音楽が終ってもなお、ターンテーブルの上で回転しているレコード盤を針がこする音だった。『偉大な芸術家の思い出のために』はいつの間にか終わっていたのだ。

ターンテーブルのスイッチを切ってもどってきたダヴィッドにニーナは訊いた。

「ねえ、ダヴィッド、もう一度訊くけれど、あなたはさっきなにを我慢していたの？」

ダヴィッドはちょっと間をおいて、

「あれはね、君の中で射精することを我慢してたんだ」

「射精って？」

「本当に君はなにも知らないんだな」

ダヴィッドは嬉しそうに笑い、その意味をニーナに説明した。

「だから、子供ができないようにしたってわけさ」

「子供……」

ニーナは黙りこんだ。自分が何者か分からないでいる女に子供を産む資格があるのだろうか。迷える羊が小羊を連れてあるくなんて、そんな図は想像するだけでも滑稽であり哀れであった。が、もしダヴィッドと結婚できるなら、子供を産みたいと思った。

「ねえ、ニーナ、ぼくたちは結婚すると決まったわけではないからね。まだ子供は作れないんだ」

「分かるわ」

と口では言ったものの、ニーナは納得がいかなかった。それなら、好きとか愛しているという言葉を口走りながら抱きあった行為はいったいなんだったのか。

ニーナの気持を察し、ダヴィッドは慰めるように言った。

「ねえ、ニーナ、すべてはここから始まるんだ。まだ始まったばかりなんだ。ぼくたちの恋がどこへ行くかは誰も知らない」

しかしダヴィッドの言葉は、ニーナには言い逃れにしか聞こえない。

「好きと言いつづける約束はどうなるの？」

「そうさ。あの約束を守りつづけるんだ。寝ても覚めても。そうすれば、ぼくたち二人はきっと素晴らしいところへ行ける。それを信じるんだ」

ニーナは少し安心した。

ダヴィッドはニーナに優しくキスして、

「君の家まで送っていくよ」

服を着はじめた。

ニーナはふらふらと立ち上がったが、シーツを見て驚いた。赤い血の痕がはっきりとついていて、それがあちこちに飛びちっている。

ダヴィッドを呼ぼうとしたが、その声を途中で飲みこみ、手早くシーツを丸めると、手鞄の中に押し込んだ。

トランバイの最終は十二時だが、腕時計を見るとそれを少し過ぎていた。ソーニャの心配げな顔が思い浮かんだが、無理矢理それをかき消した。

ダヴィッドの家を出るとすぐにヴァシモーヴァ・マールタ通りで、道の両側には樅、菩提樹、そして桜などの樹が立ち並んでいて、それらの木立ちが紫色の空に作る影には風格があった。南にむかって歩いていると、果実や花の匂いが漂ってきた。

「あれはなんの花かしら」

木立ちのむこうに見える白い花を指差して訊いた。

「あれは梨、こっちは林檎」

ダヴィッドは苦もなく見分けて教えてくれた。

「美しいわ」

「特にロシアの春は美しい」

十分も歩き、デカブリストフ通りで左に曲がった。

デカブリストフ通りは幅八メートルの二車線道路だが、道の両側に設けられている歩道はたったの一メートル幅で、二人で並んで歩くには狭すぎた。

寄り添って歩いていると、道側を歩くダヴィッドはしょっちゅう足をすべらせ、道に落ちた。そのたびに二人は声をあげて笑った。真夜中だから通る車もなく、生真面目に歩道を歩く必要もなかったのだが、楽しくてやめられなかった。

イセチ川には鉄橋がかかっていた。相当に古いものらしく、鉄は真っ黒に錆び付いていて、欄干にはごみや埃がこびりついていた。

その橋の上で二人はキスを交わした。

橋の下をイセチ川は永遠の時を歌いつつ流れていく。二人は、特にニーナは、この恋よ永遠なれという思いをこめて、いつまでも唇を離そうとしなかった。

ベリンスカヴァ通りを横切ってしばらく行くと、左に少し入ったところに小さな公園があった。足は自然とそこへむいた。

ポプラの木に囲まれた可愛いらしい公園は今や春たけなわで、さんざし、ななかまど、ライラックなどの花が夜目にも鮮やかに咲き誇っていた。

「ダヴィッド、あなたは私の心の中にある悲しみの氷の塊を溶かしてくれたけれど、全部ではないわ。まだ残っているのよ。それをあなた溶かしてくれるのかしら」

ニーナはダヴィッドの首に腕をまわして言った。

「棄(す)てないでと言ってるみたいだね」

「そうよ。また逢えるのでしょうね」

「バカだなあ。逢うにきまってるだろう」

「心配でならないの」

ダヴィッドはニーナを抱き、

「ふるえてるね」

「そう。期待はいつも裏切られてきたから」

「希望を持てよ」

「怖いわ」

「希望は、恐れずに持ちつづけたものだけがかなえることができるんだ」

「ダヴィッド……」

二人はもう一度長いくちづけを交わした。ダヴィッドの手は服の上からニーナの身体のいたるところを激しく強く愛撫した。ニーナは恍惚となって立っていられなくなった。

「さあ、帰ろう。家の人が心配する」

公園を出て、ルナチャルスカヴァ通りを横断するとじきにニーナの家である。

「ありがとう。こんどは私がまたあなたを送っていきたい気分だけれど、ここでさよならするわ」

「おやすみ、ニーナ。少しでもよく寝るんだよ。今日もまた稽古があるんだからね」

「気をつけて。おやすみなさい」

ダヴィッドのうしろ姿をしばらく見送ってから、ニーナは鍵を開けて家に入った。

電気のスイッチを入れると、食堂の椅子にソーニャが座っていた。彼女はじっと暗闇の中にいたのだろうか。

「ママ、ただ今。遅くなりました」

ソーニャはなにも答えない。あきらかに怒っている。

「ダヴィッドのおうちに寄って、色々と指導を受けていたの。気がついたらこんな時間になってしまっていて。でも、ダヴィッドがそこまで送ってきてくださったから……」

「もう、ダヴィッドと呼ぶような仲になってしまったんだね」

「ママ、ごめんなさい」

ソーニャは泣いている。

「あなたの人生だから、私は横からとやかく言いたくないわ。でもね、私はあなたが心配でならないの」

　ハンカチで涙をぬぐい、それをガウンのポケットに押し込んだ。

「ダヴィッドは私のかたくなな心を開いてくれたわ」

「あなたの寄る辺ない感じがユダヤ人の心をきっとかき立てたんだわ」

「そんな興味本位じゃないと思うわ」

　ニーナはむきになった。

「ごめんなさい。言いすぎたわ」

　ソーニャは急に笑顔を作り、

「ところで、彼には抱かれたの？」

　直截的に訊いてきた。

「ええ」

「幸せだった？」

「ええ。とっても」

「それは良かった。あなたに愛する人ができて私も嬉しいわ」

「ママ、許してくれますか？」

「許すもなにもないわ。ただ私は心配なだけ」

「ダヴィッドがユダヤ人だから？」

「その中でも特に野心の強い人だから」

「ねえ、ママ、私、遊ばれているのかしら」

ニーナはソーニャの膝にすがりついた。

ソーニャはニーナの頭を撫でて言った。

「そんなこと私には分からない。真剣かもしれない」

「きっと真剣だと思うわ。ダヴィッドは真面目な人だから」

「真面目な人は恋以外にも真面目なものよ」

「恋以外って？」

「人生そのものにね」

ソーニャが、ダヴィッドの人生に自分が入っていないような言い方をしたのがニーナには不満だった。

「折角幸せな時に水を差すつもりはさらさらないけど、彼が結婚を約束するまで、いえ、正式にあなたたちが結婚するまで、絶対に子供は作らないでね」

ニーナは、ダヴィッドがニーナのお腹の上で射精した時のことを思い出した。

やはりあれは正しかったのだ。

「はい。気をつけます」

どこかに子供を産みたいという思いがあって、声に力が入らなかった。

「私はあなたの実の母でもないし親戚でもない。縁あってあなたを養ってきたのだけれど、今では実の娘のように思っているわ。あなたの天涯孤独の淋しさは、私があなたを養女として籍に入れてしまえば半ばは解決することかもしれない。でもそうしたからといって出生の謎が解けるわけではない。あなたの問題はあなたが悩んで解決するしか方法はないんだわ」

「ダヴィッドを愛することで、私の人生は変わると思うのです」

「変わるといいわね」

「ママ、ありがとう」

ニーナは心からの感謝をこめて言った。

自分の部屋に入って明かりをつけ、最初にしたことは鏡を見ることだった。

立ち鏡の前で、ニーナはゆっくり服を脱いでいった。ブラウス、スカートそしてスリップ……。ブラジャーをはずし、パンティを落とした。

鏡の中に、ついさっきダヴィッドによって抱かれ触られくちづけされて歓喜にむせんだ自分の肉体があった。丹念に探すと、咬(か)まれたような痕もあった。

全体にまだ薄紅色を帯びていて、官能の余韻にひたっているようだ。自分の肉体がこんなにも美しかったとは。

ダヴィッドの端正な顔を思い、はりつめた乳房からぴんと立った乳首へと触れてみる。

泣きたいような喜びが蘇ってきた。それは自分の肉体の存在が肯定されたことの喜びにほかならない。

が、この肉体はいったいどこから来たのだろうか。

もどかしい思いにたまらず、ニーナはその場に泣きくずれた。

第二章・手から手へ

1

一九四五年八月十四日、日本は降伏を決定し、この日、日本政府はアメリカ、ソ連、イギリス、中華民国各政府にたいして、天皇が日本のポツダム宣言受諾の勅令を発した、と通告した。が、ソ連軍司令部は全軍にたいして次のような命令を下していた。

「八月十四日の日本天皇による日本の降伏にかんする通告は、無条件降伏の一般的声明にすぎない。日本軍にたいする戦闘行為の中止命令はいまだ下されておらず、日本軍はいぜんとして抵抗しつづけている。したがって、日本軍の実質的降伏はまだ存在しない。日本の天皇がその軍隊にたいし戦闘行為を中止させ武器を捨てることを命じ、かつその命令が実行されて初めて、日本軍は降伏したものと認めることができる。以上のことに鑑(かんが)み、極東のソヴィエト軍は日本にたいする進攻作戦を継続するものとする」

関東軍司令部は、八月十四日、ラジオでソ連軍司令部にたいし戦闘行為の中止を呼びかけたが、無条件降伏については一言も触れなかった。関東軍司令部のこのやり方は、ソ連軍司令部の目には単なる時間稼ぎとしか映らなかった。なぜならそう言いながらも関東軍各部隊は必死の抵抗をつづけ、しばしば反撃に出てきて、武器を捨てる気配などさらさらなかったからだ。壊滅もしくは敗走をつづける関東軍は無線電信機やラジオに故障をきたし、情報伝達能力を失い、機能停止状態になっていたであろうことは容易に想像できるが、いずれにしても、戦場における現実はソ連軍司令部の見解とさしたる齟齬（そご）がなく、関東軍の抵抗は激しかった。それゆえに、八月九日未明以来、東、西、北の三方面からソ満国境を破って怒濤（どとう）のように満洲国内に攻め込んだ、ワシレフスキー元帥を総司令官とするソ連の極東方面軍各部隊は勇躍として進攻をつづけたのだった。

八月十四日から十五日にかけて、ピョートル・イヴァノヴィッチ・ボルコフ大尉が率いる第一赤旗軍第二六狙撃兵団の先遣隊は牡丹江市北東の入口で関東軍第五軍と第三軍に苦戦を強いられていた。関東軍は強力な歩兵隊による襲撃と戦車隊の攻撃を代わる代わる仕掛けてくる。その防戦にてこずっているところへ、関東軍は数百人の決死隊を組織して不意打ちを食らわせてきた。たまらず、第二六狙撃兵団とその先遣隊は牡丹江の東岸、愛河（アイカ）駅の北方五キロの地区に退却し、防戦した。

しかし一方、十五日夜までに、第一赤旗軍第二二狙撃兵団の主力部隊は牡丹江を強行渡河して、市の北方七キロの地点にまで進出。戦車旅団を持つ第三〇〇狙撃師団も愛河駅の北方七キロの地区にまで攻め込んだ。

そこでソ連の第一極東方面軍第五軍は戦線の拡大作戦をとり、牡丹江にむかって東方から進撃を開始した。関東軍の強力な抵抗をものともせず、前面から断固たる進撃をつづけ、十五日の夜には老爺嶺山脈を越え、牡丹江流域に下り、愛河駅地区にまで達していた。これによって関東軍第五軍は第三軍から引き離され孤立するに至った。

第二六狙撃兵団とボルコフ大尉率いる先遣隊は退却する関東軍を追うようにして牡丹江市に接近することができた。

牡丹江河畔にある牡丹江市は鉄道、自動車道路の大分岐点であり、満洲の政治と行政の中心地であった。そこには関東軍第一方面軍司令部があり、大兵力も所在していた。市の四方は、機関銃座および狙撃銃座のある塹壕、永久トーチカ、鉄筋コンクリート製簡易トーチカなどの陣地で守られ、北方郊外には対戦車壕があり、東方一帯には地雷が敷設されているといった具合に、ちょうどハルピン方面を東方から守る形での、関東軍の重要な防御地点をなしていた。

牡丹江市の守備に当たっていたのは関東軍第五軍第一二四歩兵師団であった。地形的条件および関東軍の防御体制を考慮して司令部の出した結論は、第二六狙撃兵団が市を北東から北西に迂回するようにして攻撃するのが作戦上もっとも適切であるというものだった。

八月十五日夜、第一赤旗軍司令部は第二六狙撃兵団にたいして命令を下した。

「八月十六日早朝から攻撃を開始し、正午までに牡丹江市を占領すべし」

この命令にともない、同兵団には第五二機械化旅団、第二五七および第七七戦車旅団、対戦車砲旅団、親衛迫撃砲連隊が加えられ、戦力が強化された。

十六日午前七時零分、攻撃開始。

関東軍は第二六狙撃兵団の強行渡河を食い止めるため、愛河駅から牡丹江市に通じる鉄道と自動車道路の二つの鉄橋と一つのコンクリート橋を爆破した。河の左岸、つまり牡丹江市側に構築された二本の塹壕には決死隊がひそみ必死の防御に努めていた。が、強行渡河を決行していたのは、第二六狙撃兵団のうちの戦車師団と新たに加えられた戦車旅団、迫撃砲旅団であった。それらは午前九時には、全軍が牡丹江を渡河し終わった。

第二六狙撃兵団そのものは作戦通り、はるか北東にまわり、そこに構築されている関東軍の強力な橋頭堡を粉砕する任務に当たっていた。

牡丹江市北東地区、牡丹江市と愛河駅の中間地点に、頑強に構築された永久トーチカがうずくまっていた。

先遣隊とは絶えず戦場を偵察し、いざとなったら兵団の先陣を切って戦うのがその任務である。戦いを前にしてボルコフはいつも思う、たぶんここが自分の死に場所だろうと。このたびも、はるかに関東軍の永久トーチカをながめながらそう思った。そう覚悟を決めた上で、部下にたいし低い声で号令を下す。

「進め！　ここがお前たちの死に場所だ。一歩も退くな。敵を徹底的にたたきつぶせ。一人残らずだ。行け！」

ボルコフ大尉以下先遣隊員たちは身を伏せ、じりじりと前進し、最短距離、つまり銃弾のとどく距離まで接近する。

すると、待ち構えていたかのように、関東軍のトーチカから銃撃が始まり、鬨の声があがった。

小銃と機関銃の激しい交戦。

ボルコフ大尉は右手を上げげた。

　それを合図に野砲が火を噴き、つづいて迫撃砲が集中攻撃を加えた。関東軍の永久トーチカは厚さ一メートル半の鉄筋コンクリートでできていて、銃眼は装甲板で覆われていた。しかも岩をくりぬいて構築されていたから、その頑丈さは並大抵ではない。しかし、砲弾はことごとくトーチカに命中し、関東軍の抵抗力は目に見えて落ちていった。

　いよいよ、出番だ、と思い、

「行け！　前へ」

　ボルコフは号令を下したのだが、関東軍はたった一つ残った銃眼からすさまじい銃撃を加えてきた。先遣隊員たちは匍匐前進すらできない。

「誰か一人で行って、手榴弾で潰すしか方法はない」

　ボルコフがそう思ってあたりを見た時、その意をくんだように、アレクセイという名の若い兵士が跳躍し、突進した。

　トーチカからはアレクセイめがけて機関銃による射撃が始まったが、アレクセイは草や木に隠れて前進し、トーチカから二十メートルのところにまで接近した。そこで彼は手榴弾を二発トーチカの監視所にむかって投げ込んだ。がしかし、爆発音がして硝煙が消えてもなお機関銃は唸りつづけた。

「いけない。このままではアレクセイがやられてしまう。どうしたらいいものだろうか」

　ボルコフがそう思案した瞬間、アレクセイは木の陰から躍り出し、トーチカの黒い銃眼にむかって突進した。機関銃は唸りをあげ、アレクセイは倒れた。がしかし、アレクセイは全身血に染まりながらも這うように前進し、両手をひろげて銃眼に立ち塞がり、そのまま絶命した。

アレクセイの英雄的行動によってトーチカは沈黙した。後方からは味方の戦車隊が物凄い轟音とともにやってくる。空からは飛行機部隊がトーチカに爆撃を加え、爆弾を落とす。大地が燃え上がるようだ。

「行け！」

ボルコフ大尉の命令と同時に隊員たちは突撃を開始した。戦車隊は見る見る隊員たちを追い越していき、窪地(くぼち)をものともせず、敵に砲火を浴びせながら前進する。隊員たちは戦車の陰に隠れるようにしてトーチカに迫った。

トーチカ内では白兵戦となり、関東軍の決死隊は白刃をかざして戦ったが、自動小銃の前ではひとたまりもなかった。外に飛び出した関東軍の決死隊は手榴弾や爆弾を身体にしばりつけ、戦車の下に飛び込んで自爆し果てていった。

午後五時、トーチカは完全に制圧された。

関東軍兵士は一人として生きている気配はなかった。どこからも銃弾の音は聞こえない。銃剣の触れあう音もない。大地を蹂躙(じゅうりん)しているのは長い砲身を突き出したT34戦車の大軍だけである。この灰色の怪物は、まるで地ならしをするように、トーチカを圧(お)しつぶし、埋め尽くしていく。

ボルコフ大尉はトーチカの入口に立って、西の空を見た。今しも太陽が牡丹江を黄金色に染めて、その流れの中に沈んでいくところであった。

「満洲の夕陽の、聞きしにまさる美しさよ。まるで俺たちの戦いと殺戮(さつりく)を賛美しているかのようだ」

ボルコフ大尉はそう言って、副長のリハノフと固い握手をし、兵士たちに労(ねぎら)いの声をかけた。

勝利の歓声があがった。

「まったく最小限の犠牲でこのトーチカを奪取できた。がまだこの先、牡丹江強行渡河と牡丹江市制圧が残されている」

そう自分に言い聞かせ、心を引きしめつつタバコをくわえた時だ、子供の泣き声のようなものが、ちらりと聞こえた。

ボルコフははっとし、

「おい、どこかで子供が泣いているぞ」

誰に言うともなく言った。

「子供？　まさか」

そばにいたリハノフが聞き返した。

「いや、確かに聞こえた」

「空耳じゃないですか。隊長」

耳を澄ましてみるが、戦車のエンジン音とキャタピラの音、それに地響きがうるさくてよく聞こえない。しかし、なお一層耳に神経を集中させると、やはり子供の泣き声のようなものが聞こえる。

「しっ！　ほら、子供の……いや、赤ん坊の泣き声かな」

そばにいる兵士たちはみな一様に耳を澄ました。やはり聞こえる。

「本当だ。どこだろう」

そう言って、みな目を合わせる。

「土の中だ」

若い兵士がトーチカの中を指差して言った。

「ええ？　日本軍は赤ん坊にまで銃を持たせて戦わせてたんですか？」

そんな軽口をたたく兵士がいて、みんなどっと笑った。

「軍人の家族が逃げ込んだのだろう」

とリハノフが言った。

伝令が駆けて来、敬礼して言った。

「わが軍の完全勝利です。この陣地の周囲四キロ以内に生き残っている日本人は一人もおりません」

「ご苦労！」

と敬礼を返し、ボルコフは言った。

「しかし、どうやらたった一人生き残っている可能性がある」

その時、掃討作戦の終了した戦車隊は全軍停止した。にわかに静寂が戻ってみると、子供の泣き声は明瞭に聞こえた。トーチカの内部、しかも土の中らしい。

ゆっくりとトーチカ内に進んだボルコフは、ふと立ち止まり自分の足下を指差して言った。

「急げ！　この子供を救出するんだ。乱暴にやるんじゃないぞ」

兵士たちは手に手にシャベルを持ち、土を掘りはじめた。

あたりは日本人兵士の死体で埋め尽くされているが、掘り進めていくと、コンクリートの瓦礫(がれき)の下にある死体、これは女性の死体だが、その腕の中で、毛布にくるまって子供が眠っていた。

子供は母の腕と毛布が作るわずかな空間の酸素によって生かされていたのだ。が今は泣いてはいない。だから生きているかどうかも分からない。

兵士は泥だらけの毛布と一緒に子供を抱きあげた。

「生きているか？」

ボルコフは訊いた。

「虫の息です。しかも、目の下に傷を負っています」

「ほっぺたを軽くたたいてみるんだ」

ボルコフは兵士に言った。

兵士は子供の頰をたたいた。

子供は泣いた。

「おお、生きている。この子の親らしき者の遺体はないか。よく確認しろ！」

言いつつ、ボルコフもあたりを見た。この子の母親らしき死体の隣には将校と思われる軍人の死体があったが、それが父親である証拠はなにもなかった。

「確認は無理です。誰が誰やらさっぱり分かりません。ですが、この子のそばにアルバムが落ちていました」

兵士はアルバムを差し出した。

ボルコフはさっと目を通した。軍人一家の家族写真のようであったが、中の一枚をアルバムからはがし、命じた。

「ふむ、たぶんこの写真はこの子のものだろう。念のためこの一枚はとっておく。あとは破棄しろ」

「はい。そうします」

兵士はアルバムを母親の死体のそばにほうり、その上に土をかけた。

「おい、懐中電灯をかせ！」

兵士の差し出す懐中電灯を受け取ると、ボルコフは子供の目のあたりを子細に調べ、

「それにしてもひどい傷だ。急いで応急処置をしなくては。衛生兵を呼べ」

と言った。

「その子を連れて帰るんですか？」

副長のリハノフが怪訝（けげん）な顔をした。

「そうだ。戦う時は皆殺しにする。しかし戦い終わったあとは、生存者の命を尊重するのが戦争の礼儀というものだ」

ボルコフは笑みを浮かべて言った。

「ならば、この子に名前をつけませんか」

「なにかいい名前でも浮かんだか」

「ええ。ニーナ、はいかがですか」

「ニーナ？　チェホフの『かもめ』の主人公の名前だな」

「ええ。この戦場の風景は、『人も、ライオンも、鷲も、角を生やした鹿も、鵞鳥も、蜘蛛も、水に棲む無言の魚も、海に棲むヒトデも、人の目に見えなかった微生物も、――つまりはいっさいの生き物、生きとし生けるものは、悲しい循環（めぐり）をおえて、消え失せた』というニーナのセリフ

そのもののように思えまして」

「よし。ニーナにしよう。そして家族名はフロント（戦場）だ。ニーナ・フロンティンスカヤ。どうだ、いい名前ではないか」

「ニーナ・フロンティンスカヤ。いい名前だ」

「この子が無事生きながらえるよう、みんな協力してくれ」

兵士たちの笑い声と拍手が、硝煙くすぶる戦場から宵闇の空へと流れていった。


ニーナの右目は爆弾の破片が当たったらしく、鋭く抉（えぐ）られ、血が流れていた。時々ふっと死んだように意識もとぎれる。

駆け付けた衛生兵は止血をほどこし、包帯を巻きながら、

「この傷はひどい。きちんとした病院で治療しないと視力にも影響しかねません」

ボルコフに訴えるように言った。

「そんなことになったら可哀想だ。野戦病院はどこにある？」

「すぐ後方に控えておりますが」

「そこへ急ごう」

「大尉もいらっしゃるのですか」

「俺も行く。色々と事情があるからな。おっそうだ。この子は日本人ではなく中国人だからな。そのことを忘れないように」

「はい。承知いたしました」

ボルコフはニーナを抱いて、応急処置班の救急車に乗り込んだ。

救急車は夜の戦場を走った。地面にころがっている日本軍兵士の死体をしばしばヘッドライトが照らしだす。それを巧みに避けながら車は進んだ。

野戦病院は、第二六狙撃兵団の司令部の置かれている牡丹江西岸にあった。

月明りもない藍色の闇の中に、野戦病院の白いテントはそこだけ明るい。

中に入ってみると、思いのほか負傷者は多く、五十台もあろうかと思われるベッドのすべてが負傷兵で埋められていた。

軍医や衛生兵、看護兵たちは目の色を変えて右往左往している。

応急処置班の衛生兵が、白衣を着ている軍医をつかまえ、遠慮がちに言った。

「大至急、この子を診(み)てやっていただけませんか」

「子供？」

軍医は、子供を抱いているボルコフをちらりと見て、

「どこの子ですか。私たちは兵士たちの治療で手いっぱいです。今にも死にそうな兵士がいるのですよ。子供にかまけている暇はありません」

「目に傷を負っています。ほうっておいたら失明します。なんとかしてください」

「国のために戦った軍人が先です」

にべもない返事をする。

ボルコフが途方にくれていると、

「なに、子供だって？」

近くのベッドに横たわっている白髪まじりの男が声をかけてきた。

「はい。戦場でたった一人、奇跡のように生き残っていた子供です」

「ちょっと見せてくれ」

男は手をあげて、自分の位置を教えた。

ボルコフは男のベッドへ歩みより、片目に包帯をされたニーナを見せた。

「ほう、女の子か。いくつだ？」

「さあ、よく分かりませんが、二歳か三歳でしょう」

「そうか。俺にちょっと抱かせてくれ」

男はベッドに起き上がり、

「俺にもちょうどこのくらいの孫がいるんだ」

と両手を差し出した。

その手に、ボルコフはニーナを渡した。

男は慈愛にみちた表情でニーナを抱きしめ、しばらくその感触にひたっていたが、ふとわれに返ると、

「おい、ダニーロフ中尉！」

かたわらにいた軍医が、

「はい」

と言い、直立不動の敬礼をした。

「大至急、この子を診てやってくれ」

有無を言わせぬ言い方だった。

「はい。かしこまりました」

軍医が目配せすると、若い女性の看護兵があわてて駆け寄り、男の手からニーナを抱きあげた。

男は軍医に言った。

「よろしく頼む。なにしろ俺の孫だからな」

「はい。副司令官閣下」

軍医は踵を鳴らして回れ右をし、ニーナを抱いた看護兵を連れて処置室のほうへ急ぎ足で消えた。

「副司令官閣下ですか？」

ボルコフが訊いた。

「第一赤旗軍の副司令官、ピョートル・アンドレーヴィチ・ムラビヨフ中将だ。君は？」

ボルコフは直立不動の姿勢をとり、

「私は第一赤旗軍第二六狙撃兵団の先遣隊隊長、ピョートル・イヴァノヴィッチ・ボルコフ大尉です」

「そうだったか。牡丹江をめぐる今回の戦いにおいて、もっとも戦功いちじるしかったのは、スクォヴォルツォフ少将率いる第一赤旗軍第二六狙撃兵団だ。特に先遣隊は最前線にあってよく戦ったと聞く。君がその隊長か？」

「そうであります。閣下」

「ご苦労！」

ここでムラビヨフはボルコフにむかって敬礼をした。ボルコフも敬礼を返した。

「牡丹江河畔まで戦場視察に出ていった時、敵の流れ弾に当たって名誉の負傷さ。幸い銃弾は太股を貫通しているので、大事には至らないらしいが」

ムラビヨフの視線の先に目をやると、痛めた腿に当たらないよう、毛布のテントができていた。

「で、君は無事だったのか？」

「はい。お陰様で」

「戦いは明日もつづく。戦場では勇敢であることが大事だが、勇敢でありつつ自分の命を守ることはもっと大事だ。死んでから勲章をもらっても仕方あるまい」

「はい。ありがたきお言葉、肝（きも）に銘じます」

「さて、さっきの子供の話をしてくれないか。その椅子にかけたまえ」

ボルコフはそばにあった椅子を引き寄せ、腰かけた。

「はい。戦いが終わって、ほっとタバコに火をつけた時でした……」

ボルコフは子供を発見するに至ったことの経緯を説明した。牡丹江に沈む黄金色の太陽が美しかったこと、死体だらけの土の中から子供の声がしたこと、救出作業、そして兵士たちとみんなでニーナ・フロンティンスカヤと名付けたことなどを。

「殺戮という殺戮が繰り返され、日本軍は壊滅し、ソ連軍兵士以外は一人として生存者のいないはずの戦場に、たった一人、しかも子供が、生きていたとは、これは誰かの意志によって生かされたとしか思えない。まったく君は良いことをした」

ムラビヨフは感に堪えて言った。

「そのトーチカには日本軍人の家族も逃げ込んでいたものと思われます。ですからあの子は日本人に間違いありません。しかしそうと知れたら、あの子はきっと不幸な目に遭います。なにしろ日本は現在、わが国と交戦中の敵国です。ですからソ連国内では、中国人孤児として、育てられたほうが無難だと思うのです」

「分かった。中国人ということにしよう」

「名前はどういたしましょう。今なら、いくらでも変えられますが」

「ニーナ・フロンティンスカヤ。なかなかいい名前ではないか。で、ミドルネームは？」

「まだ付けておりません」

ムラビヨフはちょっと考えに沈んでいたが、ふと顔をあげると、

「ボルコフ大尉、偶然にも、君と俺の名前は同じピョートルだ。これも誰かの意志によるものかもしれない。ならばニーナの父称（ミドルネーム）は、われわれの名前からとって、ペトローヴナとしたらいいんじゃないかな？」

「ニーナ・ペトローヴナ・フロンティンスカヤ。いい名前ですね。私としては光栄です」

「閣下」

さきほどの軍医がやってきて言った。

「子供の傷は爆弾の破片によるものと思われます。入念に消毒いたしましたので、破傷風になる懸念はありません。しかし、傷は深く、このままほうっておいたら、のちのち顔がひきつるよう

なことになるかもしれません」

「ちゃんと治療すれば治るのか？」

と訊いたのはムラビヨフだった。

「この野戦病院はエカテリンブルグまで移動し、そこで解体されます。エカテリンブルグの病院で治療すればかなり治るとは思いますが、保証のかぎりではありません」

「失明の心配は？」

今度はボルコフが訊いた。

「失明はしませんが、少し弱視になることは避けられません」

「で、子供はどうしてる？」

「処置室ですやすやと眠っております。一応、書類にお名前をいただきたいのですが……」

軍医が書類を差し出し、ボルコフとムラビヨフの顔を交互に見た。

「私が書く」

ボルコフは、患者の欄にニーナと書き、保護者の欄に自分の名前を書いた。

「ダニーロフ中尉。色々とありがとうございました」

「いいえ。どういたしまして」

軍医は敬礼をして去った。

ボルコフは軍服の内ポケットからニーナの写真を取り出して言った。

「これはニーナのそばに落ちていたものです。恐らくあの子の写真でしょう。なにかの時に役立つのではないかと思って持ってきました。これを閣下にお預けしますので、くれぐれもニーナをよろしくお願いします」

二つかぞえるほどの間を置き、

「おお、そうか。君は明日も戦場に立つんだったな」

ムラビヨフは淋しげな表情で言った。

「はい。明日は牡丹江強行渡河、そして牡丹江市制圧です」

ボルコフは立ち上がった。

「ボルコフ大尉、ニーナのことは俺に任せてくれていい。俺はたぶんベッドに寝たまま、ニーナと一緒にエカテリンブルグまで運ばれることになるだろう。ニーナの目は俺が責任をもって治療させる。その後のことも俺がきちんとやる。心配するな」

ボルコフは深々とお辞儀をして、

「ありがとうございます。閣下のような方にめぐり逢えたことはまさに天の恩寵(おんちょう)です。これで心おきなく戦場に赴くことができます」

ムラビヨフはボルコフの手を握り、言った。

「武勲を立てることを祈る。しかし死ぬなよ」

「はい。ムラビヨフ副司令官。閣下の傷が一日も早く快癒なさいますように」

ボルコフは帰り際、治療室をのぞいてみた。

そこは手術やその他の治療がおこなわれていて、負傷兵の悲鳴がひっきりなしに聞こえるようなところだが、右目に包帯をされたニーナは静かに眠っていた。

ボルコフは救急車で送ってもらい、前線へ帰った。

翌八月十七日夕刻、野戦病院にいるムラビヨフのもとにボルコフ大尉の戦死が知らされた。牡丹江で撃破され、部隊の統制を失った関東軍の第一方面軍第五軍の残存部隊は障害物を利用しながら西方および南西方に退却した。関東軍総司令官山田乙三大将は十七日極東ソヴィエト軍総司令官ワシレフスキー元帥にたいし戦闘行為の中止を申し出、それと同時に、関東軍司令部は全軍にこの命令をラジオで伝えた。しかし関東軍の抵抗はおさまらず、ある地区では反撃にさえ出ていた。

ボルコフ大尉は、無条件降伏を認めることなく、戦場にあって断末魔の抵抗をつづける日本軍兵士たちの銃弾によって倒れたのである。遺体はどこかに埋められたのだろう、野戦病院へは運ばれてこなかった。

「だから言っただろう、死ぬなって」

ムラビヨフはメモの書かれた紙切れを握りつぶし、うっすらと涙ぐんだ目で天を仰いだ。ボルコフ大尉の死によって、ニーナの命そのものが一層価値あるもののように思えたばかりでなく、ニーナにたいする責任も重く感じたのだった。

看護兵に昨日の入院書類を持ってこさせ、ニーナの保護者欄にあるボルコフの名前を消し、自分の名前を書いた。

ソ連の第一極東方面軍各部隊は八月十八日以降も進攻をつづけ、ハルピンおよび吉林（きつりん）方面にむかったが、野戦病院は牡丹江西岸にとどまった。

三週間が経った。

ムラビヨフは一日一度、ニーナの顔を見ないと落ち着かない。朝、ニーナが目覚めたあと、かならず抱いてきてもらうことにしているのだが、ムラビヨフの目にもニーナの傷は全治したように見えた。むろん傷痕は残り、右目はややひきつっていたが、傷そのものは治った。

ムラビヨフの右太腿の傷もかなり癒え、松葉杖を使って歩くことができるようになったので、野戦病院内を歩き、負傷兵たちに労いの言葉をかけてやった。負傷兵たちはことのほか喜んだ。そのついでにニーナのいる治療室をのぞいてみると、なんとニーナが歩いているではないか。

「ニーナは歩けるのか？」

近くにいる女性の看護兵に尋ねた。

「歩けます。閣下」

「おしめは？」

「おしめはまだはずせません」

「とすると、二歳ってところかな」

「でもニーナはなにかことばのようなものを話します」

「言葉ができるとなると、三歳か」

「ええ。でも、どこの国の言葉か分からないのです。中国語か朝鮮語か蒙古語か……」

ムラビヨフはあわてて、看護兵の言葉をさえぎった。

「ニーナが話しているのは中国語に決まっている。なぜなら、ニーナは中国人なんだから。がしかし、これからはソ連で生活することになる。だから、今日からみんなでロシア語を教えてやってくれ」

「はい。閣下。ご命令に従います」

治療室にいる全員が敬礼した。

この日から、ニーナのロシア語教育が始まった。が、ニーナはとても利発で、溌剌(はつらつ)としていて、物覚えがよく、一週間もすると、片言のロシア語を話すようになった。

ロシア語を話すニーナはムラビヨフにとって一段と可愛らしいものとなった。この姿をボルコフ大尉に見せてやりたかったと思い、ムラビヨフはちょっと涙ぐんだ。

満洲がソ連軍によって完全制圧されたことにより、野戦病院も移動することになった。負傷兵たちは兵員輸送用の大型バス十数台にベッドごと乗せられ、まずはハバロフスクまで。そこからシベリア鉄道に乗って延々五千キロ。二週間かかってやっとエカテリンブルグに着いた。そこで負傷兵たちは、その病気の種類によって各病院へ移送され、野戦病院は解体した。

ムラビヨフはエカテリンブルグ市民病院へ移された。むろんニーナも一緒だ。

ニーナの目の治療は早速行われたが、さほどの効果はなかった。失明そのものは完全に食い止めたが、傷痕はさほどよくはならなかった。女の子なんだから、顔に傷があっては可哀想だ、とムラビヨフは思うのだが、技術的には限界らしかった。

ある日、どこからどう話を聞きつけたのか、ニーナと言う名の女の子をもらいたいという人が現れた。

里親に名乗り出た夫婦について報告に来た、エカテリンブルグ市民病院の事務局員、イリーナ・ルスチェンコにたいして、ムラビヨフは不快感もあらわに言った。

「いったいどうして、その人たちはニーナの存在を知ったんだい？」

ヴェテラン事務局員のイリーナはムラビヨフのベッドのかたわらに立ち、鉛筆を持った手を顎に当てたまま答えた。

「孤児については病院の会報に載せて、里親を探す決まりになっておりますので」

「保護者である私の許可もなくか」

「閣下はあくまでも仮の保護者であって、ご自身がお育てになるおつもりではございませんでしたでしょう？」

「そりゃあまあそうだが。この戦争が終熄する前に、この怪我だから俺も退役だろう。老い先も短い。孫もいる。子育ては到底無理だろうな」

「と思い、会報にお載せしたのです。引き合いがあっただけでも、幸運と思ってくださらないと」

イリーナは恩着せがましく言う。

ムラビヨフは、自分の存在が無視されたようで、どうも釈然としない。

「孤児は里親の手によって育てられるのがやはり理想なんだろうな」

独り言のようにぶつぶつと言った。

「それはそうですよ。親身になって育ててくれる人がそばにいてくれることが、子供にとっては一番です」

「ならば、嬉しい話ではないか」

ムラビヨフはさほど嬉しいとも思えない表情で言った。やはりニーナを手放すことの淋しさに負けているようだった。それに心配でもある。

「そのニーナをもらいたいって言う人が本当に可愛がってくれるといいんだが」

「お会いになられますか？」

「むろん会うさ」

「では、呼んでまいります」

イリーナはくるりと踵を返すと、廊下に靴音を立てて消えていき、同じ靴音を立てて戻ってきた時には、夫婦と思われる男と女を連れていた。

「こちらのお二人です。お名前は……」

と書類に目を落とし、

「ミハイル・カリーニンさんと奥さんのリリヤさんです。エカテリンブルグ在住です」

「ベッドで失礼する」

と言い、ムラビヨフが自己紹介すると、夫婦は身を固くしてお辞儀をした。

「お見受けしたところ、お二人はまだお若いようだが……」

ムラビヨフの言葉を遮るように、イリーナが言った。

「ご主人が三十五歳で奥さんが三十三歳です」

夫婦は黙ってうなずいた。

「なぜニーナを里子にもらいたいとおっしゃるのかな」

夫婦は二人そろってもじもじしていたが、夫が口を開いた。

「私たちはこう見えても、結婚して十年になります。ですが、なぜか子供に恵まれないのです。

で……」

　そのあとを妻がつづけた。

「病院の会報を見ておりましたら、里親を求める知らせがありましたので、飛んできてみましたら、それはそれは可愛い子で、ぜひぜひうちの子として育てたいと思いまして」

　ものの言い方もおどおどとして、気の弱そうな夫婦だった。暮らしぶりも、おおかたのロシア人と同じく貧しそうである。

「仕事はなにを？」

　夫のミハイルが答えた。

「ゴム工場で働いてますが、妻は家におります」

「条件が三つあるのだが……」

　ムラビヨフが言った。

「はい。なんでもご遠慮なく」

　夫はしおらしい。

「一つは、どんなことがあっても、決して暴力をふるわないこと」

　夫婦は黙ってうなずいている。

「平手でたたくことは勿論、指ではじくことも、つねることも、言葉で苛(いじ)めることもだ」

　ムラビヨフはつづけた。

「もしもたたきたくなるような悪い子だったら返してくださって結構です。ニーナは利発な子だから、そんなことはないと思うが」

夫婦はまだうなずいている。

「二つ目は、あなた方夫婦に実のお子さんができるようなことがあったとしても、決してニーナを返してよこさないということ」

ここまで言うと、夫のミハイル・カリーニンは首を横に振って、

「とんでもありません。決してそんなことはいたしません。第一、私たち夫婦に子供のできる気遣いはありません」

誠意のありそうな答え方だった。

「三つ目は、ニーナの名前は、今は、ニーナ・ペトローヴナ・フロンティンスカヤだけれど、何年か経って、あなた方の家の子としてすっかり馴染むまでは、名前はそのままにしておいてほしい」

こんどは妻のリリヤが、口許にいやしい感じの笑みを浮かべて言った。

「私たちもそのつもりです。孤児を預かって養育すると、国から養護費がいただけますけど、自分の子にしてしまったら、それがいただけません。そんな理屈に合わないことはいたしませんとも」

「それもそうだな」

ムラビヨフは苦笑まじりに同意した。

ムラビヨフの心は揺れた。どうせ里子に出すなら、もう少し余裕のある家にしてやりたかったものだと。しかしそんな贅沢を言っていたのでは、里子に出すチャンスそのものを失ってしまいかねない。その結果、こんな幼い子を孤児院に預けることになったらそれもまた可哀想だ。いっ

そ自分の手で……と思ったが、首を振ってそれを否定し、

「ニーナをあなた方にお預けします。中国人の血を引く子で、ロシア語はまだ片言ですが、ゆっくりと教えてやってください。よろしくお願いします」

「あの子は今、何歳なんでしょう？」

リリヤがのぞき込むような目で、イリーナに訊いた。

「三歳か四歳かはっきりとしません。そのうち成長を見てお決めになったらいかがですか」

イリーナは二人を連れて部屋を出ようとした。

「ちょっと待ってくれ。いつニーナは行ってしまうんだい」

ムラビヨフが尋ねた。

「今日にもと思ってますが」

夫が答えて妻の顔を見、妻はうなずいてイリーナを見る。

「こちらもその予定ですが、なにか」

イリーナは怪訝そうにムラビヨフを振り返る。

「それでは淋しすぎる。せめて連れていくのは明日にしてくれ」

ムラビヨフは小さな声で言った。

「構いませんが……構いませんね」

念を押された夫婦はうなずいた。

その夜、ムラビヨフはニーナを自分の部屋に連れてきてもらった。ニーナはムラビヨフについてなにも知らない。が、波長のようなものが合うのか、ニーナはムラビヨフにたいして警戒する

ような目付きはいっさいしない。ベッドに入れて添い寝していても、まるで父親か祖父とともにいるような安らいだ寝顔を見せている。それを見ながら、できるものなら、本当に手放したくないとムラビヨフは思うのだった。

ムラビヨフは枕元の小机の引き出しからニーナの写真を取り出し、実物の寝顔と見比べた。見れば見るほどよく似ていて、この写真の赤ん坊はニーナに間違いないと確信するしかなかった。しかし今日名乗りでた若い夫婦に写真を渡す気はなかった。渡せば、ニーナが中国人であることが疑われるし、日本人と分かれば、今のソ連では迫害を受ける恐れがあるからだ。

ムラビヨフは写真を裏返した。そこには万年筆で、17, aпр. 1945と書いてある。書いたのはムラビヨフだ。ニーナの発見されたのは十六日であるのに、十七日と書いた理由は、ニーナの第一発見者であるボルコフ大尉が戦死した日を記憶に残すためである。加えてそれは、入院書類の保護者の欄に書かれてあったボルコフ大尉の名前を消し、そこにムラビヨフ自身の名前を書いた日でもある。ニーナの保護者の役を引継いだことの責任の重さを自覚するためにそうしたのだが、その重さが今更のようにずしりと胸にのしかかってくる。

ムラビヨフはニーナを抱きよせた。

寝息の力強さ、身体が発する熱、幼い命が懸命になって生きようとしている。その健気(けなげ)さに打たれて、ムラビヨフは涙ぐんだ。

ロシア兵以外のものみな死に果てたあの戦場で、この子一人が生き残ったことがもし奇跡であるならば、その奇跡はこの子に幸福をもたらさなければならない。そうでなければ奇跡とは呼べない。同じ理屈で、一つの命を助けたとしても、その命の行く末を見守らないのであれば助けたことにならない。

ムラビヨフは小さな身体を抱き、将来に幸あれかしと祈る思いで目を閉じた。

翌日、ニーナはカリーニン夫妻とともに病院を出ていった。

妻のリリヤが本当に嬉しそうにニーナを抱き、ムラビヨフにむかってなんどもお辞儀をする姿を見て、ムラビヨフは少し安心した。

ムラビヨフの右太腿の傷は全治したが、軽い不自由は残った。しかし祖国のためにつくした証(あか)しと思えば、誇らしい気分もなくはなかった。

十一月の上旬、ムラビヨフは退院し、レーニン通り六九にある家に帰った。レーニン通り六九はむかしはチェキスト（GPU(ゲーペーウー)〈国家政治保安部〉の前身、VCHK(ヴェチェカ)〈全露非常委員会〉の捜査官）タウン、今はGPUの巣と呼ばれるほど諜報関係の人間が大勢住んでいて、近くにはソヴィエト軍隊広場もあり、ちょっと厳(いか)めしい地区だが、第一赤旗軍副司令官の家のある場所としては似つかわしい。

退院した日、息子のセルゲイとその妻のガリーヤが子供を連れて遊びにきた。子供はタチアナという名の女の子だが、その子を膝に抱き、

「おお、ターニャ、お前のような可愛い孫がいたお陰で、わしはニーナという女の子に良いことをしてやれたぞ」

とムラビヨフは言った。

「それはどういうこと？」

と、ムラビヨフの妹のソーニャが訊いた。

ムラビヨフはニーナにまつわる話を手短に物語った。みんな少なからず感動した。

「戦争というやつは実に罪深い。万度こういう悲劇を生んで反省しない」

図書館の司書をやっている平和主義者のセルゲイは吐き捨てるように言う。

「そんなにいい子だったら、私が育ててもよかったわ」

ソーニャが言った。

「えっ、お前が？」

ソーニャはルナチャルスキー記念国立オペラ・バレエ劇場でコレペティートルを務めているピアニストだが、一九四三年二月、スターリングラードの戦いで夫を失っている。

「お前のことは一度も考えなかったなあ。ついこの間、亭主を亡くしたばかりで、とてもそんな気になれるはずがないと思っていたからな」

「まあ、半分は冗談のようなものだけれど、あいにく子供もいないことだし、そんな子がいたらさぞかし楽しいだろうなと思っただけ」

「そうか。これは力強い味方が現れた。もしなにかのことがあったら、頼むことがあるかもしれない。むろんなにもないことを望むが」

妻のマリーナは夫の退院と退役が嬉しくて仕方ない。

「私はなんといっても、ピョートルがもう二度と銃弾飛び交う戦場に行かなくてもよくなったことが最大の喜びだわ」

その言葉は全員の気持を正直に表したものだろう。

数日後、若い日から今日までに立てた武勲の証しである勲章のありったけを胸につけて、写真館で写真を撮り、それでムラビヨフの軍人生活は終わった。

一年経った初冬のある日である。市民病院のイリーナから手紙が届いた。ニーナのことで相談したいから来てくれというものだった。

ムラビヨフは、毛皮のコートを着、毛皮の帽子をかぶってでかけた。

秋には黄金色に染まった軍隊広場の白樺林も今はすっかり葉を落とし、見上げれば、空から白いものがちらちらと舞い降りてくる。道行く人はみな防寒具に身をつつんでいる。しかし、十月も末の段階で、まだ街が雪におおわれていないところを見ると、今年は暖冬であろうと、ムラビヨフは年の功で思うのだった。

トランバイ（路面電車）六番に乗ってルナチャルスカヴァ通りで降り、エカテリンブルグ市民病院の事務局室へ入っていくと、ニーナの里親であるはずの若い夫婦のうち、夫のミハイル・カリーニンとニーナがぼんやり立っていた。ニーナはもうしっかりとした子供に成長していて、黙ってムラビヨフを見上げている。その目を見ただけで、ムラビヨフの胸はいっぱいになった。

イリーナが出てきて、言った。

「カリーニンさん夫婦にお子さんができたんですって」

やっぱりそうか。

ムラビヨフは歯噛（はが）みする思いだった。

「まことに申し訳ありません。こんなことになるとは夢にも思っていなかったもので……」

ミハイルはぺこぺこ頭を下げるだけだ。

「だから最初にあれほど約束したではないか」

ムラビヨフは怒りを隠せない。

「いえ。私としては、ニーナをこのままわが家で育てたいんですが、リリヤが、自分の子ができたとたん、しかも女の子なものですから、ニーナをなにかにつけて叱りつけ、時には手をあげたりもするのです」

もう話は聞きたくなかった。こんな人物に、ニーナを託した自分がいけなかったのだと思うしかない。しかし、どうしたらいいものだろう、と思案にくれていると、

「私がニーナを育てますわ」

イリーナが言った。

「なに、君が育てるって」

ムラビヨフはイリーナをまじまじと見た。

「ええ。私ではいけませんか」

イリーナは挑戦的だ。

「いや。そんなことはないが、あまりに突然だったもので驚いたのだ」

ミハイル・カリーニンは逃げるように帰っていった。

どこかニーナと離れたところで話したいとムラビヨフは思ったが、言い出すタイミングがない。

ムラビヨフはニーナの顔を見た。

ニーナは、カリーニンの家で約一年生活したから、いくぶんロシア語を理解できるようになったであろうが、大人たちが早口で話していることの内容を正確に理解するまでにはまだ達していないと思われる。しかしおおよその見当はつくのだろう、心細い表情を浮かべてムラビヨフとイリーナを代わる代わる下から見上げていた。そしてなにか言おうとするのだが言葉にならないらしく、もどかしげに口を動かす。そんなニーナがムラビヨフは不憫（ふびん）でならない。

ムラビヨフは、白い毛糸の帽子をかぶったニーナの頭を優しく撫でつつ顔はイリーナにむけ、あらためて質問した。

「どうしてそういう気になったのかな？」

イリーナは神妙に答える。

「実は私、最初にニーナを見た時に、自分の手で育てたいと考えたのですが、病院の事務局員が先に名乗りでたのでは不公正の謗（そし）りを受ける恐れがありますので思いとどまりました。ですが今ではカリーニン夫妻に預けたことを後悔しております。本当にニーナには可哀想なことをしてしまいました」

「君の気持は分かるが、責任感のようなものでニーナを育ててくれても上手く行かないのではないかな」

ムラビヨフは少し語気を強めて言った。二度の失敗は許されないという思いがそうさせたのだ。

「責任感で育てるのではありません。ニーナがこの病院に移送されてきてから、ずうっと関わりを持っているうちにだんだんわが子のように思えてきたのです」

イリーナの言葉に嘘はないようだった。ならば、ムラビヨフはエカテリンブルグ市民病院事務局員、イリーナ・ルスチェンコについてもっと知りたいと思った。

「君は今、失礼だが、おいくつ?」

「三十一歳です」

「勤続何年?」

「八年です」

「結婚は?」

「五年前にしています」

「子供は?」

「おりません」

「でも、この先できるだろう」

「たとえそうなっても、ニーナを手放すようなことはいたしません」

「ご主人のお仕事は?」

「軍人です」

「所属部隊は?」

「チャムスに攻め込んだ、第二極東方面軍第一五軍迫撃砲師団に所属しております」

「階級は?」

「中尉です」

「そうか。苦労をかけたね」

夫が軍人と聞いて、ムラビヨフはにわかにイリーナにたいして親愛の情を持った。

「住まいは？」

「ザボツカヤ通り三八番地です」

ビエルフ・イセツキー池の南東方向にある、古い家並みの綺麗な町だ。

「いつ頃、ご主人は復員されるのかな」

「ハバロフスクの捕虜収容所のほうに回されたようで、いつ復員できるのかまだはっきりしません。それだけが気掛かりです」

「そりゃあ大変だな。しかしご主人が復員したらなんと言うかだね」

「主人はとても心の優しい人ですから、ニーナを育てることについて反対するようなことは絶対にありません」

イリーナの物言いは断定的で、一見傲慢に聞こえるが、それはたぶん自信の表れなのだろう。そう思ったムラビヨフはもう迷うことをやめた。

「そうか。話は分かった。君を信頼してニーナを預けるとしよう」

「私も孤独から解放されます。嬉しいです」

「君ならニーナも大分なじんでいることだし、きっと生活は上手く行くと思うよ」

「ええ。頑張ります」

ムラビヨフはしゃがみ込み、ニーナと同じ目の高さで言った。

「ニーナ、このイリーナ小母さんを今日からママって呼ぶんだよ」

「ダー」

　ニーナがロシア語で答えたことにムラビヨフは言い知れぬ感動を覚えた。

「そうか。良かった。ニーナ、新しいママの言うことをよく聞いて、いい子にしてるんだよ。そしてきっと幸せになるんだよ」

　ムラビヨフは立ち上がりイリーナに言った。

「あらためて言うまでもないことだが、この子は中国人だからね」

「重々承知しております」

「仕事は何時に終わるのかな」

「五時です」

「もうじきじゃないか。見送ろう」

　ムラビヨフはルナチャルスカヴァ通りの停車場で二人を待っていた。

　足踏みをしないではいられないくらいに冷え込んできたが、ほどなくしてイリーナとニーナが現れた。二人は手をとりあっている。ムラビヨフを認めると、ニーナははにかんだような微笑みを浮かべ、たどたどしく手を振った。が、その手は手袋をしていなかった。

　ムラビヨフは二人に駆け寄り、

「イリーナ、これでニーナに手袋を買ってやってくれないか」

　財布から金を抜いて差し出した。

　イリーナはそれを受け取り、

「ありがとうございます。私、自分で編んであげようと思っていたのですが、それでもいいでしょうか」

「もちろんかまわん。とにかく手袋を」

「分かりましたわ」

トランバイ七番が来て、二人はそれに乗った。

ニーナはすぐにトランバイの最後部に来て、背伸びしてやっととどく窓から顔を見せた。

利発な子だ、とムラビヨフは思った。

今度こそ間違いなくやっていけるだろう。

ニーナはなにも言葉を発することなく、ムラビヨフにむかってしきりに手を振る。ムラビヨフも手を振ったが、ニーナの心の内を思うとたまらない気持になった。

「ニーナ、なにかあったら、私のところへ来るんだぞ」

そう叫んだ時には、トランバイはすでに声のとどかないところまで行ってしまっていた。

ムラビヨフはトランバイが見えなくなるまで停車場に立ちつくしていた。


ニーナは窓枠に手をかけ、時々飛び跳ねるようにしながら、優しい小父さんにむかって手を振った。なにか声をかけたかったが、小父さんの名前も知らないのだった。

ニーナにとってこの小父さんは、なんとなく偉い人という印象はあったが、同じ病院の患者以外の何者でもなかった。時々ニーナを抱きしめ、誰よりもニーナには優しくしてくれるのだが、その理由をニーナは知らなかった。ある日、ニーナはこの小父さんのベッドで抱かれて眠ったことがあるが、その時の温かさと安心感のようなものは今でもニーナの肌の上に残っていて、それがこの小父さんへの信頼感となっている。

手を振るムラビヨフの姿が見えなくなると、

「優しい小父さん、さようなら」

ニーナは今にもべそをかきそうな顔をしてつぶやいた。

「さあ、こっちへ来て」

イリーナはニーナの手を引いて、座席に腰をおろした。

「ママ」

とニーナはイリーナを呼んだ。

「あの小父さんの名前はなんていうの?」

「ピョートル・ムラビヨフ。偉い軍人さんなんだよ。お前のミドルネームのペトローヴナはあの小父さんの名前から来ているのさ。おいおい話して聞かせてあげるよ」

トランバイはいつしか満員になり、そしてまた知らぬ間に空席だらけになった。

四十分揺られて、ビエルフ・イセツキー通りという停車場で降りた。

しばらく歩くと大きな池のほとりに出た。

「これはね、ビエルフ・イセツキー池っていってね、街に流れているイセチ川の上流にできた池なのさ」

ニーナは生まれて初めて池というものを見た。黄昏時(たそがれどき)の薄紫色の空の下にひろがる水面は空と同じ色をしていて、風が吹くたびさざ波立った。遠くを見ると、森の中にちらちらと揺れる家々の明かりがあり、それが池には逆さに映っていた。

家の明かり。あの家の中で、家族という名の人たちが、仲良く食事をし話をし、笑いあっているのかと思うと、ニーナは羨ましくてならなかった。

「さ、ここが、お前の新しいお家だよ」

その家は白壁と黒ずんだ木でできた平屋の一軒家で、ついこの間まで住んでいたカリーニン家の一間のアパートに比べたらお城のように見えたが、似たような家がまわりに沢山建っていた。

玄関の黒い木のドアを開けて入ったところが居間兼食堂で、奥に部屋が二つあった。その右の部屋へニーナを連れていき、

「ここは主人の、そうお前の新しいパパの部屋なんだけど、パパが帰ってくるまではお前が使っていいよ」

着の身着のままのニーナには荷物らしいものはなにもなく、なにをどうしたら良いのか分からないまま部屋を見回していると、

「なにをぼんやりしているのさ。私はあんたを返したりするような薄情な女じゃないわよ。心配しないでいいんだからね」

精一杯の優しさをこめて微笑むイリーナの顔をニーナはじっとみつめる。

「ニーナ、たまには笑っておくれよ。子供は可愛くなくっちゃ。さ、こっちへ来て」

イリーナは事務局員の顔に戻って、トイレやシャワー室など家の中をあれこれ案内した。

「お前の仕事はなにもないよ。せいぜいロシア語を覚えることさ。そうだね、ペチカの石炭を絶やさないようにしてくれるとありがたいわね」

イリーナはマッチで紙を燃やし、それを薪に燃えうつらせ、その上から石炭をくべてペチカの火をおこした。

ペチカが燃えると、部屋の中が急に暖かくなった。

「いいかい、こうして石炭をくべるんだよ。これぐらいならできるだろう？」

イリーナはペチカのそばにある茶色い布袋の中から黒い石炭を小さなシャベルですくうと、ペチカの扉を開けて中へそそいだ。

「分かったわね」

ニーナは黙ってうなずいた。

「ペチカを見るのは初めてかい？」

ニーナはまたうなずいた。

「病院はスチームだし、カリーニンさんの家はアパートだったからペチカはなかっただろうね。ペチカっていうのはロシア特有の暖房装置でね、一つのペチカで四つの部屋がいっぺんに暖まってしまうんだよ。ペチカのお陰でお湯も出るし料理もできる。まったくロシア人の知恵は凄いものさ。さ、やってごらん」

イリーナから手渡されたシャベルで、ニーナは石炭をすくい、フックを上にあげてペチカの扉を開けた。中は真っ赤に燃えていて、顔がかっと熱くなった。ニーナは顔をそむけ、そろそろと石炭を中に落とした。

「そう。それでいいんだよ。じゃ、分かったね。今日からお前の仕事だよ。ペチカが消えたら凍え死んじゃうんだからね」

ニーナはうなずいた。

イリーナが作ってくれた夕食もボルシチだった。ニーナは毎日ボルシチを食べているような気がする。具は野菜であったり肉であったり魚貝であったりと色んな種類があって、それぞれ味も違うのだが、とにかく来る日も来る日も赤茶色のスープだ。

「ニーナ、お前はどうしてそう無口なの？　話さないとロシア語が上手くならないよ。言葉ができないと学校で苦労するよ。さあ、もっと話さなくては」

イリーナはボルシチをスプーンで口に運びながら、

「なんて私は料理が上手いんでしょう。ね、ニーナ、お前もそう思うだろう？」

「ダー」

「お前は、ダーしか言えないのかい？」

イリーナは急に不機嫌になる。

「ママ、怒らないで」

ニーナは怯えた表情を見せ、椅子から降りて後ずさった。

その姿を見てイリーナは気がついた。ニーナはカリーニンの家でリリヤにいじめられていたんだと。

「ニーナ、ごめん。もうママは怖い顔しないから、ご飯を食べておくれ」

イリーナはニーナの手にスプーンを持たせ、椅子に座らせた。

食事のあと、シャワー室で、ニーナはイリーナに身体をきれいに洗ってもらった。

「明日、お前の着るものを買いにいこうね。今夜はこれで我慢しておくれ」

イリーナは自分の上着をニーナに着せ、

「パジャマにちょうどいい大きさじゃないか」

一人悦に入っていた。

「そうそう、明日はお前の出生証明書を提出しにいかなくてはね」

ニーナをベッドに寝かしつけるとそう言い、

「おやすみ、ニーナ。よく寝るんだよ」

と毛布の上からニーナを抱いた。

「おやすみなさい、ママ」

部屋の明かりが消え、ドアが閉まった。

イリーナがペチカに石炭を足している音がする。

ニーナは飛び起き、ドアを開けて言った。

「ママ、ごめんなさい」

「いいんだよ、ニーナ、早く寝なさい。お前、可愛い子だね」

イリーナの顔はペチカの炎を受けて、赤く輝いていた。

部屋は暖かく、ベッドもふわふわで、ニーナはすぐに眠くなった。何枚も重ねた毛布にくるまって寝るなんてことは初めての経験だったから、それが嬉しく、もっとそのことを楽しみたいと思いつつも、ニーナは眠りに落ちていった。

「おはよう、ニーナ。朝ご飯できてますよ」

イリーナに起こされたのは六時半だった。

「おはよう、ママ」

「今日はまず病院へ行って、すぐにお前を連れて市役所に行かなくてはならないからね。そのあとは楽しいお買い物だよ。だから急いで食事をすましておくれ」

昨夜の残りもののボルシチと黒パンをニーナは急いで食べた。

外へ出ると、強い北風が吹いていて、道の上を枯葉が舞っていた。

(寒い！　手袋が欲しいな)

と思うと同時に、ニーナは優しい小父さんの顔と名前を思い出した。

(ムラビヨフ小父さんの手袋が早く私に届きますように)

カリーニン夫妻が古着屋で買ってくれたオーバーコートのポケットに左手を入れ、右手はイリーナの手を握り、宙に浮くような感じで懸命に歩いた。

ビエルフ・イセツキー通りの停車場で七番トランバイに乗ったが、着膨れした人たちで充満していた。人と人の谷間に埋もれながら、ニーナはイリーナの手を握りしめて立っているのがやっとだった。

四十分ほどでルナチャルスカヴァ通りに着いた。

エカテリンブルグ市民病院の事務局室に入ると、イリーナは上司のロマネンコのデスクの前に行き、

「ニーナは私が育てることになりましたので、これから市役所に行って色々と手続きをしなければなりません。午前中は休ませていただきたいんですけど……」

イリーナの話を聞きながら、ロマネンコはニーナに笑いかけ、

「ニーナ、君はいくつになったんだい？」

と訊いた。

(私はいくつなんだろう)

ニーナは答えられなかった。

「そのことを決めてもらうために、市役所へ行くんですよ」

「そうか。分かった。今日は半休ということにしよう」

「ありがとうございます」

イリーナはロマネンコにお辞儀をすると、

「さ、行きましょう」

ニーナの手を引き、靴音も高く廊下を歩き外へ出た。イリーナはいつも早足だ。ニーナはぶらさがるようにして歩きながら考える。

(こんな歩き方をするイリーナ・ママって本当に優しい人なのだろうか)

結論は出ないが、ニーナは心のどこかで、

(油断してはいけない)

と思うのだった。

寒風に吹かれながら、レーニン大通りを西にむかって二十分ほど歩いたら、大きな広場に出た。

「うわあ、大きい！」

ニーナはその大きさにど肝を抜かれ、思わず立ち止まった。

もともと幅の広いレーニン大通りが一段と拡大している。トランバイの線路四本が大通りの真ん中を走っていて、左右の通りはそれぞれが五車線という幅だ。その大通りにつながって樹々にかこまれた広場があり、そこには大きなモニュメントも建っている。車も沢山行き交い、人通りも多い。ソヴィエト革命前までは主教座広場といわれ、美麗壮大なボゴヤグレンスキー寺院が立っていたのだが、一九三〇年に取り壊された。アレクサンドル二世の銅像もあったが、革命戦士たちが、皇帝に制裁を加えるのだ、と壊しにかかり、台座の部分をはずしてしまった。残った台座の部分に「解放された労働者」の碑が建てられた。一九一九年十一月、一九〇五年の十月にここで革命事件が起こったことを記念して、一九〇五年広場と改名された。

「ここはね、トランバイの発着点のあるところで、いわばエカテリンブルグのメイン広場さ。戦勝記念パレードなんかもここでやるんだよ」

そして市の最重要地点に市庁舎もある。それは一九二八年から一九三〇年にかけて、古いマーケットをベースにして、ソヴィエト構成主義様式によって建設された。五階建てで、横幅は百五十メートルにおよぶ。

「そしてほら、あれが市役所さ。大きな建物でしょう」

とイリーナの指差すほうを見ると、茶色い市庁舎が威風堂々とそびえ立っていた。

「市役所はね、正しくは、市執行委員会っていうんだけれど、市役所でいいのさ」

市役所に着いた。ニーナにしてみれば、走りつづけたようなものだったから、汗びっしょりだった。

正面玄関で、イリーナは警備員に身分証明書を見せ、二人は中に入り、幅の広い石の階段を上った。

二階の社会保障部の養護費担当室のドアを開けるとイリーナが言った。

「養護費担当の方をお願いします」

太った女性の担当官が出てくると、

「この子を養女として育てたいのですが」

ニーナを見せた。

担当官は顎をしゃくった。

イリーナはニーナを連れて中へ入った。

担当官がイリーナに椅子をすすめた。

イリーナは座った。ニーナは立ったままだ。

担当官はイリーナの言うことをメモしながら、ふんふんとうなずき、時々、ニーナを上から下までじろじろと見た。

ニーナの保護者欄に書かれているムラビヨフのサインを見て、

「この子を戦場で発見したのはムラビヨフ中将閣下だったんですか」

担当官はしきりに感心する。

「フロンティンスカヤ、さすがムラビヨフ閣下がお付けになっただけあって、詩的な名前ですね……。あなたはこの子の養育を閣下から依頼されたというわけですね」

「ええ。そういうわけです」

「ならば、できるだけの便宜をはからなくてはなりませんね」

「ありがとうございます」

「民族名はチャムス生まれの中国人でいいんですね」

「ええ。で、ニーナの生まれた年なんですが……」

イリーナは身を乗り出し、担当官の耳のそばでささやいた。担当官も低い声で応じるから、二人の声はニーナには聞こえなかった。

「わかりました」

担当官は立ち上がり、ニーナに微笑みかけた。

「あなたのお名前は？」

「ニーナ・ペトローヴナ・フロンティンスカヤ」

ニーナが答えると、担当官はニーナを引き寄せ、身体に触れて骨格を確かめていたが、

「少し小柄だけれど、中国人だから仕方ないわね。言葉のほうは、これも少し遅れているようだけど、そのうち追いつくでしょう。賢そうだから」

ニーナの頭をなでた。

「よろしくお願いします」

担当官はデスクに戻り、書類を書き、スタンプをいくつか押すと、それを持ってやってきて、

「はい。これで完了。いいですか、確認しますよ。この子の名前はニーナ・ペトローヴナ・フロンティンスカヤ。出生地は中国チャムス。生年月日一九四〇年八月十六日。よって現在年齢は六歳と二ヵ月。国籍はソヴィエト社会主義共和国連邦。現住所はエカテリンブルグ市ザボツカヤ通り三八番地。養父母の名前はワレリー・ミハイロビッチ・ルスチェンコおよびイリーナ・イヴァノーヴナ・ルスチェンコ。以上で間違いありませんね」

「はい、間違いありません」

イリーナは神妙に返事をする。

担当官は書類をイリーナに渡し、

「ソ連の国民一人当たりの月収は五百ルーブル。といってもこれは表向きで実態は二百から三百ルーブルといったところではないでしょうか。で、孤児を一人養育するについては、百ルーブルの養護費を国から支給されることになっています。これはかなりな優遇措置ではありますが、なにしろ福祉に厚いことが社会主義国家の理想ですからね、その恩恵を受けるということをあなたは忘れないように。しかも五歳以上の子供の場合は五パーセント。六歳以上の子供の場合は十パーセント支給額がアップされます。ですから、ルスチェンコさん、あなたは毎月百十ルーブルの養護費を受け取ることができるんですよ」

「国家に感謝申し上げます」

「はい、これが今月分」

担当官は封筒を差し出した。

「えっ、もういただけるんですか？」

「お金がないと養育できないでしょう？」

「それもそうですが……」

「養護費は先払いになっています」

「有り難くいただきます」

「来月からは毎月十五日、この窓口まで受け取りにきてください」

「はい。承知しました」

「養護費を受け取る以上は責任をもって、このニーナちゃんを養育してくださいね」

「はい。かならず」

イリーナは担当官に頭を下げ、その場を立ち去ろうとしたが、ニーナの足が動かない。

（私が六歳と二ヵ月？）

ニーナとしては、どうしてもそれが信じられない。

（私はすでに六年間も生きているのだろうか）

ニーナがこの世の中というものを初めて見たのは野戦病院で目覚めた時だから、それは一九四五年の八月半ばのことである。今現在は一九四六年の十月だから、ということはまだ一年と二ヵ月しか経っていないのだ。一九四〇年八月十六日生まれだとするなら、野戦病院で目覚める前に、ニーナはすでに五年間この世に生きていたことになるのだが、その間の記憶は、なに一つ思い浮かばない。生きたという実感はニーナにとっては一年二ヵ月しかない。

（私は頭が悪いのだろうか）

ニーナは考えこむ。

「ニーナ、お前、なにをぼんやりしているんだい？　さ、行くわよ」

ニーナははっとわれに返り、歩きはじめたが、まだその歩みはのろい。

「さっさと歩きなさいよ」

イリーナはニーナの手を強く引いて歩きだしたが、うしろで養護費担当官が見ていることに気付くと、

「しょうがない子だねえ」

優しげに笑い、ゆっくりと歩きはじめた。

市役所を出ると、イリーナは言った。

「さ、お前の着るものを買いにいきましょう」

「嬉しい」

ニーナは飛び上がった。

「お前をきちんと育てないと、養護費担当の怖いおばさんに叱られるからね」

イリーナは上機嫌だ。

市役所の西側、つまり一九〇五年広場の西端に「パッサージュ」という石造り三階建てのデパートがある。中には食品、日用品、衣服、靴、毛皮、貴金属、雑貨、古着屋、色んな店が入っている。

デパートの中に入ると、まっすぐ古着屋へむかった。

「私が編んであげようかとおもったんだけれど、エカテリンブルグの寒さは毛糸の手袋ではしのげそうにないから、革の手袋を買ってあげるよ。ムラビヨフの小父さんにも見せたいからさ」

イリーナは、中に赤い毛のついた白い革の手袋をニーナの手にはめてやった。

ニーナはその暖かさに驚きつつ言った。

「少し大きいみたい」

「子供はすぐに大きくなるからね。これでいいのさ」

「あっそうか」

ニーナは納得した。

「毛糸じゃ寒いだろうから、帽子も革にしましょう」

「ええっ、帽子も買ってくれるの?」

「ああ、そうだよ。お前の身につけるものは全部買ってあげるよ。オーバーもズボンもセーターもパジャマも下着もなにもかもさ。そうそう、靴も買わなくっちゃね。それに毛糸の靴下も」

ニーナは身ぐるみそっくり脱がされて、着せ替えられた。それはなにか自分が生まれ変わったような感動だった。

ニーナのものを買い終わったあと、食料品を買い込んだ。全部で大きな紙袋二つ分の買い物だった。それを両手にぶら下げたイリーナはニーナの手を引いてやれない。が、ニーナは、手も足も頭も暖かく、嬉しくてたまらない。スキップを踏むようにして歩いている。

「自分のものを買わなくても、買い物って楽しいわ。特にあの店は安かったし」

イリーナは満足げだ。

「お前に優しくしてあげると、なにかいいことがありそうな気がするんだよ。前触れもなく夫が帰ってくるような、そんな予感がね」

一九〇五年広場の停車場でトランバイに乗り、ザボツカヤ通りの家に帰った。

急いで昼ご飯を食べ終わると、

「私はこれから病院で仕事だからね。そしてそれは日曜日以外は毎日つづくんだからね。いい子で待ってなくてはいけないよ。六時前には帰るからね。鍵をかけておくけど、どんな人が来てもドアを開けちゃダメよ。分かった?」

「分かりました」

「ペチカに石炭を足すこと、忘れないのよ」

「はい」

「お前、見違えるように可愛くなったわ。やはり子供は衣装で変わるものね」

「ママ、ありがとう」

「お前のことは国が面倒みてるんだよ。私はそのお手伝いをしているだけ」

イリーナは出かけていった。そのうしろ姿を見送りながら、

(イリーナ・ママ、ママを疑ったりしてごめんね)

とニーナは心の中で謝るのだった。


イリーナの帰りを待つ間、ニーナはペチカの前から動かなかった。外は寒風が吹いているというのに、なんという暖かさだろう。あまりの心地好さに、ニーナは石炭を足すのをなんども忘れそうになった。

その満足感の中で、一昨日まで約十一ヵ月暮らしていたカリーニンの家のことを思い出す。思い出したくないことだけれど。

(あの家での私は犬か猫みたいなものだった)

小さなアパートの一階にある部屋は日当たりが悪く、いつも寒かった。ニーナは隅に追いやられて暮らしていた。養父も養母も気がむいた時にしかニーナに話しかけないし、ニーナが話しかけても、めったなことでは相手にしてくれなかった。食事も一人、部屋の隅で食べた。生活が苦しいせいか、夫婦の間に喧嘩が絶えず、喧嘩のあとはかならずベッドの中で抱きあっていた。

そのうちリリヤのお腹がふくらんでくると、

「これは奇跡だ！」

と夫婦は喜び、喧嘩はぴたりとやんだ。話題は生まれてくる子供のことばかりで、それはニーナにとっては存在を無視されているも同然のことだった。

で、子供が生まれた。女の子だった。

途端にリリヤはニーナに冷たく当たりはじめた。

「やっぱりわが子ほど可愛いものはないね。それに比べてなんだいこの子は、いつもうらめしそうに私のことをにらんでさ」

なにかにつけてニーナをぶった。

養父のミハイルは、

「お前、そういうことはするもんじゃない。可哀想じゃないか」

と口では言うものの必死になってニーナをかばうということはしなかった。彼自身、自分の子供が可愛くてならないらしく、それまではニーナのシャワー係はミハイルだったのだが、それを億劫(おっくう)がるようになった。

「仕方ない。保護者のムラビヨフ中将には申し訳ないけれど、お返しすることにするか」

「そうするのが一番だわね」

「俺たちはまだ養護費を申請しに行ってなかった。ということは、ニーナを育てる自信がなかったということだろうか」

「いつかは自分たちの子が生まれると、心の底では信じていたのさ。その時はきっとニーナを返すことになるだろうと考えていたのよ」

「養護費をもらっておきながら返したんでは、国のお叱りを受けてしまうものなあ」

「私だって養護費は欲しかったよ。でも今思えば、もらわないでおいて良かった」

「自分の子供ってのは可愛いもんだなあ」

「そりゃそうだよ。血がつながっているんだもの。あなたと私の子だよ」

「じゃ、俺がニーナを返しにいってくるよ」

ニーナの頭の中に、ミハイルとリリヤの会話がよみがえる。

ニーナはぽろりと涙を落とす。

「あ、いけない！　火が消えそう」

ニーナはあわててペチカに石炭を足す。

夕方の六時過ぎ、イリーナが帰ってきた。

「ママ、お帰りなさい」

ニーナは玄関に駆け寄る。

「ごめんねニーナ、待たせてしまって。お腹空いたでしょう。すぐに準備するわ」

イリーナは手早くエプロンをつけると、キッチンに立った。用事をしながらも、

「良い子にしていたようね」

ニーナに笑いかけた。

ニーナも嬉しげに笑いかえす。

食事はボルシチとパン、それに初めて食べるケータ（サーモン）だ。ケータはほんのり煙の匂

いがして口の中でとろけるようだった。こんな美味しいものをニーナは食べたことがなかった。

食後の紅茶を飲みながらイリーナは言った。

「いいかい、ニーナ、言葉を憶えなくてはいけないよ。憶えたらどんどんしゃべらなくてはね。『初めに言葉ありき。言葉は光とともにありき』と昔から言われているように、言葉を知ることで人間は賢くなっていくんだよ。賢くなるってことは、光を見て目覚めるってことさ。いつまでもそうやって無口でいると、お前は起きていながら眠っているようなもので、頭が悪くなってしまうわよ」

イリーナは白い紙を小さく切ってカードを作ると、その一枚一枚に、ロシア語で「テーブル」「椅子」「本」「帽子」……と書いていった。

書き終わると、「テーブル」と書いたカードをテーブルに糊で貼りつけて、

「これはストール（стол）」

と言って指差し、ニーナの目を見た。

ニーナも真剣なまなざしでイリーナの言った言葉を繰り返す。

こんどは「椅子」と書いた紙を椅子に貼りつけて、

「これはストゥール（стул）」

また指を差し、ニーナを見る。

ニーナはその違いが分からなくてきょとんとするが、

「似ているけれど、違うものだからね。発音だけでなく、綴りも憶えるんだよ」

単語カードをその現物に一つ一つ貼りつけ、それを指差して発音しニーナをにらむ、というこ

とを繰り返しながら、イリーナは部屋から部屋へと移っていった。イリーナのあとについて歩きながら、ニーナは訳もなく嬉しくて泣いていた。

「ニーナ、明日から私のいない間は、家中を歩いて、このカードに書いてある単語を一つ一つ憶えるんだよ。それがお前の仕事さ。分かったわね」

ニーナは涙目のままうなずいた。

「なにを泣いているの？　ニーナ。可愛い子だね。私は本当にわが子だと思ってお前を育てているんだよ。お前もそのつもりで頑張らないとね」

イリーナに抱きしめられて、ニーナは声をあげて泣いた。

朝八時にイリーナが出勤し、そのあと、ニーナが家中のありとあらゆるものに貼りつけられたカードを声に出して発音し、その綴りを憶えるという生活が一ヵ月ほどつづいた。

ニーナがロシア語というものに初めて触れたのは一九四五年の八月半ばであり、それから一年三ヵ月しかまだ経っていないのだから、たどたどしくて当然なのだが、ニーナはイリーナの期待に応えるようにめきめきと語彙を増やし、発音もよくなっていった。

2

十一月も終わりの頃だ。

その日は日曜日であったが、イリーナは、

「誰が来ても決してドアを開けてはいけませんよ」

と言い残し、人に会いに出かけていった。

ニーナはいつものように、カードを指差し声に出して発音しながら、部屋から部屋を歩き、単語を紙に書きうつしていた。

昼の二時頃、ドアをたたくような音がした。

ニーナは立ち止まり、耳を澄ました。

ドンドン！

また鳴った。確かにこの家のドアをたたく音だ。ニーナは足音を忍ばせてドアに近付いていった。

窓から外を見ると、雪がしんしんと降っていて、あたりの樹々の枝には雪が重そうに積もっている。

また音がする。前より大きな音だ。

（泥棒だろうか。怖い）

怯（おび）えるニーナの頭に、誰が来ても決してドアを開けてはいけないというイリーナの言葉が木霊（こだま）する。

ニーナはドアのほうをのぞこうとするのだが、この角度では見えない。すると玄関前のベランダに明らかに男のものと思われる足音がして、それがこちらにむかって近付いてきた。それが誰なのか確かめようと、ニーナは窓の下のほうから見守っていた。

現れたのは背の高い男だ。

ニーナは身を隠した。一瞬であったが、ニーナは、男の帽子、オーバーコート、背嚢（はいのう）の上に、顔に生えている髭の上にも雪が積もっているのを見た。男の目はぎらぎらしていた。ベランダを鳴らしているのは革の長靴だ。

　ガンガン！

　男は、こんどは窓をたたいた。

「俺だ。帰ったんだ。イリーナ、俺だ」

　ガンガン！

　たたくたびに二重窓のガラスがふるえる。

　ニーナもふるえあがった。

（イリーナの夫が戦地から帰ってきたのだ）

　すぐにそう気付いたが、決してドアを開けてはいけないというイリーナの言葉をも同時に思い出した。

「イリーナ、なぜ出てこない。お前のいることは分かっている。煙突から煙が出ているからな」

　ペチカが燃えているだけではない。昼とはいえ、部屋にはあちこち明かりがついている。

　ニーナが恐る恐る目を上げてみると、男は窓に立ちはだかり、目をいっぱいに見開いて中をうかがっていた。

「本当に留守なのか。家の主が帰ってきたというのに、ちぇっ、なんという出迎え方だ」

　男は窓を離れ、まわれ右をし、人影を探す風情だった。

（どうしたらいいのだろう）

　イリーナの夫ということは、ニーナにとっての養父であり新しいパパだ。その人が帰ってきたというのに、ドアを開けないでいることは間違っているのではないか。

しかし、決してドアを開けてはいけないというイリーナとの約束がある。この約束は守らなくてはならない。

がしかし、イリーナの夫は寒さの中で足踏みをしている。その人をこのまま中に入れないでいたら、あとでイリーナに、

「なんという気の利かない子なんだろう」

と叱られやしないだろうか。

とはいえ、この男が本当にイリーナの夫であることの証拠はなにもない。泥棒かもしれないではないか。

ニーナの心は揺れに揺れたが、

(私のやるべきことは、イリーナとの約束を守ることだ)

そう決心し、窓際の壁に背をつけ、身動き一つしないでいた。

またガンガン！　と窓ガラスがたたかれた。

「畜生！　イリーナ、お前、男でも引っ張り込んでいるのではないだろうな」

なんとかして家の中に入る方法はないものかと、男は顔を真っ赤にして、窓をがたがた動かした。一つの窓が駄目なら次の窓へ。あちらの窓こちらの窓、すべての窓に挑戦してみて、どうにもならないとなると、ふたたび玄関にまわり、こんどはドアを前後に激しく揺すりはじめた。本当にドアが壊れてしまうのではないかと、ニーナは気が気でなかった。

「あなたは誰？　そこでなにをしているの？」

イリーナの声が聞こえた。

(ママが帰ってきた)

ニーナはほっと安心し、ちょっと大胆な気分になって外をのぞいた。

イリーナは家の前に立ち、男を訝しげに見ている。

男は振り返り、

「俺だ。今、帰った」

イリーナは驚いて二歩ほど後ずさったが、次の瞬間、顔に笑みがあふれてきた。

「ワレリー。あなた、帰ってきたのね」

「ああ。無事帰ってきた」

イリーナは持っている荷物を落とすように道に置き、男に駆け寄った。

「ワレリー」

「イリーナ」

二人は抱きあい、長いキスを交わした。

「留守だったのか。誰もいないのに、煙突から煙が出ていたんで心配したよ」

「ちょっと出かけてたの。ごめんなさい。でも、なぜ連絡をくださらなかったの?」

「突然帰って驚かしてやりたかったのさ。それに日曜日だから、かならず家にいるんじゃないかと思ってね」

「待ち人は突然ふらりと帰ってくるとよく言うけど、本当だったわね。ご無事でなによりだわ」

イリーナは道の上の荷物を拾い、ワレリーの肩や背嚢に積もった雪を払うと、鍵を回し、

「ただ今！」

とドアを開けた。

「ただ今とはどういうことなんだい？」

ワレリーは怪訝な声で訊く。

「実は、あなたに内緒でしたことがあるの」

「内緒で、なにを？」

「子供を一人引き取ったの」

「子供？」

「そう。可愛い子よ。ニーナ、ニーナ、出ていらっしゃい」

イリーナに呼ばれて、ニーナはおずおずと進み出ていった。

「この子よ。名前はニーナっていうの。ニーナ、お前のパパが帰ってきたんだよ」

「お帰りなさい、パパ」

ニーナは抑揚のない声で言った。

ワレリーはニーナを一瞥し、

「ちっとも可愛くないじゃないか」

「そんなこと言うものじゃないわ」

「第一、この子は、この家の主が帰ってきたというのに、ドアを開けようともしなかった」

ワレリーは憎々しげに言う。

「仕方がないじゃないの。ニーナはなにも知らないんですもの」

「見れば分かりそうなものじゃないか」

「絶対にドアを開けないという私との約束があったのよ」

「それにしても気の利かない子だ」

「あなたドアをたたいたの？」

「たたいた、たたいた」

「どのくらい？」

「そうさなあ、ドアも窓も壊れるくらい。でもこの子はドアを開けなかったんだ」

「ニーナ……」

イリーナの声に、ニーナは叱られると思い、その場から逃げようとしたが、イリーナに引き止められた。

「ニーナ、まあ、そうだったの。さぞかし怖かったでしょうね」

イリーナはひざまずき、ニーナの目を見て言う。

「ニーナ、お前は少しも悪くないんだからね。お前が私との約束を守ってくれたことを、私はとても嬉しく思うわ。ニーナ、お前は偉かったわ」

イリーナは涙ぐんでいた。その涙を見て、ニーナは堰を切ったように泣きだした。

ワレリーは家の中を見回した。家財道具のすべてに単語カードが貼られている。

「いったいなんのお呪いなんだい。この白い紙は？」

苦々しげに言った。

「ニーナのお勉強のためだわ。しばらく我慢してほしいの」

ワレリーは足音高く自分の部屋へ入っていこうとする。入れば、現在ニーナが使用していることが分かってしまう。

「ワレリー、ちょっと待って」

イリーナはワレリーを引き止めようとした。が、ワレリーはイリーナを振り払い、中へ入ると、

「なんと、俺の部屋も護符だらけじゃないか」

怒気を込めて言った。

「あなたが帰ると分かっていたら、きれいに整頓しておいたんだけれど……」

イリーナはおろおろするばかりだ。

「俺の部屋をこの子に提供してたのか？」

「急場しのぎにお借りしてたの。気に障ったのならごめんなさい」

ワレリーは自分の部屋のあちこちに貼られてある単語カードを一つ一つ、憎々しげにむしり取っていった。

ニーナは今にも泣きそうな顔をしている。

「あなた、そんなにまでしなくても」

ワレリーの機嫌の悪さが尋常でないのを見てとったイリーナはニーナを自分の部屋に連れていき、両肩を押さえて言った。

「ここにじっとしているのよ。分かったわね」

ニーナは唇をふるわせ、うなずいた。

イリーナはドアを後ろ手に閉め、

「あなた、どうなさったの？　まるで人が変わったみたいに怒りっぽくなったわね」

ややや攻撃的に出た。

「そうかい？」

ワレリーは右手で髭の生えた顎を撫で、わざとのようにとぼけた顔をしてみせた。

「なにかあったの？」

「戦争から帰ってきた男にむかって、なにかあったのとはご挨拶だな」

ワレリーは背嚢を下ろした。

「ご無事に帰ってきてくれたことは嬉しいわ。でもあなたは私にたいしてなにか怒っているみたい。私のどこがいけないの？　あなたの帰りをひたすら待っていたというのに」

イリーナとワレリーの会話はニーナにかすかに聞こえているに違いないが、ニーナのロシア語能力では正確な意味までは理解できないであろうと思い、イリーナは話の核心へ入っていった。

「私の独断でニーナを養育していることが気に食わないのね？」

「そうかもしれないな」

「そんなの変だわ。あなたは前から、里子でもいいから子供が欲しいって言ってたじゃないの。あなたが喜ぶと思ってしたことなのに」

ワレリーは大きな溜め息をつくと、

「確かに俺は変わったかもしれないな」

自分の手の平にむかってつぶやいた。

「なにがあなたを変えたの？」

「戦争だな」

「戦争って、あなたは中尉というれっきとした将校よ。それほどの人が戦争で人間性が変わるの？」

　ワレリーは遠くを見つめる目をしたが、その風景を絞りだすように目を閉じた。

「中尉とはいえ実戦の経験はなかった。俺はこの戦争で初めて人を殺した。しかも数多くの日本人をだ。迫撃砲でぶっ飛ばし、機関銃でなぎ倒し、火炎放射器で焼き殺し、銃剣で突き殺し、戦車で踏みにじり、ピストルで頭を撃ち抜き、ありとあらゆる方法で殺した。戦争が終わったあとは、ハバロフスクの捕虜収容所で、日本人を使役としてこき使った。寒さと過労、栄養失調と病気、捕虜は次々と死んでいったが、蟻を踏みつぶすほどの痛痒（つうよう）も感じなかった」

「…………」

「戦争は兵士たちに狂気と残酷を求める。狂気と残酷であればこそ、兵士は戦場に立ちつづけていられる。俺はそうやって生き残ってきた」

　ワレリーの目は自分の中をみつめているかのようであり、しかも怒りに燃えていた。

「その狂気と残酷をあなたは今もひきずっているというわけね」

「うん。俺は俺の中にも狂気と残酷があることを戦場で気付かされたんだ」

「簡単には日常生活に戻れないってこと？」

「たとえ日常生活に戻ったとしても、狂気と残酷の中で犯した罪は消えない」

　ワレリーは白い壁を拳でたたき、同じ拳で自分の額をたたいた。泣いているようだ。

「戦争って怖いわね」

「怖いのは戦争じゃない」

「じゃなんなの？」

「怖いのは、戦争というものを国民に強いる国家だ」

「…………」

「国家の名のもとにそれを強いる悪魔のようなやつらだ」

誰かに聞かれてやしないかと、イリーナはあたりを見た。

「いかなる国家であれ、戦争という愚劣で血なまぐさいことを国民に強いる権利はない」

「あなたを戦わせたのは愛国心ではなかったの？」

「愛国心の延長線上に人殺しがあるのであったら、その愛国心はなにかのカラクリだ。根本的に考えなおさなければならない」

「ぼんやりしてたら、よその国に侵略されてしまうわ」

「たとえそうだとしてもだ、狂気と残酷を正当化することはできない」

「それで、あなたは変わったのね」

「うん。国家というものがいかに非情なものかということを知った」

「というと？」

「国家は、みずからの安泰と繁栄のためならば、どんなことでも平然とやってのけ、しかもそれが正義なのだ。つまり俺たち個人なんて空気中の埃（ほこり）よりも軽い存在だということさ」

「それで怒りっぽくなったのね」

「実は違うんだ」

「えっ？」

イリーナは唾を飲んだ。

ワレリーは声を低めて言う。

「あの子を見た瞬間、俺は気分が悪くなったのだ」

イリーナも低い声で、

「あの子って、ニーナ？」

「ああ、そうだ」

「どうして？」

「あの子は何人（なにじん）なんだい？」

「中国人よ」

「信じられないな」

ワレリーは馬鹿にしたような目でイリーナを見た。

イリーナは、ニーナが一九四五年八月、ソ連軍の猛攻で壊滅した日本軍の牡丹江市近郊にあるトーチカで発見されたこと、野戦病院に運ばれてその顔に負っていた傷の治療を受けたこと、一度里親がみつかったけれど、不運にも返されたことなどをかいつまんで話した。

「牡丹江とチャムスは近いから、チャムスから逃げてきた中国人の子供だろうということになったの」

イリーナはそのことを強調したが、ワレリーは取り合わない。

「そりゃあまったくの嘘だな」

「嘘？」

「そのチャムスに、我々第二極東方面軍第一五軍が攻め込んだんだよ。状況はつぶさに見ている。わが軍の満洲進攻が開始されると、それまで陣地構築中の日本軍は戦わずして壊走した。開拓団民といわれる日本人は全員逃げた。逃げた者も逃げ遅れた者も、中国人の暴動に遭い全滅もしくは壊滅状態になった。その上にソ連軍が日本人絶滅作戦をとっていたのだから、チャムスから逃げのびた日本人は半死半生の思いだっただろう。しかしチャムスから逃げた中国人なんて一人もいない。日本人に奪われた土地を取り返そうと暴動を起こした彼らに逃げる理由なんかなにもない。そしてソ連軍は彼らを助け、彼らのために土地を奪い返してやったのだ。だからチャムスの中国人が牡丹江まで逃げる確率はゼロに等しい。分かるか？」

「分かるわ」

「それに、あの子はトーチカで発見されたのだろう？」

「ええ」

「ならばなおのこと、中国人であるわけがないな。日本人にとって中国人なんて虫けら同然なんだよ。日本軍が狭苦しいトーチカに中国人をかくまうなんてことは絶対にない」

「じゃ、ニーナは日本人だってこと？」

「むろん、そうさ。しかも軍人か軍関係の家族だ。軍人は民間人にたいして冷たいものさ」

イリーナはいっそう声を殺して、

「では、チャムスから逃げてきた中国人の子という話は有り得ないわけね」

「そうだ」

「ニーナは日本人なのかしら」

「日本人さ。あの子は俺をじっとにらんで、その目を離さなかった」

「まさか。なにも知らない子供なのに」

「あの目はまさに日本人の目だった。まるで親の敵（かたき）でも見るような……」

「でも、ニーナが日本人だとすると、あなたに言わなくてはならないことがあるわ」

「なんだい？」

「実は今日、私はオルガンの役人に会ってきたの」

「なに、オルガン？」

ワレリーは顔色を変えた。

「そうなの」

今日は日曜日なので、イリーナは朝の十時までベッドにいた。もっとゆっくりしたかったのだが、ペチカの火が完全に消えてしまう恐れがあるので、仕方なく起きだし、ガウンの襟を合わせつつ部屋を出てみると、玄関のドアの下に封書が差し込まれてあった。

一枚の紙が入っていて、タイプライターで、

〈イリーナ・ルスチェンコ殿。本日午後二時零分、ビエルフ・イセツキー池の東端、市街池（ガラッコイ・プルードゥ）と交わるところでお会いしたい。オルガン〉

と書いてあった。

オルガンとはソ連共産党本部にある諜報保安機関の通称であることは分かっていたが、こんな

手紙を受け取る理由は思いつかなかった。が自分の名前が書いてある。イリーナは指定された時刻に間に合うように家を出て、ビエルフ・イセツキー池の東端、そこは少し池の形が突出しているので分かりやすいのだが、そこにむかって歩いた。

　森の中を歩いている時、誰かに尾行されている気がしてなんども振り返ったが人影はなかった。

　で、目的地にたどりつくと、

「イリーナ・ルスチェンコさん」

　うしろから声がかかった。

　振り返ると、黒いハットに黒いコートの男が近付いてきて、

「オルガンのものです」

　ちらりと身分証を見せて言った。

「なんのご用でしょうか？」

　イリーナはあたりを見回しながら言ったが、人の気配はなかった。

「私があなたの家にお訪ねしたり、またあなたにオルガンにまで出向いていただいたら、人目に立ちます。そこで、こうして森の中でお会いしているのです。ご苦労様です」

　オルガンの男はハットに手をかけた。慇懃（いんぎん）無礼を絵に描いたようだ。

「いいえ、どういたしまして」

　イリーナも馬鹿丁寧に返した。

「実は、お尋ねしたいことがありましてね」

「はい。なんでしょう」

「あなたは、ニーナという名の子供を引き取ってますね」

「ええ。まだほんの一月(ひとつき)ほどですが」

「その子は中国人だと聞いておりますが、本当にそうですか」

「私もそう聞いておりますが」

「それはどなたがお決めになったことなのですか？」

「ムラビヨフ中将閣下だと思いますが」

「それはこちらも承知しております」

オルガンの男はイリーナの目をその冷たい目でじっと見据えて言う。

「私がお尋ねしたいのは、あなたがそれを信じているかどうかなのです」

「それはどういう意味ですか？」

「中国人ではないような、そんな気配はありませんか？」

イリーナは考えた。が、ニーナが中国人であることを一度も疑ったことがなかったから、ごく自然に、

「思い当たりません」

と答えた。するとオルガンの男は優しげな声で言った。

「ニーナを養育なさるのはおよしになったほうがいいのではないかと、まあそうご忠告申し上げる次第です」

「なぜですか？」

「ニーナは日本人ではないかとの通報がありましてね」

「えっ、日本人？　考えたこともありません」

イリーナはムラビヨフの温厚な顔を思い浮かべ、よもや嘘をつくような人ではないと自らに言い聞かせた。

「我々としては、そういう通報があった以上は、一応調べなければなりません。そしてもし日本人だった場合は……」

「どうなるのでしょう」

「敵国だった日本の子供を養育していることは決してあなたのためにならないと思いますよ」

まさかスパイ容疑をかけられたりはしないだろうが、イリーナは少し青ざめた。

「手放せとおっしゃるのですか？」

「無理にとは言いません。すべてはあなたの意思ですからね。しかし日本人であった場合は国家の管理下に置きたいと思います。そのほうがあなたのためになるし、国家のためにもなる」

「国家のためになるとは？」

「戦争は終わったとはいえ、賠償問題、捕虜問題等戦後処理は始まったばかりだ。外交のカードとして使えるかもしれない」

ニーナが外交のカードに使われる？　私の可愛いニーナが……。

「ニーナは確かに中国人です」

イリーナは涙声で言った。

「まだ、中国人と信じますか」

オルガンの男は薄ら笑いを浮かべて言う。

「ええ。ムラビヨフ閣下がそうおっしゃってましたから」

イリーナは、自分の心の中でニーナにたいする愛情がふくらむのを感じていた。

「ではあくまでも、あなたがお育てになるんですね」

「私が育てなかったら、誰が育てるんですか」

「孤児院ですよ」

「そんなことをしたら、ニーナの保護者であるムラビヨフ閣下が悲しみますわ」

「ムラビヨフ中将閣下には事情をお話しして納得していただきます。孤児院で育てたほうがニーナを国の管理下に置けますし、万が一、ニーナが日本人だと世間に知れた場合でも、傷つく人を作らないで済みますからね」

「傷つくとは？」

「あなたのことですよ」

「私がなにか悪いことをしましたか？」

「人の噂は怖いものですよ」

「少し考えさせてください」

イリーナは腕組みをし、コートの襟に顎を埋めた。オルガンの男はあたりを眺めやりながら、イリーナの答えを待っていた。

ニーナがこのまま中国人として成長してしまったら、ニーナの存在とソ連国との間に問題となるような関係はほとんど生じない。しかし敵国だった日本人の子となると話は別だ。日本人が全滅した戦場のトーチカの中で、ほとんど生き埋め状態になっていた子供をソ連軍兵士が発見し、その場で見放してもなんの不思議もないところをそうはせず、救出し、負っていた傷を治療し、健康を回復させ、温かく育てていたとなると結構な美談だ。たとえその子の両親を殺していたにしてもだ。ニーナを外交カードに使うとはそういう意味なのだろう。しかしそれでニーナは幸せになれるだろうか。

(ニーナはあんなに私になついている。しかもあの子は賢くて気立ての良い子だ)

国の都合によって翻弄されるであろうニーナの将来を思って、イリーナは暗澹(あんたん)たる気分になった。

「ニーナが日本人であったとしても、とても手放せないわ」

イリーナは独り言のように言った。

「今、なんとおっしゃいました？」

オルガンの男が振り返った。

「ニーナは可愛くて、とても手放せないと言いました」

「それではあなたは、人にうしろ指を差されるようなことになってもかまわないとおっしゃるんですね」

オルガンの男は語気を強めた。

「そういう脅迫めいたことをおっしゃらずに、はっきり命令したらどうなんですか。手放せとか、引き渡せとか」

イリーナも声を荒らげた。

「いやいや、最後はご本人の意思ですから。無理強いはいたしません」

「もはやわが子のようなものなのです」

オルガンの男は柔らかい笑みを浮かべ、

「仕方ありませんな。それではもう一度取り決めをしましょう」

右手を差し出した。

「取り決め？」

「ええ。ニーナが中国人であるという取り決めです」

「なんのことやら……」

イリーナには意味が分からなかった。

「あなたのためを思えばこその提案です。あなたが養育している間は、あの子が中国人であることを絶対に疑われてはなりません。ですからそのことを忘れないように」

「はい。ありがとうございます」

イリーナは男の手を強く握った。

ついと行きかけ、立ち止まると、

「今日のことは他言無用ですよ」

オルガンの男はハットに手をかけた。

「分かっております」

しばらく間をおいて、イリーナが歩きはじめた時には、黒ハット黒コート姿の男の影はすでになかった。それでもイリーナは誰かに見られているような気がして、葉の落ちた樹々にかこまれた小道を急ぎ足で家に帰った。

これが今日の午後にあった出来事の一部始終だが、イリーナが話し終わると、

「まずいことになったな」

そうつぶやいたワレリーの顔は青ざめていた。声にも元気がない。

「…………」

「お前、本当になにも心当たりはないのか？」

「実は……」

「実はなんだい？」

イリーナはワレリーの耳に口を持っていき、

「トーチカで発見された時にニーナが着ていた服があるの」

「どこにあるんだい？」

「うちにあるの」

「お前、ニーナの服を持っているのか？」

イリーナはうなずいた。

「なんだってお前がそれを持っているんだ？」

「ニーナの私物として野戦病院の看護兵から私が受け取ったの。それを病院で保管していたことを思い出して、ニーナを引き取る時に黙って持って来たのよ」

「今、あるのか？」

「あるわよ」

「見せろよ。もっと具体的なことが分かるかもしれない」

イリーナは台所へ行くと片膝をつき、床下にある食料保存庫の蓋を持ち上げ、奥のほうへ手をのばした。深い理由があったわけではないが、虫の知らせのようなものを感じ用心のために、こんなところに隠したのだ。

「これよ」

イリーナの手には紙袋があった。

「こっちへよこせ」

「駄目よ。乱暴にあつかっちゃ。泥が落ちるわ」

イリーナは大事そうに、紙袋の中からニーナの服を取り出し、台所の床にそっと置いた。

「ほら、泥だらけでしょう」

服は上着とズボンで、ボタンの付け方と大きさから見て、二、三歳の女の子のものと分かる。スカートではなくズボンを穿いていたのは逃避行のためだろう。色は紺だが、こびりついた泥のせいで灰色に見えた。

ワレリーはニーナの服を点検すると言った。

「この服は日本人のものに間違いない。中国人はこんなボタンをつけたりしない。ほら、お前も知っているだろう、一方の紐の先を丸め、もう一方の紐の輪にひっかけるやつ、あれが中国式だ」

「ええ。私も見たことがあるわ」

イリーナはちょっと息が荒くなった。

「お前、この服を見て、ニーナが中国人だということに疑問を持たなかったのか？」

「ムラビヨフ閣下を疑うなんて、そんなの無理よ」

「なんということだ」

　ワレリーは頭をかかえる仕草をしたと思うとすぐに立ち上がり、窓から外をのぞいた。

「この服についている泥を分析すれば、ニーナが発見された場所が明確に分かる。そうなれば、ニーナが日本人であることは動かしがたいものになる」

「じゃ、洗濯するわ」

「馬鹿、早いとこ燃やしてしまえ」

「ニーナが大きくなった時に見せてあげたら喜ぶと思ってとっておいたのに」

「そんな悠長なことを言ってる場合か。証拠湮滅（いんめつ）が先だ」

　ワレリーは顔を真っ赤にし、いらだたしげに歩きまわる。

「あなた、ニーナを育てることはそんなに危険なことなの？」

「お前がニーナをそんなにまでかたくなに育てたがるにはなにか理由があるに違いないとオルガンの連中は考える」

「理由は、単にニーナが可愛いだけだわ」

「ニーナが日本人であってもか？」

「日本人も中国人も同じだわ」

「甘いな」

「なにが甘いの？　私は当たり前のことをしているだけじゃないの」

ワレリーは台所の床に座っているイリーナを見下ろして言う。

「それが甘いというんだ。お前はこの国の怖さを分かっていない。戦争が終わったあとに、捕虜となった日本軍兵士たちを強制労働につかせ、平気な顔をしているこの国の怖さを。俺はその手先となって、日本軍兵士たちを銃剣の先でこづいた口だからよく分かるんだ。国家権力は俺たちをどうにかしようと思ったらなんだってできるんだ。ニーナの服をこっちによこせ」

イリーナは抵抗した。

「どうした、なぜよこさないんだ」

「あなた、戦場でなにか大変なことでもあったんじゃないんですか?」

ワレリーは不意に空ろ(うつ)な顔をしたが、すぐにわれに返り、言った。

「実はな、ハバロフスクの捕虜収容所にいた時、日本人捕虜を労働力として使役することは国際法を犯す行為なのではないかということを上官に訴えでたことがあったんだ」

「まあ」

「それ以来、俺はすっかり軍からにらまれてしまい、早々に復員させられた。つまり俺は要注意人物といったところだ」

「それで神経過敏になっているのね」

「そう。怯えてるんだ」

ワレリーの顔に苦渋がにじんだ。

「あなたの気持は分かるわ。でも今、ニーナの服を燃やすことは気がとがめて、とてもできないわ」

「お前ができないんだったら、俺がやる」

ワレリーはイリーナの手からニーナの服を奪いとった。

「あなた、待って！　ほかにいい考えがあるかもしれない」

ワレリーの足にイリーナがすがりついた時、イリーナの部屋のドアがゆっくりと開いた。ドアの陰からニーナが現れ、

「ママ！」

と弱々しい声で言った。

イリーナはびっくりして振り返り、立ち上がった。

「ニーナ、お前、聞いていたのかい？」

「ママ、私の服を燃やさないで」

ニーナは目にいっぱい涙をためている。

たとえニーナが聞いていたとしても、内容のほとんどは理解不可能であろうとたかをくくって話をしていたのだが、いつの間にかニーナの存在を忘れて、大きな声を出していたことをイリーナは後悔した。ニーナはたぶん、耳に入ってきた言葉のうちの理解できるものだけをつなぎ合わせて、状況を判断したのだろう。

「ママ、燃やさないで。お願い」

ニーナはイリーナに駆け寄った。

ワレリーはニーナをにらむ。

「ワレリー、やめて！　燃やさないで！」

イリーナがそう言った時にはすでに、ワレリーはペチカの火入れ口の蓋を開けていた。

「こんなものを残しておいたら、身の危険だ」

ニーナの服をペチカの中へ投げ入れ、さっと蓋を閉めた。

「あなた……」

ワレリーの腕をつかんだが遅かった。

ニーナの服がペチカの中で、勢いよく燃える音が聞こえてきた。

「ママ……」

ニーナは声をあげて泣いている。

「ニーナ、ごめんね」

イリーナはひざまずき、ニーナを抱いた。

そんな二人に怒りのまなざしを据え、ワレリーはペチカの前に立ちはだかっていた。

「大人の話を立ち聞きしているなんて、やっぱり小憎らしいガキだ。第一、お前もお前だ。俺がこうまで言っているのにまだ意地を張り通す」

「あなたに言うべきでなかった。私が馬鹿だった」

イリーナは悔し泣きに顔を歪(ゆが)めたが、その顔にワレリーの平手が飛んできた。

イリーナはぶたれた頬に手をあて、しばし呆然としていた。

「ニーナと俺のどっちが大事なんだ？」

ワレリーの目は血走っていた。

「さ、もう一度、お部屋に入っていなさい」

イリーナはニーナを自分の部屋に入れ、ドアを閉じた。

「あなた、人が変わったわ。私が愛した優しいワレリーはどこへ行っちゃったの？」

イリーナの問いには答えようとせず、ワレリーが逆に訊いてきた。

「イリーナ、お前はどうして、そんなにしてまでニーナを育てようとするんだ？」

「やめろと言うの？」

「なぜなんだ？」

「答えは簡単よ。私はムラビヨフ閣下と約束したわ。私は市役所の養護費担当官と約束したわ。私はニーナと約束したわ。そして私は自分自身と、ニーナを育てることを約束したわ。これらの約束を私は守らなければならないの。守らなかったら、私はいったい誰なの？　私の意思は、尊厳はどこにあるの？」

「…………」

「幼いニーナでさえ、私との約束、誰が来ても決してドアを開けてはなりませんという約束を、恐怖に怯えながらも守りとおしたのよ。ニーナにできることができないなんて、そんな情けない自分を見たくないわ」

イリーナは毅然と言ってのけた。

「そうか。お前がそう言うのなら俺も言う。俺の答えも簡単だ。俺は日本と、日本人と戦って帰ってきたんだ。戦うということは相手を殺すことだけではない。自分が殺されることでもあるのだ。その恐怖はその場にいた者にしか分からないだろう。だからお前にそれを分かってもらおうとは思わないが、せめて、その戦争を思い出させまいとする優しさくらいは持っていてほしいと願ってなにが悪い？　お前はニーナをわが家において、自分の夫に地獄のような、悪夢のようなあの戦争を絶え間なく思い出させようとしているのだ。それが妻のすることか？　ニーナへの愛よりも夫への愛のほうが先ではないのか？」

のぞき込むワレリーの目の前で、イリーナは言った。

「自分を失った者に人を愛する資格はないわ」

「そうか。じゃ、お前はここに残れ。俺は一人でウクライナへ帰る。今日すぐ」

ワレリーは背嚢を取り上げた。

「ウクライナに帰るって、あなた、学校のほうはどうなさるの？」

イリーナはワレリーの前に立ちふさがって訊いた。ワレリーは手に持つ背嚢でイリーナを振り払って言う。

「幸いなことに、高校の教師はどこへ行っても仕事に困らない」

「でも、たった今帰ってきたばかりだというのに、なんでそんなことを言い出すの？」

「ここは俺のいる場所でないからだ」

「そんなにまで言わなくても……」

イリーナは涙ぐみ、ニーナのいる部屋のほうをちらりと見やった。

「俺が戦争に行っていた四年の間に、お前はすっかり変わってしまった」

「変わったのは私ではない。あなただわ」

「そうかもしれない。俺は人生で最悪の体験をしてしまったからなあ。もうこれ以上の苦難は味わいたくない」

「あなたのそんな苦労も知らず、勝手なことを言ってごめんなさい」

　ワレリーは戦争を思い出したのか、身をよじり髪の毛をかきむしった。そんな夫の姿を見てイリーナは思った。戦争というものは人間から個性までも奪ってしまうものなのかと。ワレリーはもっと勇敢で優しい男だったが、目の前にいる男は恐怖に怯え、わが身の安全だけを考えている。変わり果てた夫の姿にイリーナはわが目を疑う思いだった。

「俺はとにかく、あんな子供のために国家からにらまれるのは真っ平だ。スパイ容疑で収容所にでも入れられてみろ、人生おしまいだ」

「まさか、そんなことが起きるはずがないわ」

「現実にオルガンの男がお前に会いにきたじゃないか。あと一歩進めば、起きるはずのないことが起きるんだ。捕虜収容所の監視員としての俺は、国家の手先となって、数えきれないほどの人間に、起きるはずのないことを起こしてきた。国のやることはよく分かっている」

　ワレリーは旅装をついに解くこともなく家を出ようとしていた。

「あなた、今からウクライナ行きの汽車はあるの?」

「なかったら駅のベンチで寝るさ。俺はこの家にいたくないんだ」

「私のことを嫌いになったの?」

「違うんだ。この家には危険がいっぱいなんだ。だからそこから逃れるんだ。実戦でつちかった兵士の予知能力というやつさ」

「私にも一緒に来いとは言わないのね」

「ニーナなしでなら、むろん一緒に連れて帰るさ」

「それはできないわ」

「じゃ、お前はここに残れ」

「私どうしたらいいのかしら」

イリーナはワレリーの胸にすがりついたが、ワレリーはイリーナを抱こうとしなかった。

「あなたがそうまで言うんだったら、ニーナのことはあきらめるわ。あの子を孤児院に預けるわ」

と喉まで出かかっているのだが言えない。

犬だって飼い主に棄(す)てられたら、悲しみで毛が真っ白になるというではないか。ましてや人間の子である。今自分に見棄てられたら、ニーナの絶望ははかりしれない。

「あなたの心は、私、いつかかならず取り戻せると思うわ。でも今、ニーナを手放したら、それはあの子に死を宣告するようなものだわ。だから今は私を信頼して、私のやりたいようにやらせてほしいの。お願い」

「相変わらず強情な女だ」

「気の強さは生まれつきだわ」

「その気の強さがいつまでもつか楽しみだよ」

ワレリーは背嚢を背負うと、玄関のドアを乱暴に開けて出ていった。

「ウクライナに着いたら手紙を出すよ」

イリーナはスベルドロフスク駅まで夫と一緒に行きたかったが断念した。今ここでニーナを一人にしておいたら、発狂してしまうかもしれないと思ったからだ。

「あなた、お手紙くださいね」

ワレリーは振り向きもせず、右手をあげて返事をした。

イリーナはしばらく玄関のテラスに立っていたが、夫のうしろ姿が見えなくなるとすぐに家に入り、ニーナのいる部屋のドアを開けた。

駆け寄ってきたニーナをひしと抱きしめ、イリーナは言う。

「ニーナ、ごめんね。お前の服を燃やしてしまって。でもね、あれはお前の身を守るためでもあったのだから、ワレリーを恨まないでね」

イリーナの腕の中でふるえるニーナはぽつりと言った。

「ママ、私を棄てないでね」

イリーナははっとしてニーナを見た。ニーナはじっとイリーナをみつめていたが、傷のせいでややつり上がった右の目は怒りでふるえているように見えた。

「なぜ、そんなことを言うの？　ママはニーナを絶対に棄てたりしないわ。お前、少しは話を聞いていたでしょう？」

「うん」

ニーナはうなずき、またぽつりと言う。

「カリーニンのパパもそう言ってたけど、私を棄てた。だから怖いの」

「私とカリーニンさんを一緒にしないで。夫になぐられても、お前を手放さなかったじゃないか」

「ママ、ありがとう」

ニーナはイリーナの首に手をまわし、力いっぱい抱きしめた。

「ニーナ、ニーナ、私のニーナ、決してどこへもやったりはしないからね」


年が明け、一九四七年になった。

二月も半ばを過ぎ、太陽の光も力強さを増してくると、大地に残る雪がどことなく嬉しげにキラキラと輝いて見える。そんな大地に最初に顔をのぞかせたのは、黄色い花々だった。家のまわりに沢山咲いた。

それを指差してニーナが訊く。

「ママ、あのお花はなんていうの?」

イリーナが答える。

「あれはね、フキタンポポっていうんだよ。きれいでしょう。この花が咲くと、ああ今年もまた春が来たって思うわね」

葉は小さく、花をつける雑草のようだが、手触りは絹のように滑らかだ。

あまりの気持よさにニーナは声を発する。

「わあ、すべすべ」

「フキタンポポは山や草原だけでなく、街角にだって咲くんだよ。エカテリンブルグに春を告げる花なのさ」

雪解けが始まる頃、林の中の陽の当たらない場所で、ガランサス(マツユキソウ)がうつむいて白い花を咲かせている姿は可憐だ。

五月になると、大地に草が生え、樹々が芽吹き、葉が育っていく。五月も半ばを過ぎ、若葉が青々と茂ってくると、春真っ盛りだ。ビエルフ・イセツキー池のほとりには水仙が匂い、桜が咲く。

六月、いよいよ初夏。チューリップ、ライラック、牡丹、林檎などの花がいっせいに咲き、街も田園もすべてが華やぐ。エカテリンブルグが一年で最も美しい季節。冬の服装から解放され、道行く人はみな笑顔だ。

七月は一番暑い季節。それでもビエルフ・イセツキー池のほとりには、百合、パンジー、カミツレ、ガーベラ、ハナタバコなどが咲き、人の心を癒してくれる。

「ニーナ、お前もそろそろ学校だね。私はこの日を一番の楽しみにしていたのだよ」

イリーナの指導の甲斐あって、ニーナのロシア語はどんどん上達していたから、初等科入学にかんしてはなんの心配もなかった。

「私、早く学校へ行きたい。お友達がほしい」

ニーナは目を輝かせて言う。

「そうだね、お前にはお友達が必要だね。ママとばかり遊んでいたのではつまらないでしょう」

「ううん。私、ママと遊ぶの大好き。私、誰かと話をしてみたいだけ」

そういえば、ニーナはイリーナ以外の人とはほとんど話をしていない。自分の言葉が通用するのかどうか不安なのだろう。

「大丈夫。ニーナのロシア語はその年では完璧だよ。発音もいいし声もいい。どこへ行っても堂々とおしゃべりしなさい」

「本当？」

ニーナは嬉しそうに池のほとりを駆け回る。

ソ連の新学期は九月一日で、その日までに七歳になった子供が学校に上がることができる。イリーナが市役所に届け出たニーナの生年月日は一九四〇年八月十六日だから、ニーナには当然その資格がある。

待ちに待った入学手続きの日、家から歩いて十分ほどのところにあるビエルフ・イセツキー地区普通教育学校七六番、初等教育科の建物の前にできた長い列に並んでいると、事務局員に呼ばれ衛生室へ連れていかれた。そこには白衣を着た医務局員がいて、イリーナに質問した。

「この子の名前は？」

「ニーナ・ペトローヴナ・フロンティンスカヤです」

イリーナが答えた。

「あなたは？」

「私は養母のイリーナ・イヴァノーヴナ・ルスチェンコです。なにかあったのでしょうか」

「この子の体格は他の子に比べて明らかに見劣りがする。本当に七歳になっているのですか？」

「ええ。確かに七歳です」

「それにしては成長が遅れている」

「チャムス生まれの中国人ですから、少し小さいのではないでしょうか。言葉ならちゃんとできます」

「言葉はできても、この体格では授業についていけそうにない」

医務局員は書類に目を落としていたが、なにかひらめいたらしく、

「この生年月日は正しいのですか？」

と質問した。

「実は……」

イリーナはしどろもどろになりながらも、ニーナの誕生日をその日に決めたことのいきさつを話した。聞き終わると、

「ということは、あなたお一人の推測でそう決めたわけですね」

医務局員は鋭い目でイリーナを見た。

「私一人ではありません。市役所の養護費担当官も同意してくれました」

「ということはお二人ともが間違えたのです」

「間違えた？」

「そうです」

医務局員はニーナの胸や背中の音を聴診器で聴き、目に光を当て、口の中をのぞき込んで歯並びを調べ、体に触って筋肉のつき具合などを確認したあと、

「この子を一九四〇年生まれにしたことはあまりに無茶だ。一年遅れの八月十六日としてもまだ疑問の残るところだけれど、まあ仕方ない。そうすることにしましょう」

診断を下した。

「今年は学校に上がれないのですか？」

イリーナの顔が歪んだ。それを見て、ニーナも泣き顔になった。

「無理をさせると子供の健康に障(さわ)ります。肉体的にも精神的にも」

「………」

「じゃ、ニーナちゃん、来年いらっしゃい。それまでうんとご飯を食べて大きくなるんだよ」

医務局員はニーナの頭を撫でた。

イリーナとニーナはしょんぼり肩を落として小学校を出た。

「残念だったわね、ニーナ。ママがお前の誕生日を間違えたばっかりに、悲しい思いをさせてしまったわ」

ニーナは返事をしなかった。

しばらく無言で歩いた。

家の中に入るなりニーナが言った。

「ママはなぜ、私の誕生日を一九四〇年にしたの？」

「それはね……」

ニーナはイリーナをにらんでいる。イリーナは怯えたような気持になり、嘘がつけなかった。

「子供を養育するについては年齢によって国から支給される養護費に差があるんだよ。四歳以下の子を養育しても、さほどの額はもらえないけれど、五歳以上の子だとまあまあの額がもらえるのさ。ま、そういう訳でね、お前には無理矢理六歳になってもらったのさ」

「じゃ、市民病院に来た時、私は何歳だったの？」

「二歳かしら、三歳かしら、四歳だったかもしれない。でも五歳でなかったことは確かね」

「あの時私は、六歳と二ヵ月って言われたわ」

「養護費担当官もそう認めたんだから、私一人の過ちではないわ。お前だって知っているじゃないか」

「私は本当に八月十六日に生まれたの？」

「それはね、その日にお前が発見されたという意味さ。だからお前はチャムス生まれの中国人なんだよ」

ニーナはイリーナを指差してなにか言おうとしたが、口をぱくぱくさせるだけで声にならない。その口の動きが「ママの嘘つき」と言っているようで、イリーナはあわてた。

「そんなに怒らないで、来年、学校に上がることを楽しみにして、また仲良く暮らしましょう」

ニーナはまだイリーナを指差している。

「ママ……」

ニーナはこぼれる涙をふこうともしない。

「ニーナ、ママを許しておくれ」

イリーナは一歩一歩近付いていくのだが、ニーナはそのぶん後ずさっていく。

「ママ、私は私の誕生日を信じていたのに」

「仕方ないじゃないか。みんな戦争が悪いんだよ。こうして生きているだけでも幸せじゃないか」

イリーナはニーナを抱きしめた。

「ママ、私は本当はいつ、どこで生まれたの？　どうしてそれが分からないの？」

ニーナはしゃくりあげ、

「私、自分が誰なのか分からない」

声をあげて泣いた。

「ママがそれを調べてあげるから、もう泣かないで」

イリーナの腕の中で、ニーナの体はがくりと折れた。

「ニーナ、ニーナ……」

ニーナは失神していた。

「ママの嘘つき」

声に出して言わなかったが、ニーナの口はそういう動きをしていた。

今となっては、ニーナに指をさされてはっきりとそう言われたと思っている。イリーナの罪の意識がそうさせるのだ。

「ママの嘘つき」

ニーナの声がイリーナの耳に木霊(こだま)する。

正解は誰も知らないのだから、ニーナの生年月日を決めるについてはさほどごまかしているという意識はなかった。が、養護費を少しでも多くもらいたいという気持に後押しされたことは隠しようもない事実で、そんなケチな料簡を持ったがために、ニーナの信頼を失ったことを歯嚙みする思いで悔いた。そしてもう一つ、軽率にもニーナが発見された時に着ていた服のことを夫に告げたがために、ニーナの服はペチカにほうり込まれて焼かれてしまったではないか。悔いても悔いたりない。

学校に上がることを期待していて、それがかなわなかったことでがっかりしたこともあるだろう、ニーナは、初めてこの家に来た時のようにまた無口な女の子に戻ってしまった。

夕方、家に帰っても、ニーナはぶすっとした顔でイリーナを出迎える。食事の時も楽しい会話はない。

イリーナにしてみれば、夫のワレリーと喧嘩してまでニーナを育てているのに、いかに自分に落ち度があったとはいえ、そういつまでもかたくなになられたのでは面白くない。それに勤め先の市民病院でも、この頃まわりの人たちの自分を見る目がなんとなくよそよそしいように思われる。かつてオルガンの男が予測していたように、ニーナを養育していることが悪い評判を呼んでいるのだろうか。たとえそうであっても、ニーナとの約束は守りつづけようと決心しているのに、ニーナの態度はあまりにつれないではないか。まるで感謝というものが感じられない。イリーナは腹立たしい思いに駆られ、幼いニーナについ当たってしまう。

「ニーナ、お前はいつまで不機嫌な顔をつづけるつもりなんだい？　いい加減なんとか言ってくれたらどうなの。美味しいとかまずいとか。家の中が暗くてたまらないわ」

ボルシチをすくったスプーンを口の前で止め、ニーナはじっとイリーナを見る。

その目は、

「私の信頼が崩れたのは、ママ、あなたのせいでしょう。取り戻す努力はあなたがすべきよ」

と言っているように見える。

無言で訴えかけるニーナの心の内をその表情や口の動きで理解しようとすること、それはとりもなおさずイリーナにとって自問自答であり、それはそのまま彼女自身の罪を追認する行為にほかならなかったから、イリーナはほとほと疲れた。われ知らず意地悪な思いが湧いてくる。

「ニーナ、お前ね、お前は自分がどんな顔をしているのか知っているの？　これは前にも言ったことがあるけれど、決して可愛いとは言えない顔なんだからね、せいぜい愛嬌（あいきょう）を振りまかないと生きていけないわよ」

言った瞬間後悔したが、すでにニーナのほうに手鏡を投げ与えたあとだった。

ニーナは手鏡を指差し、

「これはなに？」

と訊いた。

「ジェールカラ（зеркало）、鏡よ。あら、お前知らなかったかい？」

「習ってない」

「そう。うっかりしてたんだわね」

と言いつつイリーナは、単語カードを作る際に、ニーナがそれで自分の顔を見ることになったら可哀想と思い、鏡をわざとはずしたことを思い出していた。

「お化粧をする時に顔を映す道具だよ。お前、以前、自分の顔を見たことあるじゃないか」

ニーナは手鏡を手に取ると、ゆっくりとそれを顔の前に持っていった。そして見た。

しばらく微動だにしなかった。

手鏡だけがふるえていた。

普段は、銀のお盆であれ街角のガラス窓であれ、ニーナの顔が映りそうなものは、それと気付かれないように配慮していたイリーナだったが、思いもよらぬ残酷な仕打ちをニーナにたいしてしていた。胃の腑からなにか苦いものがこみあげてくる。イリーナはそれを強い自己嫌悪と一緒に飲みくだす。が、こうでもしてやらないと治まらないような怒りにも突き上げられていた。

ゆっくりと鏡が下がっていき、現れたニーナの顔は悲しげに歪んでいた。傷痕の残る右目は怒りに燃えてひきつっていた。

ニーナに見据えられ、イリーナは硬直したように動けない。

ニーナが言った。

「ママ、母親なら、自分の子がどんなに醜くても、どんなに無口でも、可愛がるものではないの？」

イリーナはぽかんと口を開けたきりなにも言えない。ただうなずくだけだ。

「私がどんな悪いことをしたの？」

「…………」

「私が悪いことをしたから罰を与えたんでしょう？」

「あなたはなにも悪いことをしていないわ」

「じゃ、なぜ、こんな意地悪をするの？　これで二度目よ」

「あなたが、あまりに口をきかないものだから、ちょっと憎たらしかったのよ」

笑ってごまかそうとしたが、ニーナは青ざめた顔で言った。

「こんな意地悪をするなんて、あなたは私のママではないわ」

「ニーナ、お前、なんてことを言うの？　私たちは親子じゃないか。親子だと思えばこそ、夫と離れてまで一緒にいるんじゃないか」

ニーナは涙をこらえ、しゃくりあげながら言った。

「私を孤児院へ入れてください」

イリーナは驚き、口走った。

「孤児院なんかに行ったら、お前なんか苛められて大変よ」

「でも、ママに苛められるよりはいいわ」

ニーナの目から涙がこぼれた。

イリーナはニーナの足下に身を投げ出し、

「ニーナ、ごめんなさい。私が悪かったわ。でもね、いつかはこういう日が来るわ。その時になって驚くよりは今のうちに知っておいたほうがいいと思ったのよ」

精一杯の言い訳を言ったが、ニーナは全然聞く耳を持たず、口の中でぶつぶつとなにか言うだけだった。

イリーナはニーナをかき抱き、その口に耳を近付け、溜め息のような声の中身を聞き分けようとした。

はっきりとは聞き取れないが、

「ママの意地悪、ママなんか嫌いよ。あんたなんかママでもなんでもないわ」

と聞こえないこともなかった。

「私は孤児院へ行く」

ともつぶやいているようだった。

「ね、ニーナ、ちゃんと声に出して言ってちょうだい。お前のその音のないつぶやきを聞いていると、私は気が狂いそう」

イリーナはわめいたが、ニーナは椅子から離れ、右手でイリーナを指差し、ぶつぶつとなにかをつぶやきながらあとずさっていった。左手にはしっかりと手鏡が握られている。

「ニーナ、ママを許して。私が間違っていたわ」

ニーナは自分の部屋、つまりワレリーの部屋に入り、ドアを閉めた。それを開ける勇気はイリーナにはなかった。

一人になって、じっくりと自分の顔と向き合ったのだろう、しばらくたつとドアの隙間(すきま)から、ニーナのしのび泣きが聞こえてきた。

翌日、ニーナの部屋に入ってみると、手鏡は割られていた。

ガラスの破片を拾い集めながら、ニーナの信頼を回復するのは並大抵のことではないとイリーナは思った。と同時に、ニーナと暮らすことに自分が疲労困憊(こんぱい)していることにも気が付いた。夫のことが気掛かりでもあった。

十月も終わりに近い日曜日の朝、ドアの下から封書が差し入れてあった。

〈今日午後二時、ビエルフ・イセツキー池の東端でお待ちしています〉

オルガンの男からの手紙だった。

赤いマフラーを首に巻き、イリーナは指定の場所へおもむいた。

落ち葉を踏みしめながら歩いた。

ビエルフ・イセツキー池の東端、市街(ガラッコイ・ブルードウ)池と交わるあたりに来ると、黄金色に染まった白樺林の中に、黒いハットと黒いコートの男がタバコをふかして立っていた。

オルガンの男はイリーナに気付くと、軽く手を上げ、タバコを靴でもみ消した。

「今日はなんのご用でしょう？」

「ニーナは順調に育ってますか？」

「ええ。なんとか」

「学校には上がれなかったようですな」

「どうしてご存じなんですか？」

「ニーナには関心があると、前にお伝えしたはずですが」

「とてもショックだったようで、あれ以来、ニーナは私に口もきいてくれません」

「それはお気の毒に。しかし我々としても、ニーナの健康についてはきちんと把握しておく必要がありますんでね」

「では、あれはあなたが仕組んだことだったのですか？」

「あなたの申請したニーナの誕生日に不審を抱いたものですから」

(私はオルガンに監視されている)

イリーナの全身に悪寒が走った。

「あれは決してわざとやったことではありません。単なる思い違いです。養護費担当官も認めたことですから。なんでしたら、余計にもらったお金はお返しいたします」

イリーナはおろおろと口走った。

「その必要はありません」

オルガンの男はゆっくりと近付き、

「ところで奥さん、ご主人の消息はご存じですか？」

曰(いわ)くありげな訊き方をした。

「消息?　ウクライナのオデッサで高校教師をしていると思いますが」

「それ以外には?」

「それ以外になにかあるのですか?」

「オデッサはエイゼンシュテイン監督の映画『戦艦ポチョムキン』によってソヴィエト大革命発端の街として知れ渡った。市民はなかなか独立精神が旺盛でしてね。ここまで言ってもまだぴんと来ませんか?」

「はあ?」

イリーナにはオルガンの男の言う意味がまったく分からなかった。夫のワレリーから二週間に一通程度、手紙が届いていたが、特別なことはなにも書いてなかった。

「奥さん、あなたのご主人、名前はワレリー……」

「ワレリー・ミハイロビッチ・ルスチェンコ」

「ご主人はハバロフスクの捕虜収容所で監視員をしていた当時、危うく上官侮辱罪に問われそうになった。ご存じですか?」

「ええ。なんとなく聞いてますが」

「それはまあ事なきを得て、無事復員なさったのですが、ウクライナに帰ってからの行動に不審があるのですよ」

「うちの主人がなにをしているというのですか?」

イリーナの質問にたいしてたっぷりと間を置いてオルガンの男は答えた。

「ご主人はウクライナ独立運動をやっているようですよ」

「まさか……」

とは口で言ったが、復員した夫の国家にたいするあの異常な怒りを思い出すと、あり得ない話ではないとイリーナは思った。

「いや、本当です」

ウクライナは十三世紀まではロシアの支配地だった。十四世紀以後はロシアとポーランドが争奪戦を繰り返したが、十八世紀まではポーランド・カトリック勢力の政治的、文化的影響を多大に受けていた。が一九一九年、社会主義共和国となり、一九二二年、ソヴィエト連邦構成国となった。

「ウクライナの連邦離脱を画策する地下組織のメンバーとなって活動しています」

「………」

「メンバーリストをお見せしましょうか?」

男は胸ポケットから白い紙を出したが、イリーナは断った。

「我々としてはあなたにお願いがあるのです」

「どんな……」

「すぐにもウクライナへ飛んでいって、ご主人に、身辺に危険が迫っていることを教えてあげてください。ご主人が活動を停止すれば、深くは問わないことにいたしましょう」

イリーナはいてても立ってもいられない気持になった。が、ニーナをどうしたらいいかが分からない。

（ニーナを孤児院へ預けるなんてそんなことはできない。ニーナを手放すなんて……。ニーナとの約束はどうなる。私の私自身との約束はどうなる）

イリーナの心は乱れた。

「私にはニーナがいます」

か細い声だった。

「しかしこのままでは、お二人ともが危ない」

「二人とも？」

「ご主人は言うにおよばず、あなただって、我々の忠告を無視して日本人の子供を養育している。国民のわがままをこれ以上見過ごすわけにはいきませんな」

一羽の野鳥が飛びたち、木の葉が舞った。

「あなたには荷が重すぎたということですよ」

オルガンの男にそう言われた途端、イリーナの肩から重みのようなものが取れた。ここ二ヵ月間にわたるニーナとの確執に悩み、心の隅のほうで、ニーナのことを手放してしまいたいと考えたこともないではないが、そういう自分の心の動きに正当な理由を与えられたようで、イリーナは突然気持が楽になった。

「そうですね、私には荷が重すぎたようです」

安堵の溜め息とともに言った。

「ご自身で孤児院へ連れていきますか？」

「私にはとてもできません」

「ならば、ニーナのことは我々にお任せ願えますか？」

「どんな風に？」

「今日、私が孤児院へ連れていきましょう」

「えっ、今日ですか？」

「そうです。早いほうがいい」

イリーナの目にどっと涙があふれた。

第三章・影の人形

1

「では、参りましょうか」

オルガンの男は先に立って歩きだした。

イリーナはあとにつづき、

「今日の今日なんて早すぎます」

哀願するように言った。

男は振り返ったがなにも言わなかった。

枯葉を踏みしめる二人の足音が白樺林の静寂を破る。

イリーナの家の前に来ると、それを待っていたかのように黒塗りの車が現れ、静かに止まった。

「最初からそのつもりだったのですね」

イリーナは咎めるように言ったが、オルガンの男は無表情に、

「むろん、そうですが。なにかご不満でも」

「あまりに手回しがいいんで、驚いたのです」

「あなたの気が変わらないうちに事を処理しませんとね。当然です」

「………」

「それとも奥さん、あなたご自身で孤児院へ連れていきますか？　なんならお送りしますよ」

「いえ、私にはとてもできません」

自分の立っている場所が崩れていくようで、イリーナは立ち木に寄りかかってその身を支えた。

やはり自分の手でニーナを孤児院へ連れていくべきではないか、とイリーナはなんども考えた。しかしいったいどう切り出したらいいのだろう。どんな言い方をしたところで、ニーナはイヤだと言うに決まっている。それを説得して連れていけるだろうか。たとえ連れていったとしても、泣きじゃくるニーナを置いて帰ってくることができるだろうか。そんなことはできない。できないのなら、ニーナのことはオルガンの男に任せるのが一番かもしれない。なにしろ危険が迫っていることを一日も早く夫に告げなくてはならない。事は急を要するのだ。だから、これでいいのだ。ニーナとの約束を守るためとはいえ、夫婦が離れて暮らしていることのほうが異常なのだ。

自分の都合のいいように色々と考えをめぐらせたが、ニーナとの約束を破ったという自責の念は消しようもなく、涙はあとからあとから湧いてくるのだった。

「ニーナをここへ連れてきてください」

オルガンの男に促され、イリーナはふらふらとドアに近付き、鍵をはずし、中へ入っていった。

ニーナは居間にいて、イリーナの帰りを知ると、いつになく顔を輝かせて、駆け寄ってきた。

「ママ、お帰りなさい。あまり遅いから心配しちゃった」

ニーナはイリーナにすがりつき、甘えるように言う。

「心配ってなにが？」

「私があまりに悪い子だから、ママに棄てられるんじゃないかと思って」

はっと胸をつかれ、イリーナは息を飲んだ。

「ねえ、ママ、今日から私はいい子になるから、私を孤児院へやったりしないでね。お願い。もっと話すようにするし、笑うようにもするから」

イリーナは返す言葉もなくただ泣いていた。

「ママ、どうしたの、なにか悲しいことがあったの？」

「ええ、悲しいことがあったのよ」

イリーナは涙にうるむ声で言った。

「どんな？」

「ワレリーがね、ウクライナで病気になったんだよ」

とっさに出てきた嘘だが、自分でもいい思い付きだと思った。

「じゃ、ママはウクライナに行くの？」

イリーナはうなずいた。

「いつ？」

「急いで行かなくちゃならないの」

「どんな病気、死にそうなの？」

「そうなの」

「パパは私を嫌っているから、私はウクライナへは行けないんでしょう？」

「お前は行けないわね」

「ね、行ったらいつ帰ってくるの？　私、いい子で待っているから、早く帰ってきて」

「………」

「ママ、どうしてなにも言ってくれないの？」

「ああ、ニーナ、私を許しておくれ」

イリーナの目にまた涙があふれてきた。

「ママ、泣かないで、なにか言って」

ニーナはイリーナのスカートの裾をつかんで離さない。

「ニーナ、私はね、お前との約束を守れなくなったんだよ」

「えっ」

ニーナは呆然とイリーナを見上げた。

「私は明日ウクライナへ出発するわ。あなたとの生活も今日でおしまい」

「ママ……」

「あなたは今日から……孤児院へ……行ってちょうだい」

「孤児院へ、今日から、それどういうこと？」

ニーナはイリーナをきっとにらんで訊いた。

「ごめんなさい、ニーナ」

イリーナはその言葉を繰り返すだけだった。

「ママ、ママだけは私との約束を守ってくれるものと信じていたわ」

「私だって、こんなことになるとは夢にも思っていなかったんだよ」

「それでも守るのが約束じゃないの？」

「私を責めないでおくれ。私にはもうこれ以上なにもできないのだから」

イリーナはニーナを強く抱き、あとはただ泣いていた。

オルガンの男が家の中に入ってきて言った。

「愁歎場はそれぐらいでいいだろう」

男の背後には二人の黒服の男が控えている。

「ねえ、ニーナ、いい子だから、このおじさんと一緒に行っておくれ」

「いや！」

ニーナはイリーナからぱっと離れて、居間の奥のほうへ逃げた。

オルガンの男が顎をしゃくると、黒服の男たちは機敏に動き、一人がニーナをさっと抱きあげた。

ニーナは足をばたつかせ、男の背中を拳でたたき、わめきちらした。

「ママの嘘つき、ママの意地悪。ママなんか大嫌い。カリーニンのほうがよほど正直だ。私とできない約束などしなかったし、だから約束を破りもしなかった。ママは私との約束を破った。私はこのことを一生忘れない！」

あとは言葉にならず、ニーナはただ泣き叫んだ。

「ニーナ、許しておくれ」

「ママの約束破り」

「ニーナ、ウクライナの住所を書いて鞄に入れておいたからね、落ち着いたら手紙でも書いてちょうだい」

「そんなのいらない。ママなんかもう知らない人だ」

イリーナは、ニーナの身の回りの品々を入れた小さな鞄をオルガンの男に手渡した。

「手荒なことはなさらないでしょうね」

「ご心配にはおよびませんよ。きちんと孤児院にとどけるだけですから」

「どこの孤児院ですか？」

「お知りにならないほうがいいでしょう。ニーナのことは我々に任せて、一日も早くご主人のもとへ行くことですな」

「ええ、明日、病院に退職届を出して、ウクライナ行きの汽車に乗りますわ」

「それがいい」

「お世話になりました」

ニーナは叫びつづける。

「約束破り。ママの嘘つき」

ニーナは車の後部座席に押し込められ、そこに男の一人が乗り込んだ。オルガンの男が助手席に座ると、車は動きだした。

「約束破り。ママなんか大嫌い」

叫ぶニーナの口を男がふさいだ。

テラスの、開け放たれた玄関ドアの前に悄然と立ちつくすイリーナの姿が車の窓越しに見え、それがニーナのながす涙でゆらいだ。イリーナの影は次第に遠くなり、やがて木立ちに遮られて見えなくなった。

ニーナは暴れもしなかったし、声もあげなかった。じっと前方をみつめるだけ、もはや泣いてもいなかった。

車は、どこか遠いところへ行くような印象を与えようとしているのか、同じ道を何度も通過しているように思えた。ビエルフ・イセツキー池から市街池あたりについては、家の近くでもあることだし、ニーナには街の気配が手に取るように分かるのだ。

ニーナの呼吸が落ち着いてくると、

「そろそろいいだろう」

助手席の黒いハットの男が言い、車は二月革命通りに入っていった。

やがて車は、大きな丸窓のある木造のきれいな建物の前で止まった。

黒いハットの男は振り返り、言った。

「ニーナ、もう騒ぐんじゃないよ。我々は君を孤児院に送りとどけるだけなんだから、あとはいい子で勉強することだ。分かったね」

ニーナはうなずいた。

男は車を降り、ニーナ側のドアを開けた。

ニーナは車から降りようとしたが、足がふるえて前に出ない。見知らぬ世界へ踏み出す恐怖に気を失いそうだった。

やっと大地に立つと、

「これが君の荷物だ」

黒いハットの男から鞄を渡された。

眩暈(めまい)でも起こしたように目の前が暗くなったり明るくなったりする。

「さ、おいで」

男はニーナの手をもの凄い力で握り、ゆっくりと歩きだした。

逃げたいと思い、男の手をふりほどこうと試みたがなんの効果もなかった。

前方には木造の建物があり、その窓という窓から子供たちがこちらを見て、なにがおかしいのか、みな笑っていた。

雨避(よ)けの大きな屋根のある玄関ポーチには教員らしき人が三人並んで立っていた。

黒いハットの男は、

「モロゾフ院長先生、ニーナ・ペトローヴナ・フロンティンスカヤをお連れしました。あとはよろしくお願いします」

と言い、ニーナの手をしっかりと握ったまま院長に渡した。

「この子がニーナですか。可愛らしい子ではありませんか。分かりました。あとはお任せください。ご苦労様でした」

優しい言葉とは裏腹に、ニーナの手を握る院長の力もまたもの凄いものだった。

ニーナの眩暈はまだつづき、人の影が目の前で大きくなり小さくなり、揺れ動いた。

イリーナに裏切られたことのショックと、自分が一番恐れていた孤児院というところへついに連れてこられてしまったことの悲しみに、ニーナの思考は止まっていた。

「ここは就学前孤児院№8で、三歳から七歳までの子供たちが二十五人ほど生活している……」

院長室で入院手続きが終わったあと、この孤児院についてモロゾフ院長の説明があったが、ニーナはほとんど聞いていなかった。

「私つまり院長の下に五人の教員がいて、子供たちの面倒を見ている。一緒に遊び、勉強を教え、身体を鍛え、ともに生活する……ここで養護養育されている子供たちの事情は様々だ。戦争で両親を失った子、両親と死別した子、育てる能力のない親から預けられた子、家庭内暴力から逃れてきた子、棄てられた子……」

話し終わると院長は、ニーナを広間に連れていった。そこには子供たちと教員が全員集まっていた。

「この子の名前はニーナ・ペトローヴナ・フロンティンスカヤ。六歳。今日からみんなの仲間だ。仲良くしてやってください」

「ニーナです。こんにちは」

ニーナはぺこりと頭を下げた。

「こんにちは」

子供たちは歌うように言った。その元気のよさがニーナはちょっと羨ましかった。どの子もみなさっき窓からのぞいていた時と同じく、好奇心に目を輝かせ、にこにこ笑いながらニーナを見ている。よほどもの珍しいのだろう。ニーナも子供たちを見た。髪の色はまちまちだが、肌の色はおおむね白く、ほとんどがロシア人、国が違うといってもソ連という大きなくくりでいうならば同国人だった。ニーナは自分が異質な存在であることを瞬時に悟った。でも、よく見ると、ニーナと同じような黄色い肌の色をした、中国人か朝鮮人の子供たちもいたが、その子たちの視線はなぜかけわしいものだった。ニーナは六歳であり、年長のはずなのだが、体格は一番小さく細かった。

男一人、女四人の教員たちも一人ずつ自己紹介し、ニーナと握手した。

「ここがあなたのお部屋です」

部屋を与えられた。両方の壁側にベッドがある。天窓のような窓があり、その下に二つの勉強机がならんでいる。二人で一部屋だ。ルームメイトはとても六歳とは思えないおませな女の子だった。

「よろしくね、ニーナ。私の名前はタチアナ。ターニャと呼んでいいわ」

「よろしく」

とニーナも言ったが、なにしろカリーニン夫婦とイリーナ以外の人とは話らしい話をしたことがなかったから、口を開くたびに心臓が高鳴った。

「大抵はいい子だけれど、中には意地悪なのもいるわ。負けたら駄目よ。私も力になるわ」

こうしてニーナの孤児院生活が始まった。

朝の食事はたいてい粥(かゆ)で、そば粥、粟粥、澱粉粥などだが、マーナヤ・カーシャという名の粒状澱粉粥だけはどうしても食べられなかった。

おやつは干しぶどう、干しあんず、それらの入ったコンポート、木の実、たまに林檎が出た。

「ニーナ、あなた、林檎が好きみたいね」

「私、林檎大好き」

「だったら、いいこと教えてあげる。干しぶどうや干しあんずのような保存のきくものは孤児院の中では貨幣のようなものなの」

「貨幣って?」

「お金よ」

「だから?」

「だから、食べずにとっといて、林檎が出た時に、それを誰かに上げて、林檎と取り替えてもらうのよ。そしたらあなた、林檎を思いっきり食べられるじゃないの」

「なあるほど。頭いいわね」

「孤児の知恵」

ターニャは自分の頭を指差し、ウインクした。

孤児院生活そのものはニーナにとって決して悪いものではなかった。本当の母親でない人を母と呼んで、疑似の親子を演ずる苦労のない分いっそ清々(すがすが)しかった。むろんその疑似の親子関係が実の親子以上の絆によって結ばれるようになれば、それ以上に幸福なことはないだろう。ニーナもそれを二度夢見たのだが、二度とも上手く行かなかった。特にイリーナに裏切られたショックは大きく、ニーナはまだ立ち直れないでいた。しかしまわりの子供たちが全員孤児であることを思うと、ニーナの孤独は幾分慰められた。衣食住が与えられ、路頭に迷わないだけでも大きな安心感だった。

白髪混じりのモロゾフ院長先生は温和な人だし、五人の教員たちもみな真面目に子供たちの面倒を見ていた。ただ一人、ミロノアという若い女子教員だけはなにかというとすぐ子供たちに手をあげるので、ドーバ（たたく女の意）・ミロノアと呼ばれ恐れられていた。

年が変わり一九四八年になった。新年ということもあって子供たちに新しい枕が与えられた。それはそれまでの綿枕ではなく羽毛枕だったものだから子供たちは大はしゃぎだ。

九時の就寝時間になると、ターニャは、

「なんて気持いいんでしょう。羽毛枕なんて夢みたいだわ」

ベッドの中で、枕をたたいたり抱きしめたりして遊んでいた。

ニーナも枕を抱いてその柔らかな感触を楽しんでいたのだが、枕の端のほうから白い羽毛が一本のぞいていた。それをつまんで引っ張ってみるとするりと出てきた。息を吹きかけるとふわりと飛んだ。も一度吹いて天井まで飛ばしてやった。なんとも言えないいい気分だった。

枕を見ると、同じところにまた羽毛の先がのぞいている。それをつまんで引っ張ると、またするりと出てきた。そのあとにまた新しい羽毛の先が顔を出す。いつまでやっても終わらない。引き出しては吹き、引き出しては吹きとやっていると、無数の羽毛がふわふわと宙を舞った。

「あら、楽しそう。私もやろう」

ターニャも枕のあちこちを探し、羽毛の先をみつけて、それを引っ張って抜いた。ニーナの時と同じように、そのあとにすぐ新しい羽毛の先が顔を出した。

「うわあ、面白い」

ニーナとターニャはベッドの上に立ち上がり、降りてくる羽毛に息を吹きかけ、さらに高く飛ばそうとベッドの上で飛び上がり、きゃあきゃあ騒いでいた。

その時、ドアが開いた。

ミロノアが就寝前の点検にやってきたのだ。

「なんですか、この騒ぎは」

ミロノアはつかつかと部屋へ入ってくると、

「ターニャ、あんたまでが新入生と同じ悪戯（いたずら）をやってどうするの？　お仕置をします。ニーナ、ベッドにうつぶせになってお尻を出しなさい。ターニャ、あんたも」

ニーナとターニャはベッドの端に上体を乗せ、下着をおろしてお尻を出した。

ぴしり！　ニーナの裸の尻にぴんたが飛んできた。

「痛っ！」

ニーナは泣くまいと歯を食いしばった。

ぴしりとまたたたかれた。十までかぞえたが、あとは分からなくなった。

が、ついに痛くてたまらずニーナは泣いた。

「ごめんなさい。もうしません。許してください」

「これがここの掟です。悪いことをやった子はお仕置を受けるのです。ニーナ、よく憶えておきなさい。次はターニャ」

ターニャはもう泣いている。

ぴしり！　ミロノアはターニャの白い尻をたたいた。手の平の跡が赤くついた。

一発たたかれただけで、ターニャは大声で泣きだした。涙もぽろぽろ流している。日頃生意気な割には泣き虫だなとニーナはちょっとターニャを軽蔑した。

ミロノアはまたたたいた。

「ごめんなさい。私がいけなかったのです。もうしません。お許しください」

ターニャは声をあげ、激しく泣いた。

お仕置はたったの二発で終わった。

「二人とも、散らばった羽毛を片付けてさっさと寝なさい」

ミロノアはドアを閉め、廊下にうろついている子供たちを、

「あんたたちなにをのぞいているの。早く寝なさい」

と叱りつけ、足音高く廊下を歩いていった。

「ニーナ、なんであなたはすぐに泣かなかったの？」

「泣くのが悔しかったから」

「バカねえ。あんな時はすぐ泣くのよ」

「でも、私、そんな嘘つけない」

「でも、結局は泣いたじゃないの」

「そりゃあもう我慢できなかったんだもの」

「最後には泣くんだから、さっさと泣いてしまったほうがいいのよ。相手はこっちが泣くまでぶつつもりなんだから」

「お仕置って、ぶたれる数が決まってるんじゃないの？」

「いくら決まってたって、泣いてる子供をぶったら暴力だわ」

「………」

「だから私はすぐに泣くの。そう決めてるの」

ターニャはけろっとした顔で言う。

「それも孤児の知恵？」

ニーナが訊くと、

「そういうこと」

ターニャは笑った。

ベッドに入り、寝ようと思ったが、寝返りを打つたびにお尻がひりひりした。この次お仕置をされる時、ターニャみたいに上手く泣けるかどうか、ニーナには自信がなかった。

雪はまだ大地に残っていたが、フキタンポポの黄色い花がちらほらと咲きはじめ、春も間近い頃だった。

「ドーバ・ミロノアの当直の夜はイヤだわね」

そんなことをつぶやきつつ机の上にのぼり、窓から外を見ていたターニャが、

「ニーナ、ちょっと来てみて」

手招きした。

ニーナも机の上にのぼった。

「ほら、見てごらん。ミロノア先生が恋人とキスしているわ」

「あの怖いミロノア先生が？」

「そうよ。あのドーバ・ミロノアが男の腕の中で甘えているわ」

「私も見たい」

「こっちへいらっしゃい。ここからならよく見えるわ」

ニーナは窓の右端から、ターニャと重なるようにして外を見た。正面玄関の柱にもたれかかり、男と女が唇を重ねていた。ニーナたちの部屋は一階で玄関に近かったから、手に取るようによく見えた。

恋人たちのキスは長く、いつまでたっても唇が離れない。

「長いわね。よっぽど愛しあってるんだわ」

ターニャはおませな言い方をした。

やっとキスが終わり、大きな溜め息をついた女は確かにミロノアだった。

「本当だ」

ニーナは驚いた。お仕置と称して子供たちの尻を手の平でびしびしたたく癇癪持ちのミロノア先生が「あなた、もっと」なんて言っている。

「あら、こんどは歌なんか歌いだしたわ」

ターニャに言われて、耳を澄ますと聞こえてくる。

君住む家の戸口の前で
日暮れになると忍び逢う
月明りの下で交わすくちづけ
もっと愛して、もっと激しく
夜明けも知らずに繰り返す

今、街で流行している恋歌だ。

歌が終わり、二人がもう一度唇を重ねようとした時、孤児たちがいっせいに声をあげ、拍手をした。

「わーい。ミロノア先生がキスしてる」

ミロノアと恋人は驚いて振り返った。

ニーナたちだけでなく、孤児たちは全員窓からこの光景を見物していたのだ。これにはニーナたちも驚いた。

就寝時間はとっくに過ぎている。ドーバ・ミロノアがどう出るか。

固唾（かたず）を飲んで見守っていると、ミロノアは恋人と手をとりあったまま、闇にむかって駆け出した。

子供たちは全員、そのうしろ姿にむかって合唱した。

孤児院の戸口の前で
日暮れになると忍び逢う
月明りの下で交わすくちづけ
もっと愛して、もっと激しく
人目も知らずに繰り返す

歌の文句をちゃんと替えてあることにニーナは感心した。

「あの二人が行くところは決まってるわ。ニーナ、私たちも行きましょう」

「えっ、私たちも？」

「面白いものが見られるからついていらっしゃい」

ターニャは二本のタオルを結びつけると、

「ニーナ、私がこのタオルをしっかり持っててあげるから、あなた先に降りなさい。降りたら、あなたは私が降りるための台になるのよ。さ、早く」

ニーナはあまり運動神経のあるほうではない。それでも緩慢な動きながら窓枠をまたぎ、タオルを握りしめ、ゆるゆると降りて地面に足をつけた。

「ニーナ、肩に力を入れてしっかり立って」

ターニャは窓からぶら下がり、その足をニーナの肩に乗せた。

「ニーナ、だんだんしゃがんでいって」

ターニャは壁に手をついて体をささえ、ニーナはターニャを乗せた体を低くしていく。重いったらない。

「そうよ、それでいいわ」

ニーナが地面に這（は）いつくばると、ターニャは軽やかに下り立ち、

「さ、急ごう」

走りだした。

気が付いたら二人とも素足だった。

二月革命通りを出て右に曲がり、さらに走った。

「どこまで行く気？」

「森よ。市街池（ガラッコイ・プルードウ）の森」

アスファルトの道が終わって、二人は森の中へ入った。地面には雪が残っていて、刺すように冷たかった。が、森に入ってほんのしばらく行くと、歌声が聞こえてきた。

　もっと愛して、もっと激しく
　夜明けも知らずに繰り返す

間違いなくミロノアとその恋人の声だった。

すっかり葉の落ちた白樺林の中で、恋人たちはキスを交わし、大きな声で笑いあった。

「ほらね。私の言ったとおりでしょう」

「本当だ。ターニャってすごいのね」

「今にもっとすごいことになるわよ」

「もっとすごいことって？」

「しっ！」

空には皓々と月が照っていた。

ニーナとターニャは木陰に身を隠し見ていたが、ほんの二十メートルほどの、目と鼻の先で恋人たちは戯れていた。

男はコートを脱いで地面に敷いた。

女もコートを脱いでその上に置いた。

男は女を抱き、コートの上に寝かせた。

男はあたりを警戒するように見回した。

女は下着を脱いでいった。

男はズボンを下ろし、下半身裸になった。

女はスカートをたくしあげ白い脚を開いた。

男は女の上に身を乗せた。

女は気持よさそうな声を出した。

男の腰のあたりが激しく動いた。

女は男の首に両手をまわした。

男と女は重なりあったまま、寝返りを打つように上下入れ替わった。

女の大きな尻が月光を浴びて白く輝いた。

（手の平でぶってやりたいけど、随分大きなお尻だなあ）とニーナは思った。

女は電気仕掛けの機械のように尻を上下に動かした。

男はうんうん言い、女ははあはあ言った。

二人のうめき声はどんどん大きくなった。

女は悲鳴のような声をあげ、ぐったりと男の上に倒れ込んだ。

二人は死んだように動かない。

突然、ターニャは走りだし、

「逃げるんだ、ニーナ。早くおいで！」

恋人たちに聞こえるような大声で呼ぶ。

「待って、ターニャ」

ニーナの声も聞こえたに違いない。

二人は懸命になって来た道を走った。

「なぜ、あんな大声で私の名前を呼んだの？」

息を切らせながらターニャに訊いた。

「ミロノア先生に聞かせるためよ」

「なぜ？」

「もう二度と、私たちを怒れないようにするためよ」

「それも孤児の知恵なの？」

「もちろんよ」

ミロノアとその恋人が追いかけてきてやしないかと、ニーナはなんども振り返った。

「大丈夫よ。あの二人は動けないわ」

ターニャは平然たるものだ。

孤児院に着いた。

「ニーナ、あなたはしゃがんで！」

言われたとおりにすると、ターニャはニーナの体を踏み台にして窓から軽々と部屋の中へ入った。

「さ、これにつかまって上ってきて！」

タオルを垂らした。

ニーナはそれをつかんで必死になって壁をよじのぼった。が、タオルが切れた。いや、結び目がほどけたのだ。

ニーナは地面に転がった。

「急いでつないで！」

ターニャは自分が握っていたタオルを投げてよこした。それを拾うと、ニーナは固く結び合わせた。

「私に投げ返して！」

ニーナがタオルの端を窓にむかって投げてやると、ターニャがそれをはっしとつかみ、

「さあ、もう一度」

ニーナは上る。ターニャは引っ張る。

やっとの思いで部屋の中へ転がり込み、安堵の息をついて外を見ると、ミロノアと恋人が道の上に現れ、二人は手を振って別れを惜しんでいた。

恋人を見送ったミロノアは正面玄関の鍵を開け建物の中に入った。ニーナとターニャの部屋は玄関に近かったから、すぐにもミロノアが叱りに来るものと思い、ドアをみつめて身構えていたが、結局は来なかった。

「ね、私の言ったとおりでしょう」

ターニャは小さな鼻をふくらませた。

「ターニャ、あなたはどうしてそんなに頭がいいの?」

「苦労したからよ」

「どんな苦労?」

「そのうち話すわ。とにかく明日から、ドーバ・ミロノアは私たちにとってはただのミロノア先生よ。もうお仕置はないわ」

「そうかしら」

「そうよ」

「そうだといいのだけれど」

「そうに決まってるわ。今夜は面白かったわね。もう寝ましょう」

ターニャはすぐに寝息をたてた。

ニーナは、たった六歳の身で、大人の心理を読み切るターニャという少女はいったいどんな苦労を経験したのだろうと想像をめぐらせたが、うまく像が結ばなかった。いずれにしても、

（頼もしい友達ができて嬉しいな）

そう思いつつ眠りに落ちた。

翌日、ミロノアはニーナたちに小言の一つも言わなかった。それどころか微笑さえ浮かべて二人に接した。

「ねえ、ターニャ、これはいったいどういうことなの？」

ニーナは不思議でならない。

「共犯関係ってことかしら」

ターニャは片目をつぶるだけであとはなにも言わない。ニーナはますますターニャを頼もしく思った。

数日後のことだ、ミロノアがニーナの部屋のドアを開け、

「ニーナ、院長先生がお呼びです。院長室までいらっしゃい」

ついに来た、とニーナは思った。

（でも、なぜ、私一人なんだろう。なぜ、ターニャは呼ばれないんだろう）

ニーナはミロノアのあとについてとぼとぼと歩いた。

院長室へ行くと、院長のモロゾフが、

「ニーナ、君の民族名は中国人となっている。それが確かなものかどうかは疑わしい。そこで軽い実験をしたいんだが、つきあってくれないか」

優しい笑みをたたえて言う。

「実験？」

ニーナはぽかんとした。

「今日は中国から見学者が来ている。その人たちの前で色々と質問に答えてくれたらいいんだよ」

「そんなの、私、イヤです」

「なあに、君の民族名がはっきりと分かったほうが君のためになるじゃないか」

モロゾフはミロノアを見て、

「準備はいいかな？」

彼女がうなずくと、

「じゃ、行こうか」

モロゾフはデスクから立ち上がり、ニーナの手を取った。ニーナは、できるものならこの場から逃げだしたいと思ったが、びくともしない握り方だった。

広間にはすでに子供たち全員が集まっていた。ほかの四人の教員たちもいた。中国人たちは男も女もみな一様に、襟のつまった黒い服を着て帽子をかぶっていた。

「この子がニーナです」

モロゾフに押され、ニーナはおずおずと前に進みでた。

「ニーハオ！」

中国人たちはニーナにむかって手を振った。

ニーナはただぼんやりとしていた。

「様々な状況から見て、チャムス生まれの中国人に間違いないということになっておりますが、みなさんから見てどうでしょう、中国人に見えますか？」

　スラトキンという教員がモロゾフの言葉を通訳したが、中国人の中にもロシア語の分かる者がいるらしく、スラトキンの通訳を待たず、てんでになにか言いはじめた。みな甲高い声だ。そこに子供たちの声も混じって、広間は騒然となった。それを両手でなだめて、

「で、いかがですかな」

　モロゾフが言った。

「中国語は話せますか？」

　中国女がロシア語でニーナに質問した。

「いいえ、話せません」

　ニーナは答えた。

「パーパ、マーマという言葉も？」

「いいえ」

「どこかで聞いた記憶もありませんか？」

「いいえ」

「チャムスの景色を憶えてますか？」

「いいえ」

「あなたは私たちを見て、懐かしい感じがしますか？」

「いいえ、感じません」

　むしろイヤな感じだとニーナは思った。

「歩き方を見せてください」

中国女はモロゾフに要求した。

「ニーナ、ちょっと歩いてみせなさい」

モロゾフに押され、ニーナは歩きだした。

(なんで私をこんな見せ物にするのだろう)

ニーナの心は屈辱感できりきりと痛んだ。

壁まで歩いて戻ってくると、モロゾフが「もう一回」と言い、そのとおりにした。

中国人たちはみな頭を振り、中国女が言った。

「中国人はこの子のような歩き方はしない。もっと胸を張り、脚を伸ばし、爪先を上に向けてさっさと歩きます」

「中国で育ってないからこういう歩き方になったのではないでしょうか」

スラトキンが問い返したが、

「民族の伝統は血と一緒に子供に受け継がれていくものです」

中国女は自分の意見を主張し、

「泣き方や笑い方を見たら、もっとよく分かるかもしれない」

と付け加えた。

そうだそうだとみな賛同する。

「どうだい、ニーナ。お前は今、泣けるかな、笑えるかな、どっちならできそうだい」

モロゾフはニーナの顔をのぞきこんだ。

ニーナはうつむいたまま、しくしくと泣いた。

「あら、上手い泣き方だわね」

意地の悪い冗談につづいて、子供たち全員が笑った。

「いや、この泣き方は中国人じゃない。中国は大陸だから、もっと大袈裟に泣かないと人に分かってもらえない。朝鮮人だってもっとはっきりと泣く」

中国女の声が聞こえる。

「ニーナ、どうだい、こんどは笑えるかな」

そう言ってモロゾフがニーナの顔をのぞこうとした時、ニーナは脱兎（だっと）のごとく逃げだした。

モロゾフの声を背中に聞きながらニーナは廊下を駆け抜け、正面玄関から外へ飛び出した。

（もうこの世から消えてしまいたい）

誰かにつかまり、すぐに孤児院へ帰されてしまうだろうと思い、街のほうへ行くつもりはなかった。足は自然と、つい先日、ミロノアを追いかけてターニャと走った道をたどっていた。

市街池（ガラッコイ・プルードウ）のほとりの森の中は雪解けの後で、足がぬかるんだ。それでもかまわず歩き、ターニャと二人でミロノアと恋人との抱擁を見たあたりへ来た。

そこで足が止まった。動こうとしても、足が前に出ない。ここから一歩でも踏み出せば、そこは未知の世界なのだということにニーナは気が付いたのだ。

今まで一度だって、一人で外を歩いたことはない。カリーニンの家にいた時だってイリーナの家にいた時だって、ずうっと誰かに手を引かれて歩いていた。

イリーナと一緒に買い物をした時のことが一瞬頭をよぎった。

あの時が一番幸せだったかもしれない。あのいつわりの幸せが。

ニーナは、自分があまりに一人ぼっちなことに驚いた。涙がとめどなく流れてきた。

（トランバイに飛び込んで死んでしまおうか）

今しも新緑の芽がふきだそうとしている白樺林の中で、ニーナは泣いていた。

泣き疲れたニーナは、一休みしたいと思ったが、地面はどこもぬかるんでいて座れない。

遠くのほうにベンチが見えた。

（あそこまで行ってみよう）

地面は足首までぬかるみ、運動靴の中に泥水が入ってきた。

ベンチにたどりつき、座った。

靴を脱ぎ、足の泥を手でぬぐった。

足が冷たい。お腹も空いてきた。

だが、ニーナはベンチに座りつづけていた。

どこにも行くあてはないし、どこへ行っても自分は邪魔者あつかいされるに決まっている。そう思うとその場から動く気になれないのだった。

日が暮れて、空には星が出た。

まだ葉の茂る前の白樺林の合間から星空をながめていると、流れ星が一つ、すうっと墜ちた。

（私は人の世に歓迎されていない。生きている必要のない人間なのだ。余計な星が流れ星となって夜空から消えるように、私もこの世から消えたほうがいいのだ）

そう思う間に、また一つ、流れ星が白い線を描いて消えた。

流れ星、私は流れ星。

ニーナは母を思い、また父を思ったが、その顔も名前も知らない自分がはがゆかった。

「お父さん、お母さん、私を助けにきて！」

こみあげる嗚咽（おえつ）と寒さにニーナはぶるぶると身体をふるわせた。

「ニーナ」

声を聞いて振り向くと、ターニャとミロノアが立っていた。

「ターニャ……」

ニーナの顔が歪んだ。

「やっぱりここにいたのね」

ターニャは微笑んでいた。

「寒かったでしょう」

ミロノアはコートを脱ぎ、それでニーナをすっぽりとつつんだ。

「さ、帰りましょう。みんな心配しているわ」

ぬかるむ地面を、ニーナはミロノアにかかえられるようにして歩いた。

「院長先生も心ないことをしたものだわ。さぞかしあなたは傷ついたことでしょう。これからは私があなたを守ってあげるわ」

とても同じ人間とは思えない、ミロノアの言葉だった。

「なんて星空は美しいんでしょう」

ターニャは夜空を見上げて言った。

「それに比べ、人間の小さくて醜いこと。星空ばかりながめていると転んでしまうし、下ばかり見ていると星空が見えない。ミロノア先生、どうしたらいいのでしょう」

「そうね」

と言い、ミロノアは答えた。

「星空のような美しく神々しいものが宇宙にあるということは、私たちの中にも星空があるということなの。なぜなら、私たちの肉体と精神と魂は小さな宇宙なのだから。それを信じて、まっすぐ前を見て歩くのね。はるか遠くの星空にむかって」

孤児院の正面玄関の前には子供たち全員がいて、ニーナを拍手で迎えた。

院長のモロゾフもほかの教員たちもいる。

拍手と笑顔のあたたかさにニーナは感動し、

(私は死ななくて良かったのかもしれない)

と思った。

しかし翌日から、子供たちのニーナに接する態度が微妙に変わった。

ニーナはもともと無口なほうで、子供たちとおしゃべりをすることはめったになかったが、そのことを今更のように話題にして、

「ニーナ、あなたはなぜそう無口なの？　私たちになにか文句でもあるの？」

とからんでくる子がいる。

「先生から沈黙は金って教わったからだわ。私はそれを実行しているだけ」

ニーナはそう答える。

「あらそう。あなたは金というわけね。じゃ私たちはなんなの？　銅、錫、鉛？」

食事の時間になる。すると別な子が、

「ニーナ、あなたはなぜそういつもまずそうに食べるの？　私たちの国の食事がそんなに不満なの？」

と嫌みを言う。

「私は痩せてるから食欲があまりないだけ。食事に不満はないわ」

ニーナは正直に答えているつもりだが、

「ニーナと一緒だと、食事が楽しくないわ」

とますます嵩にかかってくる。

ターニャが見かねて、

「あなたたちニーナに意地悪をするの止めなさいよ」

と中に入ると、

「あんたなんかの出る幕ではないわ。なにさ、このアッツェヨープカ（ファザーファッカーの意）」

質の悪い子供は口を歪めて言う。

この一言を聞いた瞬間、ニーナにはその意味が分からなかったが、ターニャは顔色を変え、走り去った。

子供たちはニーナを取り囲み、歌いだした。

親なしニーナ、名なしのニーナ
ニーナ、ニーナ、国なしニーナ

なんども繰り返した。あらかじめ練習をしていたのではないかと思えるほど、みんなが上手に歌うそのことに、ニーナは愕然とするのだった。

(そんなにも私は嫌われているのか)

逃げようとしても、逃がしてくれない。

輪の中から見ると、子供たちの顔はみな悪魔のようだった。みな目がつりあがり、口が裂け、耳が伸びていた。それらがぐるぐると回る。

ニーナは耳をふさぎ、しゃがみこんだ。

「あなたたち、なにをしているんですか。止めなさい」

ミロノアの声が食堂に響いた。

子供たちの輪が解かれ、ニーナはよろよろと立ち上がった。

「意地悪をした子には全員、お仕置をします。お尻を出しなさい」

ニーナを苛めた子供たちは全員、男の子も女の子も、ズボンやスカートを下ろし、尻を丸出しにして四つん這いになった。

その光景を横目に見ながら、ニーナは食堂を出た。

ターニャのことが気になった。

（ターニャほどに賢い女の子がなんで一言も言い返せないまま、逃げ出したのだろう）

ニーナにはそれが不思議でならなかった。

アッツェヨープカ、聞いたこともない言葉だが、ターニャにとっては重大な意味を持つもののようだ。

涙を飛ばして部屋にむかい、ドアを開けると、ターニャはベッドにうつ伏していた。

「ターニャ」

呼んでも返事はない。

「ありがとう、ターニャ。私を庇（かば）ってくれて」

ベッドの横に立ってニーナは言った。

ターニャは肩をふるわせ泣いている。

「でも、ごめんなさいね。そのせいで、あなたまで意地悪されて」

「いいのよ、そんなこと気にしなくたって」

ターニャは涙をふいて起きあがり、笑みを浮かべて言った。

「ニーナ、あなた驚いたでしょう？　私があまりに弱虫だったので」

「ええ。本当にびっくりしたわ」

「私はあの言葉にだけは弱いの」

「あの言葉って？」

ニーナはとぼけた。

「アッツェヨープカ……」

その言葉の意味を訊きたかったけど、自分からは言えなかった。

「アッツェヨープカっていうのはね、父親と寝た娘っていう意味なの」

「ターニャ、私にはなんのことだかよく分からないわ」

「あなた、見たでしょう？　ドーバ・ミロノアと恋人がしていたことを」

「見たわ」

「あれと同じことを、私が父親とやったっていう意味よ」

「ターニャ、やったの？」

「やってないわよ。やられそうになったことはなんどもあったけど、いつも母が止めてくれた。でも、全然やられてないとは言い切れない。やられたかもしれない。でも、私がまだ五歳の時よ。なにも分かりはしないわ。父に抱かれて眠ったこともあったし、それで気持のいい時もあったわ。私のことで両親はいつも喧嘩していた。母をなぐりつけ、ひいひい泣いている母の前で、父は私にキスをしたわ。それを母が止め、また父になぐられ……。そんな暴力的な父から逃れるために、私はこの孤児院に預けられたの」

「そうだったの」

「そのうち噂がひろまり、誰彼となく私を白い目で見るようになったわ。そしてここぞという時に、あの言葉を言って私を泣かせるの」

「可哀想に」

ターニャがその父親にどんなことをされたのか、ニーナには一向に理解がいかなかったが、イヤなことをされたことは間違いない。ニーナは心からターニャに同情した。

「自分の父親に乱暴されるなんて地獄の苦しみでしょうね」

「でもね」

ターニャが言った。

「ニーナ、あなたに比べたら、私の運命なんてまだまだ恵まれてるわ」

「どうして？」

「私は、とにかく実の父と母が分かっているんですもの。あんなイヤらしい父親でも、あんな情けない母親でも、私の両親であることは確かなんだわ」

「………」

「あっ、ごめん、ニーナ。私、言ってはいけないことを言ってしまったみたいね」

「ターニャのバカ」

こんどはニーナが泣きだした。

「ごめんね、ニーナ」

ターニャはニーナを抱きしめた。

抱きあったまま二人は泣いていた。

しばらくして、ターニャが言った。

「でも、ニーナ、あなたは偉いわ。そんなつらい運命のもとに生きているのに、決して人間の悪いところを見ようとしない。私はその逆で、人間の悪いところばかりを見ようとする。これからはあなたを見習わなくてはいけないと思うわ」

ニーナは言った。

「ありがとう、ターニャ。私より不幸な女の子がこの世にいることを知って、私、自分がまだまだ恵まれていることを知ったわ。これからは自分をもっと大事にしようと思う」

「そうよ、そうして。ニーナの命は神様の贈り物なのだから。私みたいに呪われたものではないのだから」

「そんな言い方はしない約束でしょう」

「そうだったわね」

二人は腕を解き、顔を見合って笑った。

五月になり、雪解けも終わった。木々は芽ぶき、大地は緑におおわれた。陽光はまぶしさを増し、日一日と暖かくなってはいくが、気温は落ち着きなく上下する。昨日摂氏十五度だったかと思うと、今日は氷点下十六度で、雪が降ったりする。それでも公園のチューリップやライラックなど、春の花々は次々と咲きはじめる。

ある寒い日のことだった。

ドアを開いてミロノアが言った。

「ニーナ、院長先生がお呼びです。すぐいらっしゃい」

ミロノアに導かれて院長室へ行くと、院長は厳めしい顔で言った。

「こちらへいらっしゃい」

またなにか実験でもされるのかと、ニーナは後ずさる思いで前に進んだ。

院長は笑顔を作り、

「ニーナ、この方を憶えているだろう？」

白髪の男を紹介した。

男はにっこり笑ってニーナを見た。

ニーナはびっくりした。

優しい小父さん？

飛びつきたい思いをかろうじて堪え、口の中で小さく叫んだ。

「お前の保護者であるムラビヨフ閣下が、お前に会うためにわざわざおいでになったのだ」

院長の言葉の終わらぬうちに、

「ニーナ、元気そうじゃないか」

ムラビヨフはニーナの頭を撫でた。

「ムラビヨフの小父さん……」

ニーナはうつむいたきりなにも言えない。

「院長先生から話は全部聞いた。イリーナからも詫びの手紙をもらったよ。なにもかも仕方のないことだ。だからイリーナを恨んではいけないよ。彼女だってやれるだけのことはやったのだから」

ムラビヨフの声は温かかった。

「私はイリーナを恨んでいません。孤児院だって好きです。友達もできました」

ニーナはややもすれば泣きそうになる心を叱咤して言った。

「お前も今年は学校に上がるんだね」

「はい」

ニーナが答えると、横から院長が、

「今度こそ間違いなく、上がれます。ニーナはとても頭のいい子ですから、十分にやっていけるでしょう」

太鼓判を押した。

それを聞いて、ニーナはにこっと笑った。

「ニーナ、お前はなにが得意なんだい？」

ムラビヨフが訊いた。

「特にありません」

「じゃ、好きな科目はなんだい？」

「音楽が好きです。そしてピアノが」

「ほう。ピアノは弾けるのかい？」

「いいえ、弾けません。時々触ってみて、ピアノって素敵だなあって思うだけです」

「そうか、ピアノが好きか。院長先生、ニーナに誰かピアノを教えてやっていただけませんかねえ」

院長は一瞬困った表情を見せたが、

「ニーナ一人を特別扱いするわけにはいきませんので、ピアノの授業を作りましょう。ミロノア先生なら初心者に教えるぐらいのことはできるはずです」

「ニーナ、良かったな」

ムラビヨフはわが子を見るような目でニーナを見た。

「本来なら、私がお前を育ててやるべきだし、またそうしたかったけれど、簡単に行かない事情があるんだよ。もうしばらく時間がかかる。それまでニーナ、頑張るんだよ。きっと迎えに来るからね」

ムラビヨフはニーナを抱きよせた。ニーナの目から涙がこぼれた。

「ムラビヨフの小父さん、いつか私を迎えに来てくれるんですか？」

「それがお前のために一番いいことだろうし、考えてみれば、一番自然なことだと思う」

「嬉しい！」

「その日を楽しみにちゃんと勉強するんだよ」

「はい」

「ピアノをやっておくといい。きっと将来、役に立つと思うから」

「はい。分かりました」

この日からニーナの心に希望が芽生えた。

時はまさに新緑の季節で、公園には桜や林檎の花が咲き匂い、道行く人々の顔にも笑みがあふれていたが、ニーナの心は誰よりも浮き立っていた。

ムラビヨフ、あの親切な小父さんがいつか私を迎えに来てくれる。そう考えるだけで、踊りだしたいような気分になるのだった。

ミロノアによるピアノ・レッスンが始まった。むろん一番喜んだのはニーナであり、一番熱心でもあった。もともとニーナは手先の器用なほうだったが、バイエルを二ヵ月であげてしまったのにはミロノアも驚いた。

ピアノはニーナにとっての話し相手だった。悲しい時は悲しいように、楽しい時は楽しいように指が動いて音を奏でた。その音を聞いていっそう悲しくなり、いっそう楽しくなり、とにかく慰められた。

その年、一九四八年の八月十六日にニーナは七歳になり、九月、学校に上がった。ソ連では小学校、中学校、高等学校というような一般的な区分はない。小学校が十年生まであり、そこで小中高の一貫教育をしてしまう。そこを卒業した後は各自の希望と実力に応じて、大学ないしは職業訓練学校などに進む。

学校に上がると同時に、就学前孤児院№8から孤児院№5に移らされた。その孤児院はサッコ・イ・ワンチェッチ通りにあった。建物が二つあり、門から入って右が年長組、左が年少組に区分けされていた。広い敷地は高い塀に囲まれていて、スケートリンク、運動場、大きな庭などがあり、その庭で子供たちは豚を飼育していた。ニーナとターニャが仲良しであることを考慮してくれたのか、二人は一緒の部屋だった。それは年少組の建物一階の一番奥だった。

日曜日にはホールで映写会があった。そこでニーナは生れて初めて『ピノキオ』というアニメーション映画を観た。悪童たちになぐられ、海で溺れ、鯨に飲み込まれ、次から次と厳しい試練を与えられてもなかなか人間になれないピノキオ。

ゼペット小父さんの手によって命を与えられたばっかりに、ピノキオはあれほどの苦難を強いられた。ゼペット小父さんはいい人なのか悪い人なのか、ニーナには分からなかった。それと同じように、誰かによって救われたことによって自分の命も今あるのだが、その救ってくれた人は果たしていいことをしてくれたのだろうか、悪いことをしたのだろうか、とニーナは考えるのだった。

映画が終わって明かりがついて、それまで見ていた世界が幻影のように消え去り、空しい現実に引き戻された瞬間、ニーナは思う。

(ピノキオが木の人形なら、私はなんだろう……そうだ、影の人形だわ……)

自分自身が現実世界で実体を持てない存在であることを実感するには十分すぎる人生を、ニーナはすでに生きていたのだ。

学校に行くのはイヤだった。

孤児院にいるのは孤児のみであったから、そこには最低限の思いやりと平等感覚があったが学校となるとそうはいかない。露骨な弱い者苛めが横行していた。

家庭から通学する生徒たちはそれぞれ違った服装をしている。しかし孤児たちはみな孤児院から与えられた制服を着ているから、一目で孤児と分かった。例えば冬などは兵隊に支給されるのと同じ灰色のムートン・コートと帽子を与えられる。それを家庭のある子供たちは「バラーシカ(羊のなめし革)」と言って嘲笑する。そのうち「バラーシカ」が孤児たちの呼び名になる。

「バラーシカ、チョコレート食べる?」

家庭のある子が寄ってきて黒い塊をくれた。

「ありがとう」

チョコレートの好きなニーナはそれを口に入れた。が、もの凄いイヤな臭いと味がした。

ニーナはあわてて吐き出し、服の袖で口をぬぐった。

「はっはっはっはは、バラーシカが山羊の糞を食べた」

家庭のある子供たちはニーナをはやしたてて逃げていく。

親なしニーナ、名なしのニーナ、国なしニーナと歌われるのはしょっちゅうだった。慣れたつもりでも、そのたびに涙が出た。

孤児院に帰るとほっとした。

夕食前はホールでピアノの稽古に励んだ。

夜は自分の部屋で、紙に書いた鍵盤をなぞって練習した。

歳月が流れた。

一九五三年、ニーナは五年生になっていた。

三月、ソ連首相スターリンが死んだ。

国の指導者が死んだだけでこんなにも世界が変わるものだろうか。まるで停電が終わった時のように街が明るくなった。空気中の酸素も増えたように感じられる。

五月、孤児院にムラビヨフが訪ねてきた。

「ニーナ、元気かい？」

「ええ、元気です。小父さんは？」

「お前にかんする国の制約が終わった。だから、お前を迎えに来たんだ」

「本当に？」

ニーナの胸の中は涙でいっぱいになった。

「本当だ」

「いつですか？」

「できるなら、今すぐだ」

ムラビヨフは真剣なまなざしで言った。

「院長先生の許可ももらってある」

「なぜ急ぐんですか？」

「聞くところによると、お前はその目が原因で随分苛められているそうだね」

「ええ」

ニーナは下をむいた。

「それが可哀想でならないんだ。だからこのまま病院へ連れていって手術を受けさせたい。しばらく学校を休むことになるが、早いほうがお前のためだ」

「この傷治るかしら」

「むかしと今では技術も違う。できるだけのことをやってみよう。目が治ったら、お前はもっと可愛くなるに違いない」

なんと嬉しいことを言ってくれるのだろう。親なしニーナ、名なしのニーナ、国なしニーナ、醜いニーナ……子供たちの意地悪な歌から、少なくとも醜いニーナの部分がなくなると思っただけで、ニーナの胸は感激でいっぱいになった。

ニーナは部屋に戻るとターニャに言った。

「ターニャ、私、ここを出ることになったの」

ターニャは目を丸くして、

「どうして？　急に」

ニーナは自分とムラビヨフとの関係をかいつまんで話し、

「とにかく、私がこの世で一番信頼している人が迎えに来てくれたのよ。私の目も治してくれるんですって」

「そう。良かったわね。おめでとう」

と口では言ったが、ターニャの表情は淋しげだった。

「ターニャ、あなたの友情には感謝するわ。あなたのお陰でどんなに勇気づけられたかしれない」

「それは私だって同じ。あなたがいなくなったら、私もう淋しくてたまらない」

涙ぐむターニャを抱きしめ、ニーナも泣いた。

「あなたへの私の友情は一生変わらないわ。だからターニャ、あなたも私を忘れないでね」

ニーナは荷物をつめた鞄を手に院長室へ戻った。そこには院長以下教員たちのほとんどがいて、ニーナを祝福してくれた。

「お世話になりました。ありがとうございました」

深々と頭を下げ、ムラビヨフとともに正面玄関を出ると、門の前には孤児院の子供たちが大勢いて、

「ニーナ、おめでとう」

「ニーナ、幸せになってね」

みなにこやかに手を振ってくれた。

「みんなも元気で。学校で会いましょう」

ニーナも手を振ったが、子供たちの全員が同じ灰色の服を着ていることに気付いた。

(明日から私はもう孤児院の服を着ないでいいんだわ)

そう思っただけで肺の中が酸素でいっぱいになり、呼吸が楽になった。

門の前には黒塗りの車が待っていた。

(イリーナの家の前で無理矢理乗せられたあの車と同じだわ)

ニーナの顔は一瞬青ざめ、足も止まったが、

「大丈夫、私を信頼しなさい」

ムラビヨフに言われて、また歩きだした。

後部座席に座ると、助手席に黒いハットの男が乗っていた。そこでまたニーナが身構えると、男は振り返り、

「怖がることはありませんよ、お嬢さん」

低い声で言った。

「お嬢さん?」

「ニーナ、君は今日からムラビヨフ閣下家の一員ですからね。お嬢さんですよ」

「…………」

話がどうなっているのか見当もつかず、ニーナはムラビヨフと男を交互に見た。

「この人は政府の方だ。一時はお前を孤児院に入れておく必要があって、その仕事をしたんだが、体制が変わってその必要がなくなった。そのことを私に知らせてくれたんだよ。だからこうして一緒に迎えに来たというわけさ」

ムラビヨフが説明していると、男は黒いハットを指で持ち上げ、

「あの時は失礼しました。お嬢さん」

にっと笑った。

「市民病院へやってくれ」

ムラビヨフが命令口調で言うと、男は、

「はい。かしこまりました」

と答え、運転手に顎をしゃくった。

車は真っ直ぐ市民病院へ行き、ニーナは入院手続きを取った。なにもかもがきちんと準備されていて、ニーナはその日から入院することになった。

二日後に手術を受けた。瞼の下の神経をつなぐ手術は二時間もかかった。ニーナは声一つ上げずに耐えた。

十日後に抜糸したが、右目のまわりはなぐられた後のように青黒く腫れあがっていた。鏡を見てニーナは、前よりもっとひどくなるんじゃないかと心配した。が、一週間経ち、腫れがひいてくると、左右の目はほとんど対称になった。それでも手術の際に切ってしまっていた睫が生えそろうまでは、なんとなく自分の目のような気がしなかった。が、想像以上に治ったことは確かだった。

退院の日も、黒い車と黒ハットの男が病院の前で待っていた。

ムラビヨフは言った。

「お前の新しいママの家に連れていこう」

「えっ、ムラビヨフ小父さんと暮らすんじゃなかったの？」

ニーナは顔を曇らせた。

「私たち老夫婦にはお前を育てるなんて無理なことだ。だからソーニャに頼んだ」

「ソーニャって？」

「私の妹だ。ルナチャルスキー記念国立オペラ・バレエ劇場でピアニストをやっている。スターリングラードの戦いで亭主を亡くし、子供もいない。きっといいママになってくれるに違いない」

走る車の中で、ムラビヨフは思い出し笑いをした。

「小父さん、なにを笑っているの？」

ニーナはムラビヨフを見上げて訊いた。

「いやなに、運命とは面白いものだなあと思ってね」

「どういうこと？」

「妹のソーニャはね、お前を育ててもいいって前に言ったことがあるんだ。むろん冗談半分だったけれど、それがね、回り回って結局育てることになるとはね。人の縁とは不思議なものだということさ」

「その人、そんなこと言ってくれたことがあるの？」

「うん。あるんだ」

「嬉しいな」

デカブリストフ通り一六—三六五にあるソーニャの家に行くと、

「まあ、なんと可愛い子なんでしょう」

ソーニャは満面の笑みを浮かべて迎えてくれた。

ソーニャは、ニーナが想像したとおり、知的で優しい五十代の女性だった。


「ニーナ、あなた、この家に初めて来た時のこと憶えてる？」

朝食のあとのコーヒーを飲みながらソーニャが言った。

「はい。憶えてます。ムラビヨフの小父さんが迎えに来てくれたことが嬉しくてたまらず、またその嬉しさがいつかは壊れるのではないかと、それが怖くてがたがたふるえてました」

「あの時、あなた、いくつだったの？」

「十一歳、五年生でした」

「私には九歳くらいにしか見えなかったわ」

「ママは私に言いました。ニーナ、あなたがうちに来てくれたことは嬉しいわ。これは運命に違いない。ですからこの運命をお互いが努力していい方向に持っていきましょうって。その言葉に感動したことを昨日のことのように憶えてます」

「ニーナ、あなたは言ったわ。私はなぜ生きているのですか。私に本当の命を吹き込んでくださいって。私はその言葉を聞いた瞬間、あなたが哀れで泣いてしまった」

ピノキオの映画を観て以来、ニーナは自分のことを本当の命の吹き込まれていない人形のようなものだと思い込んでいた。そのせいでそんなことをつい言ったのだろう。

「でも私はあの時、あなたに本当の命を吹き込んであげようと心に誓った。で、私はあなたに訊いたんだわ。あなた憶えてる？」

「はい。よく憶えてます」

「あなたが今、私にして欲しいことはなにって？」

「私は答えました。私に本当の命を吹き込んでくださいと」

「そのために、私はあなたになにをしてあげたらいいのかしらと訊いた」

「ピアノを教えてください。私、ピアノが好きなんですと私は答えました」

「そうだったわね」

ニーナは就学前孤児院No.8でミロノアにバイエルを習い、孤児院No.5に移ってからは、孤児院にある楽譜を後先もなく弾きまくるという自己流のレッスンをつづけていた。


きちんとした先生についていないから、上達の度合いが分からないが、ピアノはニーナにとって唯一無二の友だった。一つの音が無限に想像力をかきたててくれる。ピアノさえ弾いていれば、現実生活のささいな出来事やそのことによってかき乱され汚された心を洗い清めることができた。美しいメロディ、完璧なハーモニー、それらが自分の指先から弾きだされるたび心は自在に時空を超え、この音楽を生みだした作曲家たちと同じ世界に生き、彼らと楽しく会話を交わす自分を感じることができた。不思議なことに音楽は、人間の醜悪さを表現することができない。そこがニーナは特に好きだった。人間の中にある醜い部分や卑しい部分を忘れて、ひたすら神々しいものにむかって突き進む喜びを音楽は与えてくれた。

「私に、ピアノを教えていただきたいのです」

それはニーナの切実な願いだった。

「なにか演奏して聞かせてくれないかしら？」

モーツァルトの『ロンド・イ短調Ｋ５１１』を弾いた。憂愁にみちた、ニーナが愛してやまない曲であった。

演奏が終わるとソーニャが言った。

「子供には難しい曲よ。でも、よく弾けてたわ。筋はいいけれど、今からプロの演奏家になるのは無理みたいね」

「そんなこと考えていません。ただピアノをもっと上手く弾きたいんです」

「上手く弾くだけではつまらないわ。人の心を動かさないことには。演奏の喜びは聴く人があって初めて成立するものだから」

「でも……」

「分かったわ。あなたに私の跡継ぎになってもらうことにするわ」

「跡継ぎって……」

「あなたをルナチャルスキー記念国立オペラ・バレエ劇場のコレペティートルにしてみせるわ」

「本当ですか？　私にそんな才能ありますか？」

「今からみっちりレッスンを積めば、十年後にはね」

「嬉しい！」

正直に言うと、ニーナの喜びの中には、十年間この家に置いてもらえる保証を得たことの安心感もあった。

「コレペティートルというのは、オペラやバレエの稽古用のピアニストのことよ。公演を支える陰の存在で、苦労の割に収入は少ないわ。それでもいいの？」

「ピアノが弾けるならどんな苦労だって平気です。ましてやママと同じ仕事ができるなんて最高です」

こうしてニーナはソーニャの養女となった。学校には家から通った。服装は自由だった。ムラビヨフ中将の妹の養女となったせいか、子供たちの苛めも相当に和らいだ。成績は中位だった。あまり勉強ができると苛めの種にされるし、あまりにできないとバカにされる。中位がちょうどいいのだった。ニーナはピアノのことしか考えていなかったから、学校の成績などはどうでも良かった。家に帰るとすぐにピアノにむかい、食事の手伝いと食事の時間をはぶいて、夜遅くまで鍵盤をたたいていた。

学校のない日は、ソーニャはニーナを劇場に連れていってくれる。劇場には長蛇の列ができ、公演は大成功している。そんな光景を横目に見ながら五階の稽古場へ行くと、アーティストたちは次の公演のための稽古に余念がない。そんな稽古場の雰囲気がたまらなく好きだった。功労芸術家の称号を受けているソーニャは、みんなから尊敬され、その仕事ぶりには威厳があった。ニーナはソーニャを誇らしく思った。ソーニャはコレペティートルという仕事を身をもって教えてくれた。

ルナチャルスキー記念国立オペラ・バレエ劇場はニーナにとってわが家の庭のようなものだった。大道具、小道具、裏方のスタッフのみんなと仲良しになった。劇場管理人のカザコフは特にニーナに目をかけてくれていたから、劇場の出入りは自由だった。楽屋口から入り、劇場の通路に出、広い階段を駆け上って三階まで行けば大抵一つや二つの席は空いている。そこに身を沈めて、いったいいくつの演目を観ただろうか。オペラ『アイーダ』『椿姫』『リゴレット』『トスカ』『カルメン』『さまよえるオランダ人』『ボリス・ゴドノフ』『スペードの女王』……バレエ『白鳥の湖』『くるみ割り人形』『眠りの森の美女』『コッペリア』『火の鳥』『春の祭典』……もうかぞえきれない。そのどれもがニーナにとっては夢の世界であったが、こんな夢の世界を創造する人間というものに感動したのだった。その感動がニーナに励みを与えてくれた。

ピアノはめきめき上達した。

人工衛星スプートニク1号の打ち上げが成功した一九五七年の九月、ニーナは十年生となり、翌年の七月、学校を卒業した。十八歳になったニーナはソーニャの助手となり、十九歳でついにルナチャルスキー記念国立オペラ・バレエ劇場付きのコレペティートルとして独り立ちした。

「ニーナ、そんなあなたが恋をするなんて、今でも信じられないわ」

ソーニャはニーナをしみじみと見て言った。

2

台所からお湯の沸いたケトルを持って戻ってきたソーニャは明るい声で言った。

「久し振りに角砂糖が手に入ったから、今朝はロシア式紅茶の飲み方を楽しみましょう」

「えっ、角砂糖が手に入ったの？」

ニーナは目を丸くした。

「昨日、食料品店の前に何時間も並んでやっと分けてもらったのよ。チョコレートも買ったわよ。でも明日の楽しみにしましょう」

「チョコレートもあるの？　凄いわね」

「相当に古ぼけたものだけれど、それでもチョコレートには違いないわ」

ソーニャはケトルから紅茶を二つのカップにそそぐと、その一つをニーナに与えた。紅茶のいい香りが漂う。

「ニーナ、あなた知ってるでしょう？」

「なにを？」

「ロシア式紅茶の飲み方よ」

「そんなのあるの？　知らなかった」

「こうするのよ」

ソーニャは前歯の間に角砂糖をはさみ、そのはさんだ角砂糖を通して紅茶をすすった。

「あら、面白そう」

ニーナも真似をした。

少し飲みにくい。角砂糖に触れずに口に流れ込んだ紅茶の味と、角砂糖を通って口に入った紅茶の甘みが舌の上で混じりあう。なんとも言えない微妙な違和感が、ニーナには官能的だった。二つの舌がからまりあうような快感と言ったらいいか。

角砂糖を一度スプーンで受けてからニーナはうっとりとした表情で言った。

「とても美味しいわ」

ソーニャはじっとニーナを見て、

「あなた、この味分かるの？」

「ええ。分かるわ」

「あなたはやはり大人になったのだわ」

「ママ、なんのこと？」

「子供にはこの繊細な味は分からない。子供はただ喜ぶだけ。でもニーナ、あなたは違う。あなたは恋人とキスをしているような表情をしたわ」

「ママったら、意地悪ね」

ニーナは赤くなりうつむいた。

ロシア式で紅茶を飲み終わると、

「なんども言うようだけれど……」

ソーニャは遠慮がちに言いだした。

「私には人種偏見もないし、ユダヤ人蔑視の考えもないわ」

「分かってるわ」

またかと思い、ニーナは生返事をした。

「だけどニーナ、あなたの恋人がユダヤ人であることが、とても気にかかるの」

「なぜ私の恋人がユダヤ人であってはいけないの？　ほかの人とどこが違うの？」

「どこも違わないわ。ただ、国家が神経質になり過ぎているのよ。ユダヤ人と見れば、国家反逆の陰謀を企てる要注意人物と決めてかかっているわ」

一九四七年から五三年にかけて、ソヴィエトを代表するユダヤ系の作家、詩人、思想家たちが多数、アメリカ合衆国ないしはイギリスのスパイ容疑でGPU（ゲーペーウー）（国家政治保安部）によって逮捕され、形ばかりの裁判の末にそのほとんどが射殺された。処刑を免れた人たちは強制収容所に送られそこで死んだ。まだ公にされていないが知る人ぞ知る事実である。また一九五三年、ユダヤ人医師陰謀事件というのがあり、事実無根の罪で多くのユダヤ人医師が処刑された。ソーニャはそういった一連の、スターリンがとったユダヤ人弾圧政策を思い起こせと言いたいようだ。

「だから私は心配でならないの」

　ソーニャは涙ぐんだ。

　その心配を打ち消すように、ニーナは言った。

「でも、ダヴィッドは大丈夫よ。彼は国家と仲良くやっているわ」

「ダヴィッドがいくら国家と仲良くやっているつもりでも、ある日突然、事態はがらりと変わるのよ。国家の気分次第なのよ」

「スターリンが亡くなってからは随分と違うのではないかしら」

「いえいえ、ロシア人のユダヤ人嫌いは根強いわ。街を歩いてごらんなさい。ユダヤ人にたいして嫌悪感をあらわにしている老人や若者にいくらだって出会えるわ。彼らは口々にこう言っている。国家の要職にも銀行にも経済人にも弁護士にも音楽家にもユダヤ人がぞろぞろいる。むかつくったらありゃしないって。あなただって知っているでしょう？」

「いわれのない差別だわ」

「そう。いわれのない差別には違いないわ。でもね、ソヴィエト連邦は、それまでに存在した国家を転覆させて成立した国家だから、国家などというものはいつ転覆してもおかしくないものだということを誰よりも分かっているのよ」

「それとユダヤ人とどう関係があるの？」

「古い体制が崩壊して世の中が新しくなり、自由と平等の意識が一段と高まった時、一番喜ぶのは誰だと思う？」

「それまで弾圧されていた人たちだわ」

「つまりユダヤ人よ。そこから話は一気に飛躍して、ユダヤ人はいつでも国家転覆を企んでいるに違いないと国家は警戒し、その警戒がヒステリーを起こすとユダヤ人弾圧になるのよ。ロマノフ王朝の昔からずうっとそうやってきたんだわ。事実、ソヴィエト革命の中心人物の中にはトロツキーのようなユダヤ人もいたわけだから」

「ママ、ごめんなさい。私そろそろでかけないと遅刻しちゃうわ」

ニーナは腕時計を見、腰を上げた。

「悪かったわね、愚痴ばっかりならべて」

ソーニャは淋しげな笑みを浮かべた。

「いいえ。とても勉強になったわ。だからといってダヴィッドと別れるつもりはないけど、どんなことが起きても驚かないよう覚悟だけはしておくつもりよ」

「ニーナは頑固だからね」

ソーニャはあきらめの笑顔を見せ、ニーナを見送った。

デカブリストフ停留所でトランバイを待っている時も、トランバイが来てそれに乗り、固い座席に座って揺られている時も、ニーナは深い思いに囚（とら）われていた。

「ワルツっていうのはもっと激しく情熱的で、しかも知的なものなんだよ」

ニーナの耳にダヴィッドの声が木霊する。稽古場で初めて会った時、ダヴィッドはワルツについて熱っぽく語った。

「この三拍子のリズムにモーツァルトもベートーヴェンもショパンもシュトラウス二世もみんな革命への思いというと過激だが、少なくとも新しい時代への期待をこめて作曲したんだ。ソヴィエト革命が成就した時、レーニンは仲間たちになんて言ったと思う？　諸君、ワルツを踊ろう！　だ」

ダヴィッドのあの時のあの目の輝きにニーナは圧倒された。

「さあ、弾いて！　ワルツは魂の解放なんだ。自分の中に眠っているもう一人の自分を目覚めさせるんだ。新しく生まれ変わるんだ」

ダヴィッドの言葉を頭の中でなんども反芻しているうちに、ニーナの身体は小刻みにふるえてきた。

（やはりダヴィッドも国家転覆を画策しているユダヤ人の中の一人なのだろうか。アメリカやイギリスのスパイなのだろうか。ダヴィッドにかぎってそんなことは有り得ないことだとは思うけれど、もし彼の身になにかあったらどうしよう）

ニーナはダヴィッドが急に遠い人のように思えてきて、トランバイに乗っていても落ち着かなかった。

（ダヴィッドは稽古に出てきているかしら。突然姿をくらましてやしないかしら）

オーペルヌイチアートル停留所に着くなり、トランバイから飛び下り、楽屋口から劇場に入って階段を五階まで一気に駆け上がった。

午前十時ちょうど。決して遅刻したわけではないが、稽古場には全員がそろっていて、コレペティートルのニーナ一人を待っているような状態だった。

「ごめんなさい。遅くなってしまって」

ニーナはダヴィッドを始め、演出や振付の先生方に頭を下げ、ピアノに向かった。

「ニーナ、今日は第二幕の頭からだ。分かってるね」

ダヴィッドのやや怒りを含んだ声が飛んできた。

「はい」

ニーナがピアノの譜面台にひろげた楽譜は滑り落ち、あわててそれを拾って譜面台に載せるとまた落ちた。やっと楽譜が落ち着いた時には汗びっしょりだった。

フロアにはダンサーたちが勢揃いし、音楽の始まるのを今や遅しと待っている。

ダヴィッドは険しい目でニーナをにらみ、

「いいね。行くよ」

ニーナの返事を待たずに指揮棒は振り下ろされた。

情景「砂糖の山の魔法の城」はさほど難しい曲ではないのだが、今日のニーナはなぜか上手く弾けなかった。ダヴィッドのことで頭がいっぱいで音楽に集中できない。ダンサーたちも踊りにくそうだ。しかし今のニーナには、ダンサーたちの踊りを見て自分の演奏に緩急をつけるなどという余裕はない。しかも「この曲もワルツだ」と思うといっそう指が動かなくなる。ダヴィッドの指揮棒を見てついていくのが精一杯だった。次の情景「クララと王子」までを一区切りとして、一時間稽古して休憩に入った。

稽古場の端のほうで身を小さくしているニーナのそばへダヴィッドがやってきて、コーヒーカップを一つ差し出した。

「飲むかい？」

「ありがとう」

ニーナはカップを受け取ったが、飲む気力もなく呆然としていた。

「どうしたんだい、ニーナ、今日は調子が悪そうだね」

「寝坊したもので、集中力を欠いてて申し訳ありません」

「それならいいけど、なにか悩みごとでもあるのではないかと心配しちゃったよ」

ダヴィッドの薄い笑みを浮かべてものを言う癖はいつもと変わらない。

ニーナは少し安心し、小さな声で言った。

「ねえ、ダヴィッド、私を棄(す)ててどこかへ行ったりしない？」

ダヴィッドは驚き、あたりをうかがって、

「なにを言い出すんだい急に。俺はずうっとこのルナチャルスキー記念国立オペラ・バレエ劇場で働くんだ。音楽総監督になるまでね」

ダヴィッドは屈託のない笑顔を見せている。とても嘘をついているとは思えない。

「今夜、一緒に帰ってくれる？」

「もちろん、そのつもりだけど……どうしたの？」

「ああ、良かった」

「なにが?」

「あなたが遠いところへ行ってしまうような夢を見たものだから」

「バカだなあ。そんなことある訳ないだろう。さあ、稽古をつづけよう」

ダヴィッドはコーヒーを飲み干し、そのカップをニーナに渡した。

昼食と夕食をとる時間は一応決められているのだが、それを忠実に守ろうとする者は一人もなく、一時間に五分か十分休むのがせいぜいだった。少しでも先へ進んでおかないと初日に間に合わないのではないかという焦りにも似た思いがそうさせるのだが、それに不満を言う者はむろんいない。これがこの劇場の伝統的稽古方法でもあった。だから稽古はのべつつづいていた。指揮者のダヴィッドは比較的わがままがきいた。「ぼくの指示通りやっといてくれ。ちょっと休憩する」と言えばそれで済んだが、コレペティはそうは行かない。今回の公演には三人のコレペティがいたが、ニーナは主任だからそう簡単には休めない。

「アン、ドゥ、トロワ。アン、ドゥ、トロワ」と振付師が手拍子をとりながら声をかけ、ダンサーたちに動きを教え込んでいる時にも、一緒になってそれを見、頭にたたき込んでおかなくてはならない。常に全体を捉えておき、細部にわたっても細心の注意を怠らない。体力と知力と精神力だけでなく芸術性も求められる。コレペティという仕事の重さにニーナは押しつぶされそうだった。

夜の九時、稽古が終わった。

「長い一日だったね。さ、帰ろうか」

ダヴィッドはニーナの肩をたたき、ついて来いと言わんばかりに先に立って歩いた。

階段を下り、楽屋口から外に出て、停留所でトランバイを待っている時も、トランバイが来てそれに乗り、二人並んで座っている間も、ダヴィッドはニーナに話しかけなかった。ニーナは少し心配になった。

ヴァシモーヴァ・マールタ（三月八日）通りでトランバイを降りると同時にニーナは尋ねた。

「私のピアノが下手だったから怒っているの？　それとも私、なにか失礼なことでもした？」

ダヴィッドは前をむいたまま答えた。

「なにも怒ってはいない。ピアノも決して下手ではなかった。初めてのコレペティにしては上出来だよ」

「じゃ、なぜ、そう不機嫌なの？」

ダヴィッドは振り返り、にこっと笑った。

「ニーナ、お前は、今日俺に訊いた。私を棄ててどこかへ行ったりしないって」

「あんなこと訊いてはいけなかったのかしら」

「訊いたって別に悪くない。悪いのは俺の答えのほうだ」

「どういうこと？」

「俺は嘘をついた。そのことで自己嫌悪に陥り、俺は不機嫌なのだ」

「じゃ、ルナチャルスキー記念国立オペラ・バレエ劇場でいつまでも働くって言ったのは嘘だと言うのね」

ニーナはダヴィッドの顔をまじまじと見た。

濃い眉の下に茶色い瞳がきらきらと輝いていた。野心に燃える若者の顔だ。

「俺には夢がある。しかしお前には言えない」

　ニーナの胸に寒い風が吹いた。

「なぜ？」

「右手のやっていることを左手に教えてはならないというユダヤの諺（ことわざ）がある。はかりごとは秘密でなければならないってことさ」

「はかりごとって、ダヴィッド、あなた、なにを計画しているの？」

　ソーニャとの今朝の会話を思い出し、ニーナはぞっとした。

「はかりごとってほどのものではないが、夢にむかって計画は立てている。しかしお前に教えるわけにはいかない」

　ダヴィッドの顔は真剣そのものだった。

「私を信用してくれないのね」

「ああ、信用してないよ」

　ダヴィッドのにべもない言い方にニーナは傷ついた。

「私はあなたの恋人でしょう？」

「そうだよ」

「どうしてもっと信用してくれないの？」

「ねえ、ニーナ」

　ダヴィッドは諭すように言う。

「俺がまだ幼い頃、親父は俺を家の階段の、七、八段の高さのところまで上らせて言った。そこから飛び下りてこい、お父さんが受け止めてあげるからって。両手を広げ、にこにこと笑いながらね。俺は親父の胸にむかって飛び下りた。そしたらなんと親父はさっと手を引っ込め、身をかわした。俺は頭から床に落ちて、額や膝をしたたかに打った。その痛かったことといったらなかった。そこで親父は言った。人をたやすく信用してはならない。たとえ親といえどもだ、とね。ユダヤ人はこうやって子供を教育するんだ。これは何千年にもわたって人に騙(だま)され裏切られてきたユダヤ人の知恵なんだ。だから俺はお前を信用しない」

「なんだか悲しいわね」

「なぜ？」

「人を信用できないなんて」

「ニーナはまだ甘いね」

「どうして？」

「俺が今お前に、俺の夢の中身を打ち明けたらどうする？」

「嬉しいわ」

「バカだなあ、お前は」

「そうかしら」

「そうさ。その秘密を胸にしまい込んでおくのは至難なことだよ。それだけでお前は衰弱してしまう。しかも俺だって気が気じゃない。だから言わないほうがいいし知らないほうがいいんだ」

「私は絶対にあなたを裏切らないわ」

「絶対なんてないよ」

「じゃ、なぜ夢があるなんて言ったの？」

「本当に俺には夢があるんだもの。その夢をかなえようとしたら、お前が泣くに決まっているんだもの。お前を突然裏切らないための優しさだと思ってくれ」

「あなたの夢に私は参加できないの？」

「できないんだ、俺一人の夢だから」

果樹園から流れてきた甘い香りはニーナの鼻の奥をつんと刺し、次には涙となって目からあふれた。

「私たちの約束はどうなるの。私たちは大いなるものの下で兄弟になったのではないの？」

「その約束に変わりはないよ」

「ならばどうして？　あなたはいつか私の前から消えてしまうのに」

「人間はいつかかならず死ぬじゃないか。それと同じことさ」

「そんな答え方って狡いわ」

「どこが狡いんだい？」

「生きていて別れるのと、死によって引き裂かれるのとは意味が違うと思うわ」

「同じだよ。恋をして抱きあうってことは自由になることだと言ったはずだ」

「憶えてるわ」

「肉体も精神も失って魂的存在になるということだ」

「それは死に似ているってあなたは言ったわ」

「ほら、同じじゃないか。肉体同士がいくら結ばれたって、魂的存在を実感できなかったら無意味なことだ。魂的存在を実感できたら、肉体が離れていようと一緒にいようと、実はどうでもいいことなんだ」

「なんだか上手く言いくるめられてるみたい」

「ならば訊くけどさ。お前は余命いくばくもない人を愛せない種類の人間なのかい？　随分打算的なんだなあ」

「それとは違うわ」

「全然違わないよ。この恋に終わりがあると思えばこそ、今この一瞬が貴重なんじゃないか」

ゆっくりと歩いていたつもりなのに、気がつくとダヴィッドの黒い家の前だった。

「で、どうする？　俺の家に寄っていくかい？　それとも帰るかい？　帰るなら送っていく。すべてはお前の自由意志だ」

ダヴィッドの顔をいくら見ても、そこに答えはなかった。ダヴィッドはまったく虚心にそう言っているようだった。

「あなたはどうなの？」

「俺のことはどうだっていい。お前が自分の意志で決めるんだ」

「あなたは責任を取りたくないってこと？」

「まったく今夜のニーナは低級だな。俺の恋人とはとても思えない。そんな下らないことを言うんだったら、帰れよ」

ダヴィッドは目をつり上げて怒った。

ニーナはすぐにも謝りたかったけれど、謝ったらまた怒られそうで、ただおろおろするばかりだ。

「責任なんて最初から取るつもりはないよ。いったいなんの責任を取るんだい？　お前の処女を奪ったことにかい？」

ダヴィッドは腕を組み、そっぽをむいた。

ニーナは今朝ソーニャにたいして言った自分の言葉を思い出した。

(ダヴィッドと別れるつもりはないけど、どんなことが起きても驚かないよう覚悟だけはしておくつもりよ)

口ではそう言っておきながら、今の自分はなんと俗っぽく愚かな人間を演じているのだろう。ニーナの心は自己嫌悪にさいなまれた。が、うまく言葉が出てこない。

「ニーナ、お前は俺に無理矢理家に引っ張り込まれたいのかい。あまりに強引だったので考える暇もなかったと自分にたいする言い訳が欲しいんだろう。それともそうするのが習慣だったからとか。それこそ責任転嫁じゃないか。俺は酒に酔った勢いでとか、一時の興奮でとか、麻薬の力をかりてとか、札束で屈伏させてとか、そうやって女と抱きあうのが大嫌いだ。とにかく女が自分の意志で俺を愛したいのでなければ、俺は愛されたいとは思わない。言葉で騙すのも嫌いだ。だから正直に言っている」

ダヴィッドは話すことさえ面倒臭そうな素振りだった。すっかり嫌われてしまったと思うとニーナの身体にふるえが来た。止めようとしても止まらない。ふるえる唇の間から言葉を押し出すようにして言った。

「分かったわ。じゃ、もう一度だけ正直に答えて。あなたは私のこと愛しているの？」

怒られることを覚悟で訊いたのだが、ダヴィッドは冷静だった。

「俺はお前を愛しているよ。初めて逢った時からお前のことが気にかかって仕方がなかった。で、手に入れたのだけれど、まだまだお前は俺にとって気にかかる存在なのだ。それがなにかは分からないが、お前には俺を引きつけて放さないなにか奥深い魅力があるのだ」

ダヴィッドの言葉を聞いているうちに、ニーナのふるえは不思議とやんだ。

「でも、夢は夢なんでしょう?」

「そうだ。俺の夢は俺一人のものだ」

ニーナはなんとなく分かってきた。言葉を選びつつゆっくりと言った。

「あなたの夢がなんなのか分からないまま、夢にむかって突き進むあなたを愛せばいいのね」

ダヴィッドはにっこりと笑い、

「そうだよ。去りゆく人を、死にゆく人を全身全霊で愛せばいいんだよ」

ニーナを抱きよせた。

「ああ、ダヴィッド……」

二人は唇を合わせた。今までのどのくちづけよりも熱く、意味の深い時が流れた。

ダヴィッドは左手にニーナを抱いたまま、右手でドアを開けた。その間も二人は唇を離さなかった。

ドアを閉じ、あとは転がるようにベッドへ。

「ダヴィッド、あなたは私を棄てるのね」

「そうだよ。いつかお前の目の前からかき消えるんだ」

「それはいつなの？」

「分からない。本当に分からない」

「それは死を意味しているの？」

「そうかもしれない」

「ああ、ダヴィッド、あなたに棄てられたら私死んじゃう」

「死ぬなよ。俺との恋を思い出にずっと生きるんだ。お前は若いけど、たぶんこんな恋は一生できないと思う。誓ってもいい。そしていつか、俺たちは逢えるかもしれない」

「そうね、生きていれば逢えるわね」

二人は言葉を交わしながらもキスをし、キスを交わしながらも服を脱いでいった。

ダヴィッドがニーナの脚を左右に広げた。

ニーナはほんの少し抵抗した。

「ニーナ、なぜ抵抗するんだい？」

「なんとなく恥ずかしいから」

「なぜそんな下らないことを言うの？　お前が脚を開かなかったら、俺はお前の中に入っていけないじゃないか」

「ごめんなさい、ダヴィッド」

「俺のことが欲しいの？」

「欲しいです」

「欲しいなら、大きく脚を広げるんだ」

ニーナは脚を広げていった。

「もっと大胆に、大きくだ」

ニーナは言われたとおりにした。が、顔を隠した。

「顔を隠すなよ。自分が犯される姿から目を逸らすなよ。じっと俺の顔を見て、脚を広げるんだ。もっと、もっと！　もっと挑発的に！　お前が俺を奪うんだよ。お前の意志で、お前の肉体が俺を犯すんだ」

ニーナはダヴィッドの顔を見据え、自分の脚を思いきり開いた。そうするだけで頭の芯がしびれてきて、息があがってきた。

「ね、お願い、ダヴィッド、入ってきて」

ダヴィッドは顔をニーナの顔の上に持ってきて、

「俺にもてあそばれて燃え上がろうなんて考えは持つなよな。お前自身が燃え上がるんだ。どうしようもないくらいに」

口に息を吹きかけてくれるが、キスはしてくれない。ニーナは自分の唇を舐めた。

「自分で乳房をもんで腰を振って、もっといやらしくなって、自分がなにものであるか忘れるんだ。バカになるんだ」

ニーナは両手で自分の乳房をもんだ。

なんて私は最低な女なんだろうと思ったが、思うそばから、せつない声が口からもれた。身体がほてってたまらない。そのほてった身体のあちこちを、まるで愚弄(ぐろう)するように、ダヴィッドは指で触れてくる。そのたびにニーナはうっと声を発し、反射的に逃げる。

「なぜ逃げるんだよ」

「だって、くすぐったいんですもの」

「自分勝手な女だなあ。じゃ、お前に触りたいという俺の気持はどうなるわけ。指を差し出してぼうっとしていろというの？」

「そんなつもりはないけど……」

「とにかくお前は、俺が初めての男であるにもかかわらず、つまらない習慣や常識にがんじがらめにされている。そういうものから自分を解き放つんだ。お前にもし優しい気持があるなら……」

「あるわ」

「あるなら、逃げちゃいけない。自分の身体に近づいてくる俺の指を意識して、くすぐったいことを承知でじっと待つんだ」

そう言って、ダヴィッドは人差し指をニーナの脇腹に近づけてくる。ニーナは両手を自分の乳房においたまま、息を呑んで身をふるわせた。

「うう……」

ニーナは歯を食いしばり、目ではダヴィッドの指をにらんでいた。

「逃げるなよ」

低い声でダヴィッドは言う。逆らったら軽蔑されそうだ。

ニーナはもう全身でくすぐったさを感じ、がたがたとふるえた。

「くすぐったいんじゃない。実は快感なんだ。だから、この一点の快感に期待をふくらませて俺の指を待つんだ」

ニーナは目を閉じ、なにがあろうと絶対に身体を動かすまいと自分に誓った。

と、そこへ、ダヴィッドの指が右の脇腹に触れた。ニーナは脇腹でダヴィッドの指を受けとめ、そして押し返すようにした。

「そうだよ。それが優しさというものだ」

脇腹の一点から全身に快感がひろがるのが分かった。

「ああ、いいわ」

ニーナは感に堪(た)えた声を発し、身をくねらせた。

ダヴィッドの指が腕に触れた。ニーナにとってそれも、今まで知らなかった強い快感だった。もはやくすぐったくない。ダヴィッドの指はニーナの太股、背中と、思いつくがままに触れてきたが、そのたびにニーナは喜悦の声をあげた。

ダヴィッドの指がニーナの、たっぷりと潤いをふくんだヴァギナに触れた。ニーナの快感は爆発するようだった。

「俺の割礼を受けたペニスを入れてやる」

ダヴィッドはうめくように言い、ニーナの中へ入ってきた。それだけでニーナは強烈なアクメに達し、ほとんど失神した。

どのくらい眠っていたろうか。気がつくと、歌が流れていた。誰が歌っているのか、とても柔らかいバリトンだ。

ダヴィッドはベッドの前の椅子に腰かけ、じっとニーナをみつめていた。

「とてもいい顔をして眠っていたよ。いじらしいくらいに」

「これ、マーラーの『さすらう若人の歌』でしょう?」

「うん。俺の夢の答えになるかと思ってね」

ダヴィッドは薄く笑い、言った。

「マーラーは三重の意味で故郷のない人間だった。オーストリア人の間ではボヘミア人として、ドイツ人の間ではオーストリア人として、全世界の中ではユダヤ人として。どこへ行っても、決して歓迎されることのない招かれざる客だった。俺も同じだ。ロシア人の間ではウクライナ人として、ウクライナ人の間では故郷を棄てた人間として、そして全世界ではユダヤ人として、誰からも歓迎されることのない招かれざる客なんだ」

「ああ、ダヴィッド、私の心の氷を溶かす前に、あなたの心の氷を溶かしてあげたい」

ニーナの頬はすでに恍惚(こうこつ)の涙にぬれていたが、それが乾く間もなく、悲しみの涙がまたぬらした。

ニーナはベッドから降り、一糸まとわぬ身体でダヴィッドの膝の上に座った。

ダヴィッドは右手でニーナの左の乳房を握り、右の乳房に顔をうずめてじっと音楽を聴いている風だった。バリトンが歌う『さすらう若人の歌』はドイツ語であったが、学校で習ったから、完璧ではないまでもニーナにも理解できた。

ぼくは真っ赤に焼けた
ナイフを持っている。

一本の焼けたナイフを、
胸の中に——
なんて苦しい！
そいつは深く突き刺さっている、
すべての喜びに、
すべての楽しさに。
ああ、なんという凶悪な
客であろう。（西野茂雄訳）

（真っ赤に焼けたナイフとは、これ以上に痛々しい悲しみがあるだろうか）

そう思っただけで、ニーナの胸は張り裂けそうになった。

やがてダヴィッドはぽつりと言った。

「マーラーはね。ウィーン宮廷歌劇場の指揮者になるためにユダヤ教を棄て、カトリックに改宗した。そうしないと、色んな妨害が入って契約してもらえなかったんだ」

「そうまでして、マーラーはウィーン宮廷歌劇場の指揮者になりたかったの？」

「そりゃあそうさ。自分の芸術にたいして共感する人を一人でも多く得たいと願うのは芸術家の業だ。たぶんみなそうするだろう」

「卑怯だと思わないの？」

「思わないさ。この世で最も価値ある自分の芸術のために自分の人生を捧げることのどこが卑怯なんだい？」

「民族や国家を裏切ったことにならないの？」

「芸術家は自由だ。民族性や国民性は自ずから作品に反映され、それはその民族や国家にたいして必ずや栄光をもたらすものとなるのだ。またその自信あればこそ芸術家は、ある時、民族や国家を裏切ることがある。そのことによって後に咎められた芸術家はいないが、国家におもねったことによって失墜した芸術家は山ほどいる」

マーラーを例にひいて話をしているが、ダヴィッドはいったいなにを言おうとしているのだろうか。亡命でもしようとしているのだろうか。ニーナは怖くなって考えることを止めた。

「ねえ、ニーナ、お前だってピオネール（共産党少年少女団）に入っただろう？」

ソ連では子供たちが十歳になると、自動的にピオネールに入団するのが決まりだった。ニーナもむろん入ったが、ほかの子供たちのように「ピオネールは祖国と党と共産主義のために忠誠を尽くします」と大声で言う気持にはなれなかった。自分の民族名があやふやなことと、来る日も来る日も子供たちに苛められ、ソ連という国にたいする愛情が育たなかったことが主な理由だ。

「入ったことは入ったけど、入団の時に授与された赤いスカーフと記章はどこかにしまったきり失くしてしまったわ。その程度のピオネールよ、私は」

ニーナは正直に言った。

「俺は真面目なピオネールだった。一つ、ピオネールは闘争と労働における英雄たちを模範とします、一つ、ピオネールは勉学と労働とスポーツに励みます、一つ、ピオネールは偽りのない誠実な同志であり、つねに真実の味方となります、とピオネールの誓いを毎日唱えていた。そして十五歳になると、赤いスカーフをはずし、コムソモール（共産主義青年同盟）に加わった」

「あなたは真実そうしたくてそうしたの？」

ダヴィッドは薄く笑い、

「マーラーの改宗と同じことさ。世を欺いただけのこと。生きるためにはそうしなければならなかった」

「つまりはあなたの芸術のためね」

「その通りだ」

ダヴィッドは一声笑うと、ニーナの顔を両手ではさみ、じっと目を見て言った。

「ニーナ、お前の心の中に溶けない氷があるように、俺の胸の中には一本の真っ赤に焼けたナイフがあるんだ」

「それはあなたの胸に深く突き刺さっていて、抜き取ることはできないのね」

「できない、多分永遠に。このナイフはユダヤ人としてのアイデンティティでもあるんだ。だから、このナイフが抜け落ちてしまったら、自分自身を見失うかもしれない。しかしこのナイフは日夜、俺を苦しめる」

そいつは片時も休まない、
そいつは片時も憩わない、
昼も休まない、
夜も憩わない、

　ぼくが眠っている時にさえも！

　おお、なんて苦しい！


「ああ、ダヴィッド……私はあなたになにをしてあげられるの？」

「そうだなあ……」

　ダヴィッドはやや考えてから言った。

「俺に優しくしてくれたらそれでいい」

「そんなの簡単すぎるわ。私はあなたに優しくしたくてたまらないんですもの」

「お前は俺にものすごい喜びを与えてくれている。それだけで十分だ」

「喜びを与えてくれているのはあなただわ。私はただ抱かれているだけですもの」

　ニーナは本心から、快感のすべてはダヴィッドが与えてくれているものと思っていた。

「そんなことはない。ニーナ、お前の肉体は特別だ。俺はお前によって初めて女体の神秘に触れたような気がする」

「私はあなたに抱かれて、それはそれは恍惚としているのよ」

「お前の恍惚が俺に恍惚を与えるんだ」

「それはあなたが素晴らしいからだわ」

「お前が素晴らしいんだ」

「どういうことなの？」

「お前はあてどない人生を流されるように生きてきた。そして俺という男に出会い、疑うこともせずに愛し、信じている。その素直さがお前の肉体の感覚を鋭敏にしてるんだ」

「みんなあなたが教えてくれたことだわ」

「お前は俺の言うことを疑わない。それだけに、お前に隠し事をしている自分がつらい」

ダヴィッドはうめき声のようなものをもらし、ニーナの唇をむさぼった。

ニーナの身体に痙攣が走った。

「こんな宝石のような肉体を失いたくない。なのに、俺は、俺は……」

ダヴィッドは涙をすすりあげた。

あえぎつつニーナは言う。

「ねえ、ダヴィッド、一度だけ言わせて」

「なんだい？」

「あなたと私は結婚できないの？」

ダヴィッドは急に厳粛な顔になり、

「ユダヤ人はユダヤ人の女としか結婚できないことになっている」

明らかに怒った声だ。

「ユダヤ人の女と結婚していないユダヤ人はいっぱいいるわ。マーラーだってそうでしょう？」

「母親がユダヤ人でない場合は正式にはユダヤ人と呼ばない。ユダヤ人の父を持ちユダヤ人でない母親から生まれた子供はユダヤ人ではないが、もしユダヤ人になりたいのであればなることができるという実に複雑な人生を強いられる。可哀想だ」

「子供を作らなければいいじゃない？」

「ニーナ、俺には夢があると言っただろう？　その夢にお前は参加できないんだ。まだ分からないのかい？」

ダヴィッドは自分の口でニーナの口をふさいだ。

「ごめんなさい……」

唇が離れるわずかの合間にニーナは言う。

「もう二度と言わないわ」

とは言ったものの、ニーナにはもう一つ、ダヴィッドの真意が測りかねた。

ダヴィッドはニーナを抱いて立ち上がり、そっとベッドに横たえた。

「ニーナ、お前は俺に、人間として生まれ生きていることの喜びを、命の喜びを与えてくれるのだ。その喜びの最中にも、焼けたナイフは俺の胸を痛めつけるのだが……」

「私だって同じ。自分が何人か分からないような、私のこのあてどない人生と肉体に、あなたは存在の意味と喜びを与えてくれたわ。あなたといる時だけよ、私が心から生きていると実感できるのは」

ダヴィッドはニーナの身体を開いた。

「氷の心に焼けたナイフを突き立ててやる。氷が溶けるか、ナイフが凍てつくか」

ダヴィッドはニーナの中に入ってきた。

固いペニスをヴァギナの中に感じ、ニーナの腰は自然に動いた。

「ああ、ニーナ、お前は本当に素敵だ」

ダヴィッドは身体をふるわせた。

その時、突然、ニーナの心の中でもやもやしていたものが、言葉となって出た。

「嘘だわ。ダヴィッド、あなたは嘘をついているわ」

「嘘って、俺がどんな嘘を？」

ダヴィッドはニーナの目をしげしげと見た。

「私の身体が素晴らしいなんて嘘だわ」

「嘘じゃない。最高だよ」

「あなたはまだ一度も私の身体の中で射精してないわ」

「お前の身体の中で射精しようと外でしようと、お前の素晴らしさになんの変わりもない」

「そんな我慢がきくなんて、つまりあなたがそんなに冷静でいられるってことは、私の身体は素晴らしくもなんともないってことだわ」

「お前が絶頂に達してくれたら、俺はそれで大満足なのだ」

「そうかしら、あなた自身の絶頂はどうなるの？」

「だから、お前の恍惚が俺をも恍惚にさせるって言ったじゃないか」

「なぜ、もっと私を抱きつづけて、もっと私に恍惚を与えて、もっとあなたも恍惚にひたろうと思わないの？」

「…………」

ダヴィッドは言葉につまった。

「私に死ぬほどの恍惚を与えて、自分も死んでしまおうとなぜ思わないの？」

「…………」

「そうしないで、なにが魂の解放なの？」

「…………」

「子供ができることが怖いのね」

「…………」

「でも、そんな臆病なことを言っていたら、魂の解放なんて絵空事だわ。あなたの胸に突き刺さっている焼けたナイフは永遠に抜け落ちないだろうし、熱も冷めない。いくらあなたの真っ赤に焼けたナイフを私の身体に突き立てたって、私の心の氷が溶けだすことも永遠にないわ」

「ニーナ、分かってくれ……」

「分からないわ」

ニーナはダヴィッドの身体をおしのけた。

ダヴィッドはうなだれ、髪の毛をかきむしっている。

「ダヴィッド、私のこと嫌いになった？」

「お前は、俺が考えていたよりもはるかに優れた人間だ。愛してる。本当に愛してる。でも、これ以上進んだら、身動きが取れなくなってしまいそうだ」

「あなたは自由よ。芸術家ですもの。私なんかに束縛される必要はまったくないわ」

ニーナはダヴィッドを抱きよせ、その耳につぶやく。

「ねえ、ダヴィッド、あとで私を裏切ってもいいわ。私を棄てても恨まないわ。あなたの夢の邪魔をするつもりもないわ。だから、せめて今だけは、全身全霊で私を抱いて！」

ダヴィッドはすすり泣き、その涙がニーナの耳をぬらした。

「さあ、ダヴィッド、いらっしゃい。なにも恐れることなく、なに一つ我慢することなく、自然なままで、私の中に入ってきて！」

ダヴィッドのためなら、自分の人生がどうなろうと、そんなことはどうでもいい。今この時を逃したら、影の人形のような自分の肉体に命を吹き込まれることは永遠にないのではないかとニーナは思った。

ダヴィッドはニーナを強く抱きしめた。

ニーナはダヴィッドの背中に指を走らせる。

「ああ、ニーナ、お前は俺の女神だ」

「そうよ。私はあなたの女神よ。ここは天国。天国で一休みしたら、また現実に戻ればいいんだわ。私は地上まで降りていって、あなたを追いかけたりはしない。さあ、安心して、私の中に思いっきり射精して。私の肉体に命を吹き込んで！」

ニーナは身体を大きく開いた。

ダヴィッドはためらいつつ入ってきた。

ニーナはそれを迎え入れ、しっかりとつかんだ。

ダヴィッドがわずかに動いただけで、ニーナは絶え入るような声をもらし、絶頂に達する。ダヴィッドが乳房をもみしだくだけで、またニーナは絶頂に達する。ダヴィッドは快感を堪えるかのように微妙な身体の動かし方をする。それでもニーナは絶頂から次なる絶頂へと飛躍を繰り返す。

「ニーナ、もう我慢できない」

ダヴィッドはいつものように、ニーナから離れようとした。ニーナはダヴィッドの腰を両手でしっかりとつかみ、

「ダメ！　逃げてはダメ！」

いっそう激しく身をくねらせた。

「ああ、ニーナ……お前は最高だ」

ニーナはダヴィッドが自分の中に射精するのを、命の響きのように感じていた。

「ダヴィッド、いいわ。最高だわ」

ニーナは全身を空に投げ出した。そのまま意識を失ったが、耳だけは聞こえていた。

『さすらう若人の歌』がつづいている。

ぼくは夢からさめるときに
彼女の銀のように
ひびく声を聞く、
おお、なんて苦しい！
ぼくは思う、
ぼくが黒い棺台に横たわって
二度と目を
ひらかずにいられたらいいと。

心の中の氷が溶けて、外へ流れでていくのが分かった。ダヴィッドの精液をそそがれたことで、今まさに自分の肉体に命が吹き込まれたことを知った。それは受胎したという確かな実感でもあった。

「ニーナ、ニーナ、ニーナ……」

ニーナはゆっくりとわれに返った。

「やっと気がついてくれたね」

ダヴィッドは安堵の声で言った。

「ああ、ダヴィッド、不思議だわ。私は気を失ってたみたいだけれど、耳だけは聞こえていて、レコードを私はちゃんと聴いていたわ。そのうち、ニーナ、ニーナと呼ぶあなたの声と、ぴた、ぴたっていう音がして、そして目が覚めたの」

「その、ぴた、ぴたっていうのは、俺がお前の頰をたたいた音だよ。まったく息を止めたっきりピクリともしないんだもの、お前の胸に耳をあてて心臓の音を聞いちゃった。かなりあわてたな」

「で、動いていた？　私の心臓」

「うん。どっきんどっきん鳴ってたよ」

「なんとなく頰がほてっている感じがする」

「そりゃあそうだろうな、随分たたいたもの」

「ああ、ダヴィッド……」

ニーナはダヴィッドを抱きよせ、ささやく。

「最高に素敵だったわ。あなたのお陰で、私の心の中にある氷の塊もついに溶けだしたような気がする」

「俺だってそうさ。俺の胸に突き刺さっている真っ赤に焼けたナイフの熱は次第に引いていき、今にもぽろりと抜け落ちそうだよ」

「本当に？」

「ああ、本当だ。男と女が抱きあうことがこんなに素敵だったとは……まったく、お前に教えてやるつもりが、教えられてしまった。もうお前とは離れられない」

「私もよ」

二人はくちづけをし、互いの身体をまさぐり、気がついた時には交わっていた。

二人の抱擁には際限がなかった。終われば感激の涙にひたり、涙にぬれながらまた抱きあう。官能の極限をめざして昇りつめようと、一心不乱に交わっていた。

「ああ、ニーナ、俺は今までに一度として人間を信じなかったが、なんて馬鹿だったんだろう。お前のような人間がいたじゃないか。お前こそ俺が求めていた女だ」

ダヴィッドはうわごとのように言い、ニーナもそれに答えて、泣きながら叫ぶ。

「二人は一つよ。どこまでが私でどこからあなたなのか分からない。私たちは頭の二つある一人の人間なのよ。二人で一つの魂なんだわ。離れようたって離れられないんだわ」

ダヴィッドはニーナを乱暴にあつかう。まるで拷問だ。しかし、乱暴であればあるほどニーナの官能は深かった。ダヴィッドは自分の腰をニーナの腰に激しくぶっつけ、身を反らせた。

「ああ、ダヴィッド、私、死んでしまう」

「死ねばいいんだ」

「あなたも死ぬのよ」

「俺も死ぬ」

「ああ、死んじゃう」

二人は涙と汗と涎(よだれ)と体液にまみれて絶頂を重ね、ついに極まったあとは、死にも似た底知れない恍惚の眠りに落ちていった。


エカテリンブルグはウラル山脈の裾にひろがる広大な低地にある街である。アジアとヨーロッパの境目に位置していると言われるが、スヴェルドロフスク駅から電車に乗ってモスクワ方向へ四十分走ったところにあるヴェルシナ駅に、アジアとヨーロッパを分けるオベリスクが建っていることを考えると、正しくは、わずかにアジアに入ったところに位置していると言うべきだろう。気候はいかにもアジア的で、白々とした真昼の太陽の輝き、砂漠の砂を含んだような空気の匂い、紗(しゃ)のかかったようなオレンジ色の夕陽、日が沈んでもなお明るい空の色、樹々の色合い、風土そのものがニーナには懐かしいものに思われた。ニーナは自分が生まれたとされている中国のチャムスについてなに一つ記憶らしいものはないのだが、エカテリンブルグによく似た大地の風情だったのではないかと勝手に考えている。

（私にはダヴィッドがいる）

そう思うと、ニーナのエカテリンブルグへの愛着はいっそう深まるのだった。ウラル山脈からの北風が強く弱く絶え間なく吹いていて寒暖の差は激しく、夏でもコートを着ることはしょっちゅうあるのだが、寒さを感じている暇はニーナにはなかった。

(私のダヴィッド、愛してるわ)

ニーナの胸はいつも熱く、目は輝き、顔は紅色にほてっていた。

ニーナとダヴィッドの仲は、劇場でも誰知らぬ者のないこととなったが、二人は意に介さなかった。まるで婚約者同士のようにいつも一緒に行動していた。

「私が気掛かりなのは」

ソーニャの心配はまだやまない。

「ダヴィッドはあなたに疑似恋愛をしているのじゃないかしらと思ってね……」

「なに？　疑似恋愛って？」

「芸術的な仕事をやっている時って、誰でも興奮するものよ。その興奮の理由付けとして一緒に仕事をやっている誰かと恋をしないではいられなくなるの。芸術的な興奮と恋愛の興奮をごっちゃにし、錯覚し、二つを一つにして盛り上がるんだわ。プリマドンナと相手役の男性、プリマドンナと演出家、プリマドンナと指揮者、指揮者とバレリーナ……そんな恋を劇場じゅうがしているの。で、仕事が終わると、まるで夢から覚めたみたいに恋も終わるのよ。そうすることによって、より良い作品が仕上がっていき、良い作品が仕上がっていく興奮がまた恋愛の興奮を高めるんだわ。だから、私は疑似恋愛を少しもいけないことだとは思っていないけれど、あなたがその対象にされたのでは可哀想だと思って」

「ダヴィッドはそんな人じゃないわ」

「疑似恋愛もしないような人は芸術家ではないわ。無感動な凡人にすぎないわ」

「でも、大丈夫よ、私には確信があるから」

それは、ダヴィッドの種を宿したという感覚のようなものでしかなかったが、ニーナは確信と呼びたかった。

一ヵ月にわたる稽古が終わり、待望の初日の幕が開いた。ニーナとダヴィッドは舞台の袖から固唾を呑んで見守っていたが、大詰めのワルツが終わると大歓声、大拍手で、カーテンコールではバレリーナや指揮者、演出家、振付師らがなんども舞台に引っ張りだされる。それがニーナにはわがことのように嬉しく、ぼろぼろと涙をながした。

「ダヴィッド、ありがとう。私、生まれて初めて、創造することの喜びと感動を知ったわ」

「俺はなんども経験しているけれど、これぱっかりはほかに代えようがないな。ニーナ、お前もやみつきになりそうだろう」

「まったくだわ」

「ニーナはよく頑張ったよ」

ダヴィッドも涙ぐんでいる。

カーテンコールが終わると、舞台の上では若いバレリーナたちが手を取り合ってはしゃいでいる。中には自らの失敗を知っていてうなだれる者もいるが、緊張が一挙に緩んだなごやかさは、この一瞬のために長い稽古があったことを如実に物語っていた。

「なんといういい眺めでしょう」

二人の横を化粧も落ちんばかりに汗を流したバレリーナたちが、喜びに瞳を輝かせ、踊るように走り抜けていく。

「一言注意してくる。まだまだダメだ」

ダヴィッドは急に仕事の顔になり、オーケストラボックスに下りていった。

ニーナはコレペティートルとしてこの『くるみ割り人形』に参加できたことを天にむかって感謝した。それはそのままソーニャにたいする感謝でもあった。

客席で観ていたソーニャも舞台袖に駆け付けてきて、

「ニーナ、おめでとう」

ニーナを抱きしめる。

「ママ、ありがとう」

ニーナはソーニャの肩に顔をうずめる。

公演は一日おきにあるのだが、毎回お客は満員の盛況で新聞の批評も上々、公演は大成功だった。が、バレリーナたちは公演のない日はもちろん、公演のある日も本番前の数時間はかならず稽古場で入念な稽古をする。だから副指揮者やコレペティートルの仕事はいつもと変わらずつづいていた。

幕が開いてしばらく経っても、ニーナとダヴィッドの間に変化のないのを見て、ソーニャもついに愚痴を言うことをやめた。

朝食が済むと、

「幸せそうなあなたを見ているだけで、私まで嬉しくなるわ」

笑顔でニーナを送り出す。

「今夜はダヴィッドのところに泊まると思うから、ママは早めにお休みになって」

ニーナは手を振り、スキップをしながら出かけていく。

今日も公演は大盛況だ。

舞台がはねたあとは、二人手をとりあってトランバイに乗る。

ダヴィッドの家に着くや、玄関口で二人は唇を重ね、唇を重ねたまま服を脱ぐ。服をそこらじゅうに脱ぎ散らかし、素っ裸でベッドに転がり込む。

「早く、早く、ダヴィッド、私の中へ入ってきて」

ニーナは脚を開き、

「見てくれニーナ、俺はこんなにお前を欲しがっている」

ダヴィッドはいきり立つものをニーナの中に押し込む。

もはや恥じらいも躊躇(ためら)いもない。相手に見せるべきものはすべて見せてしまっているという解放感が抱擁の歓喜をいっそう高める。そして不思議なことに、抱きあうたびに新しい歓喜が訪れ、見知らぬ世界の扉が開く。それは一度として後退したり停滞したことはなく、常に新鮮であり、飽きるということがなかった。

官能の極限で失神し、そのまま眠り込む。

どのくらい眠ったかは分からないが、失われた意識の膜をノックするように歌が聞こえてくる。

青いふたつの眼が
ひろい世の中に
ぼくを追い立てた。
そのためにぼくは
大好きな土地から
離れ去らねばならなかった。

『さすらう若人の歌』のつづきだ、と思った時、ニーナは目覚めた。身体にはまだ恍惚の余韻が残っていて、腿や脚に軽い痙攣が走った。ニーナは自分があまりに強く両手を握りしめていることに気付き、その手をゆっくりほどいてやると、両の手の平に爪のあとがくっきりとついていた。ニーナは焦点のさだまらぬ目でそれを見て、ふと視線をその先に送ると、ダヴィッドの姿があった。


ダヴィッドは、ロダンの「考える人」のようなポーズで椅子に腰かけていた。

すすり泣きが聞こえる。

ダヴィッドは泣いているのだろうか。

「ダヴィッド、なにしてるの？　泣いてるの？」

うつろな声でニーナは訊いた。

ダヴィッドは涙をすすりあげると、

「ああ、ニーナ、ちょっとね」

ニーナはダヴィッドのそば近くへ行き、

「なにを泣いているの？」

「両親のことを思い出してたんだ」

「ご両親のこと？」

「うん。俺の両親は……」

ダヴィッドの父はユダヤ人の医師だったが、一九五三年一月のユダヤ人医師陰謀事件の時、妻と一緒に捕らえられた。スターリンは彼自身および共産党指導者の暗殺を画策したとして、ソヴィエト連邦に住む医師たちをことごとく告発したのだった。ジダーノフやシチェルバコフなどの党指導者の死はワシントンの指示をうけたユダヤ人医師たちの犯行である。であるがゆえに全員を処刑すべしとスターリンは主張した。しかし一九五三年三月にスターリンが死に、加えて、ある医師が、出世に目がくらんで偽りの通報をしたのは私だと名乗り出たことによって、ユダヤ人医師たちの処刑命令は取り消されたのであったが、ダヴィッドの両親たちにとって時すでに遅く、父は、監獄における激しい拷問のせいか、死亡し、母はそのあとを追って自殺していた。

「俺が十七歳の時だった」

ダヴィッドは涙を手の甲でぬぐった。

ムラビヨフの小父さんがニーナを孤児院に迎えにきてくれた年だ。

「私は十三歳になる少し前だった」

ダヴィッドの頭をなでながらニーナはつぶやいた。

「その後の俺は叔母に育てられた。が、国は両親の死について多少責任を感じていたのか、俺に奨学金をくれた。お陰で俺はモスクワ音楽院を卒業し、指揮者のはしくれとなれたんだ」

「国にも少しは見所があるじゃないの」

「俺の恨みは消えないな」

おお、青い眼よ、
なぜぼくを見つめたのだ？
ぼくに永遠の悩みと
傷ついた心を残して！
ぼくは、静かな夜の中を
暗い荒野を通って、
町を離れた、
さようならを
いってくれる人もなしに。

「ねえ、ダヴィッド、あなたは私に『さすらう若人の歌』を聞かせて、自分の心のうちを伝えようとしているんじゃないの？」

「…………」

「そうだとしたら……私、どうしたらいいの？」

ニーナは不安で目の前が真っ暗になった。

「…………」

その日から、ダヴィッドは無口になった。

いつも心ここにあらずの風情で、目にも落ち着きがなかった。

公演が千秋楽を迎えた日、ダヴィッドは劇場に姿を現さなかった。

「こんなことってあるのかしら……」

ニーナはトランバイに乗り、ダヴィッドの家に行ったが、明かりもついてなく、ドアには鍵がかかっていた。

「ダヴィッド、ダヴィッド……」

ニーナはダヴィッドの名を呼び、ドアをなんどもたたいた。が、ニーナの声もドアの音も白夜のかなたに吸い込まれていった。

「ダヴィッド、ダヴィッド、あなたに伝えたいことがあったのに……」

ニーナはドアをたたきながら、ずるずるとその場に泣きくずれた。

ダヴィッドと激しく結ばれた夜に、受胎したという実感を得ていたことは確かで、そのことをニーナは心密かに喜びとしていたが、本当に生理が止まってみると混乱した。喜ぶべきことなのか、悲しむべきことなのかそれさえも分からなくなった。先月はとりあえず、生理不順かもしれないと自分に言い聞かせ、様子を見ることにしたが、今月になっても、生理は来る気配さえ見せない。もう間違いなく妊娠している。

それでもニーナは、そのことをダヴィッドに伝えるべきかどうか迷っていた。このニュースを聞いてダヴィッドが喜んでくれる保証はなかったからだ。むしろダヴィッドは血相を変えて怒りだすのではないか。もしそうなったら、それこそ折角燃え上がっている恋に水をかけることになる。とはいえ、自分一人の胸の中におさめておくにはあまりに大きな出来事であった。

ダヴィッドに怒られようが、怒られまいが、とにかく伝えなくては、とそう決心してニーナは今朝、家を出たのだが、ダヴィッドは、そのニュースをまるで聞くまいとするかのようにこの世からかき消えてしまった。ひょっとしたら喜んでもらえるかもしれないという淡い期待を抱かないでもなかったが、そんな自分が哀れであった。

ニーナはふらふらと立ち上がり、うつろな表情でダヴィッドの黒い家を離れた。

クイビシェヴァ停留所からトランバイに乗った。

ニーナは様々に思いをめぐらせたが、結論は一つだった。

(ダヴィッドなしでは生きていけない)

まだダヴィッドから訣別を宣言されたわけでもないのに、もう二度とダヴィッドには会えないような、そんな予感がニーナの頭の中を占領していた。

(じゃ、どうすればいいのか。トランバイにでも飛び込もうかしら)

トランバイの座席で揺られつつ、そんなことばかり考えている。

デカブリストフ停留所でトランバイを降り、家にむかったが、ソーニャのことを考えると歩みは進まなかった。

(ダヴィッドのことをあんなに心配してくれていたソーニャにはまだなにも話すまい)

そう心を決めてから家のドアを開けた。

ソーニャは居間で本を読んでいて、

「あら、お帰り。早かったのね」

老眼鏡越しにニーナを見た。

「ええ。ちょっと眩暈がしたんで、帰ってきたんです」

「そりゃあ残念ね、千秋楽だというのに」

「その楽しさなら十分味わったわ」

「ダヴィッドは？」

「彼はまだみんなと騒いでいるはずだわ」

「あらそう。食事は？」

「打ち上げのパーティで軽く済ませました」

「今日のボルシチはうまくできたのよ」

「明日の朝いただきます。私、ちょっと早く休みたいんですけど……」

「じゃ、おやすみ」

ニーナは自分の部屋に入ると、どっとベッドの上に身を投げた。

天井を見上げながら考える。

（ダヴィッドは私の気づかないところで着々と計画を練り、それを実行したのだろうか。とても信じられない。この二ヵ月の間、私と交わしたあの愛の言葉の数々、いったいあれはなんだったのか。あれはみんな嘘だったのだろうか？）

ニーナはなにがなんだか分からなかった。

（なにか一身上の大事な用があったのかもしれない）

ことを良いほうに考えようとしたが、それを否定する材料はいくらでもあった。あの不吉な『さすらう若人の歌』の詩がすぐに思い浮かんだ。

あの歌にダヴィッドは自分の心境を代弁させていたのだろう。だとすれば、

（私がダヴィッドをあまりに愛したがために、ダヴィッドはどこかへ消えたんだわ）

すべては予定の行動だったのだ。そしてここ数日、ダヴィッドが無口になり、思いつめた表情をするようになったのは決行を目前にした緊張感によるものに間違いない。

（ダヴィッド、今どこにいるの？　教えて！　飛んでいくから。さもなくば、帰ってきて！）

ますますニーナの胸にダヴィッドの不在が現実のものとして重くのしかかってきた。またこうなることをニーナは、ダヴィッドが発する信号のようなものから心の片隅で覚悟させられていたにもかかわらず、いざとなったらこんなにも自制心を失う自分が情けなかった。

（とにかく明日、カザコフ小父さんにダヴィッドのことを訊いてみなくては）

あとからあとから涙があふれてきて、それがニーナの耳に流れこんだ。

朝、目が覚めると、ニーナは服を着たままベッドの上に横たわっていた。昨夜、泣きながら眠ってしまったらしい。カーテンの隙間から流れ込む日差しは薄暗い。雨が降っているのか。

シャワーを浴び、身繕いをしてから食卓についた。

「あら、今日はお休みじゃないの？」

ソーニャが怪訝（けげん）な顔をした。

公演が終わったあとの数日間は出演者やスタッフに休養を取らせてくれることをコレペティの先輩であるソーニャは当然知っている。

「劇場でダヴィッドと逢う約束をしているの」

ニーナは口から出任せを言った。

「ずいぶん勉強熱心だこと」

食欲などまったくなかったが、昨日のことをソーニャに感づかれないようことさら明るくニーナは振る舞う。

ボルシチをスプーンですくい、一口飲んで、

「美味しいわ。このお肉はなに？」

「鹿よ。久し振りに鹿の肉が手に入ったんで、パプリカを入れてグーラーシュみたいに仕上げてみたのよ」

「グーラーシュって？」

「ハンガリーのスープ料理よ」

「美味しいわ」

「おかわりは？」

「もうお腹いっぱい」

「変なの」

ソーニャののぞき込むような視線をはずして、家を出た。

薄墨色の空から針のような雨が降っていて、それは一歩一歩足を前に踏み出すたびに、膝や脛（すね）や傘を持つ手に冷たい痛みを与えた。

トランバイに乗り、まずはクイビシェヴァ停留所へ。ダヴィッドの家に行ってみたが、家の様

子は昨夜と変わりなかった。ドアをたたく気にもなれなかった。

　またトランバイに乗り、ヴァシモーヴァ・マールタ通りを北に上がってレーニン大通りを右折し、オーペルヌイチアートル停留所へ。劇場はすぐ目の前だ。ニーナは傘もささずに楽屋口へ駆け込み、勢いよくドアを開けた。

「おはようございます」

「どうした、ニーナ。今日、君たちは休みじゃないのかい？」

　管理人のカザコフは髭もじゃの顔をほころばせて言った。

「カザコフ小父さん……」

　ニーナは子供の頃からそう呼んでいる。

「訊きたいことがあるんだけれど」

「どうした？　なにかあったか？」

　カザコフは真面目な顔を作った。

「入っていい？」

「もちろん、いいとも」

　ニーナは管理人室に入ると、あたりに人のいないことを確かめてから言った。

「ダヴィッド・レービン先生のことだけれど、小父さん、なにか知らない？」

「レービン先生がどうしたって？」

「昨日から姿が見えないの」

「なんだって？」

カザコフはしばらくニーナの顔を見ていたが突然、弾けるように笑いだした。

「なにがおかしいの？」

ニーナは不満げだ。

「レービン先生は今日から巡業だよ」

「巡業？」

「ああ、海外公演だ」

「海外？」

ニーナはぽかんと口を開けた。

「ニーナ、お前、なにも知らなかったのか？」

ニーナはうなずいた。

「レービン先生はここの劇場の副指揮者であると同時に、キーロフ・オペラ・バレエ劇場の副指揮者でもある」

「そんなことできるの？」

「よくあることさ。指揮者はみんなあっちこっちの劇場やオーケストラと二重三重の契約を結んでいるのが常識だ」

「知らなかったわ」

「レービン先生はキーロフ・バレエ団のパリ公演に参加したんだ」

「パリ？」

「ああ。パリのあとはロンドンかな」

「いつ帰ってくるのかしら？」

「そうさなあ、二ヵ月もすれば帰ってくるんじゃないか」

「二ヵ月……」

　ニーナはかすかな安堵を覚えた。

「そのうち手紙でも来るだろうよ。十二月にはうちで『白鳥の湖』の公演がある。レービン先生はそこで正指揮者となる予定だ。あまり心配しないで待つことさ。かならず帰ってくる」

　カザコフは片目をつぶってみせた。

「ありがとう」

　楽屋口を出たニーナは、茫漠（ぼうばく）とした頭のまま、目の前に来たトランバイに乗った。

（海外公演ならなにも秘密にする必要などないのに、なぜ私に黙っていたのだろうか）

　いくら考えても、その理由が分からない。

（黙って消えたことの意味を分かってくれということなのだろうか）

　恋の終わりには様々なバリエーションがあるが、初めて恋をし、いまだ人と別れたことのないニーナにとっては、この終わり方はあまりに一方的で納得がいかなかった。

（別れるなら、ダヴィッド自らの口で、きちんとさようならを言ってほしい）

　私を裏切ってもいいのよ、棄（す）ててもいいのよと、ダヴィッドに抱かれながら女神のような優しい言葉をささやいた自分を忘れて、

「あんまりだ、あんまりすぎる」

　とつぶやき、唇を噛んでいたが、ニーナをそうさせたのは、新しい命が自分の体内で息づきは

じめたという意識だ。理屈を超えて、今のニーナにはダヴィッドが必要だった。

降りかかる針の雨がトランバイの窓ガラスにはじかれていたが、ニーナは全身で針の雨を受け止め、その痛みにしくしくと泣いた。

家に帰ると、

「あら、早かったのね」

ソーニャの目付きは疑わし気だった。

「ダヴィッドは今日から旅行なの」

ニーナはいかにもさりげなく言った。

「あら、突然ね。で、どこへ？」

「海外公演でパリへ」

「パリ？」

ソーニャの表情に暗い影がさした。

ニーナはカザコフから聞いた話をいかにもダヴィッドから聞かされたごとくソーニャに伝えた。

「いつ帰ってくるの？」

「ロンドンを回って二ヵ月後には帰ってくるから、おとなしく待っていろって言われたわ」

ニーナはことさら明るい笑顔を見せて答えたが、ソーニャはその話題にはなぜか乗ってこなかった。

雨の日がつづいた。

十月公演の予定はアダン作曲『ジゼル』で、もうじきその稽古がはじまる。ニーナはその下稽古に余念がない。

総譜(スコア)を凝視してピアノをたたく。降りしきる雨の音に負けまいとして激しくたたく。己の体内に育ちつつある命の鼓動を消そうとしてがむしゃらにたたく。まるで王子アルブレヒトの背信によって命を絶った村娘ジゼルの魂が乗り移ったかのように悲しくたたく。

九月になると、エカテリンブルグではバーバエ・リエタ（おばあさんの夏）があり、一週間か十日くらい夏に逆戻りする。モスクワなどではすっかり寒くなっているというのに、エカテリンブルグでは二十五度から三十度の暑い日がつづくのだ。

稽古初日はそんな暑い日だった。

楽屋口のドアを開けると、カザコフが顎をしゃくった。

ニーナは管理人室へ入っていった。

「たった今入った情報なんだけれどな……」

カザコフは声をひそめて言う。

「レービン先生が亡命した」

「え？　ダヴィッドが、亡命？」

「うん。間違いない。ダヴィッド・レービンが亡命した。パリ空港でロンドンにむかおうと通関手続きをしている時、姿をくらましたそうだ」

「で、どうなったの？」

「オーストリア大使館に飛び込んで、そこで亡命を宣言した」

「命は無事なの?」

「無事らしい」

「ああ、ダヴィッド……」

ニーナは目の前が真っ暗になった。

「ニーナ、大丈夫か?　顔色が悪いぞ」

カザコフはニーナを支えようとしたが、ニーナはその手を払い、ドアを開けて外へ出た。

射るような日差しが襲ってきた。

ニーナは顔をしかめた。

ただ走りたかった。どこでもいいから、ただ真っ直ぐに走りたかった。

ニーナは走った。

劇場前の広場を駆け抜け、そのまま大通りにむかった。

大通りには車やトランバイが走っている。

警笛が鳴る。人の声がする。

目の前にトランバイがいる。

ニーナはトランバイに激突した。

『ジゼル』の総譜(スコア)が散らばって、青い空に舞った。

(これで良いのだ)

とニーナは思った。

第四章・帰還

1

ニーナは歩いていた。
ここがどこなのか、なぜ自分がここにいるのか、それすら分からないまま歩いていた。
大地は黒煙を噴き上げ、地平線のかなたまで赤々と燃えあがっていた。黒煙が風に逆巻き、ニーナの身体をつつんだ。煙を吸うと鼻につんと来た。死の匂いだ、と脈絡もなくニーナは思った。煙が去ってみると、あたりには鉄兜をかぶった人間の死体がごろごろところがっていた。みなかっと両目を見開いて天をにらみ、口はなにかを叫んだままの形をしていた。それぞれ手には銃もしくは刀を握りしめている。

空には無数の戦闘機が旋回し、地上にむかって機銃掃射を浴びせ、爆弾を投下する。爆弾は次々と炸裂し、大音響とともに大地が血しぶきをあげる。

ニーナのすぐそばに爆弾が落ち、炸裂した。爆風でニーナは四、五メートルも吹き飛ばされ、地面にたたきつけられた。

全身に痛みが走ったが、それでもニーナは起き上がり、髪をかきあげ、また歩きはじめた。黒いワンピースに白い襟をのぞかせてはいるが、服も髪の毛も泥だらけで、額からは血を流している。ニーナはただ真っ直ぐ、どこまでも真っ直ぐ、行こうとしていた。

うしろから機関銃をかまえた兵士たちがニーナを追い越していく。明らかにソ連軍の兵士たちだ。その後に戦車隊がつづく。大地を嚙みくだくキャタピラの音が耳をつんざく。轟音とともに戦車の砲身が赤い火を噴き、かなたで火柱が上がる。それが幾度となく繰り返される。機関銃の音が絶え間ない。

歩きながらニーナは思う。

ここは戦場だ。しかしなんという懐かしい思いがするのだろうと。

戦車隊の攻撃目標ははるか前方にあるコンクリート造りの建物で、すべての戦車の銃砲はそこを狙い、銃弾はことごとく命中する。その建物の上に戦闘機が空から爆弾を投下する。そのたびに噴煙があがる。

見る間に建物は火にかこまれ、中から兵士たちが刀を振り上げ、こちらにむかって突撃してくる。その群れにむかって容赦ない銃弾が浴びせられる。兵士たちの雄叫びは悲痛なうめき声に変わっていき、ばったばったと倒れていく。まだ動いている人間を戦車は無情に踏みしだき、前へ前へと進んでいく。

ニーナの耳のそばを銃弾が甲高い音を立ててかすめたと思うと、目の前で兵士が顔面を撃ち抜かれて倒れる。

ニーナは素足で歩いている。流れ弾にでも当たったのか、足に怪我をしたらしい。ニーナは右足をひきずりながら歩いている。

私の行く場所はあそこだ。

そう思ってはるか彼方を見ると、いつしかコンクリートの建物は影も形もなくなっていて、その大地の西の空に今しも太陽が沈んでいくところだった。太陽は己の身を火だるまにして、轟然とうなりを上げて落下していた。その音は戦場に響く戦車の音さえもかき消すほどだった。

黄金色の太陽を背景にして、戦車たちは崩れ去った建物を乗り越え、その上をまるで地ならしでもするように行ったり来たりした。

太陽が地平線に沈みきると空は茜色となり、やがて紫をおびた死の色になる。

ニーナは地ならしをされた土の上に立ち、ぶすぶすとまだ燃えつづけ、黒煙を噴き上げる戦場を見回した。荒涼たる眺めだ。爆弾によって大地は無残にえぐられ、そのまわりに投げ飛ばされている屍、屍、そんな光景が地平線までつづく。まさに地獄図だ。転覆している戦車が二台。一つは横倒しになり、もう一つは仰向けに倒れ、天にむかって砲身を突き出している。

一人の兵士が手を上げ、言った。

「おい、どこかで子供が泣いているぞ」

それに応じて、

「子供？　まさか」

と他の兵士の声。

「いや、確かに聞こえた」

「空耳じゃないですか。隊長」

ニーナは耳を澄ましてみるが、戦車のエンジン音とキャタピラの音、それに地響きがうるさくてなにも聞こえない。

「しっ！　ほら、子供の……いや、赤ん坊の泣き声かな」

そばにいる兵士たちはみな一様に耳を澄ました。それにならったニーナの耳に、子供の泣き声のようなものが聞こえた。

「本当だ。どこだろう」

兵士たちは目を合わせる。

「土の中だ」

若い兵士が地面を指差して言った。

「ええ？　日本軍は赤ん坊にまで銃を持たせて戦わせてたんですか？」

兵士たちの笑い声があがる。

一人の兵士が駆けてきて言った。

「わが軍の完全勝利です。この陣地の周囲四キロ以内に生き残っている日本人は一人もおりません」

「ご苦労！　しかし、どうやらたった一人生き残っている可能性がある」

と隊長と呼ばれた男が答えた。

その時、戦車隊の動きが止まり、あたりは急に静かになった。

子供の泣き声ははっきりと聞こえた。

しかし、どこから？

ニーナはきょろきょろとあたりを見た。

隊長は、崩壊した建物の跡をゆっくりと歩いていたが、ふと立ち止まると、自分の足下を指差して言った。

「ここだ！　急げ！　この子供を救出するんだ。乱暴にやるんじゃないぞ」

兵士たちは手に手にシャベルを持ち、土を掘りはじめた。

土を掘り起こしていくうちに、コンクリートの瓦礫（がれき）の下には、無数の死体が重なりあっていることが分かった。

女性の死体があった。その腕の中に毛布にくるまった子供がいた。

この子が泣いていたのか。しかし今はもう泣いていない。死んだのか。

ニーナははらはらしながら、成り行きを見守った。

一人の兵士が泥だらけの毛布と一緒に子供を抱きあげ、隊長に見せた。

「生きているか？」

隊長は訊いた。

「虫の息です。しかも、目の下に傷を負っています」

兵士が答えた。

「ええ？」

ニーナはあわてて兵士のそばに駆け寄り、子供の顔を見た。

「ああ、この子は私だ。私が傷ついて、今にも死にそうになっている」

ニーナはおろおろとまわりを見た。

「ほっぺたを軽くたたいてみるんだ」

隊長が言った。

言われたとおり兵士は子供の頬をたたいた。

が、反応がない。

「泣きなさい。頑張って泣きなさい。私よ、私の命よ」

ニーナは子供にむかって叫んだ。

兵士はもう一度子供の頬をたたいた。

「泣きなさい。大きな声で泣きなさい」

ニーナは必死に祈った。

すると、子供が泣いた。

「おお、生きている」

隊長の顔に笑みが浮かび、その笑みは兵士たち全員にひろがった。

ニーナもほっと安堵の吐息をもらす。

子供を抱いた兵士は死体が折り重なっている場所から離れ、隊長のほうへ歩みよった。

その兵士をみんなが取り囲んだ。

子供は元気よく泣いている。

「おお、生きている」

兵士たちは口々にそう言い、子供をのぞき込んだ。

ニーナも兵士たちの輪の中へ入り、子供を見た。子供は右目の下に負った傷から血を流していた。

この子は二歳だろうか、三歳だろうか、それは分からない。がしかし、死んでいったのが日本軍兵士たちならば、その陣地で発見されたこの子は日本人であることに間違いない。

「私は日本人なのだ」

自分が日本人であるかもしれないということは、絶え間なく、しかしかすかに感じていたことではあるが、確信の持てぬまま過ごしていた。それが今証明されたのだ。ニーナの心は言いようのない喜びにうちふるえた。

ニーナは振り返り、戦場を見た。ものみな土色に塗りつぶされ、死屍累々(ししるいるい)たるこの大地に、たった一つ生き残った命とはいったいなんなのだろう。奇跡よりもなお奇跡的な幸運によって死からよみがえった命……。

「それがこの子だ」

ニーナは子供の頰にくちづけした。

子供は泣いた。

「それが私だ、私が泣いている」

ニーナは子供を兵士からそっと奪い、わが手で抱きしめた。

「おお、愛しい私」

ニーナは子供に頰ずりする。

「この子の親らしき者の遺体はないか。よく確認しろ！」

隊長が叫んだ。

命令された兵士は両手を広げ、あきらめ顔で答えた。

「確認は無理です。誰が誰やらさっぱり分かりません」

私には分かる、とニーナは思った。

ニーナは子供を兵士に返すと、子供を毛布にくるんで抱いていた女の死体に歩みより、ひざまずき、その顔から泥を払った。

細面の白い顔が現れた。

「お母さん……」

と言うや、ニーナは女の死体をひしと抱きしめた。

ニーナはしばし涙にくれていたが、ふとわれに返ると、すぐそばの土や瓦礫をその手で懸命に取り払った。

土の下から男の死体が出てきた。死体は軍服を着、軍帽をかぶっていた。

ニーナはその死体の顔の泥を払った。

口髭をはやした男の顔が現れた。

「お父さん……」

ニーナは男の死体にすがりついた。

右腕に父の遺体を、左腕に母の遺体を抱きしめて、ニーナは涙にくれていた。

「お父さん、お母さん、会えて嬉しい」

太陽は沈みきり、薄紫色の白夜の空に一番星がきらめいていた。

「この子のそばにアルバムが落ちてました」

兵士はアルバムを差し出した。

隊長はアルバムから一枚の写真をはがし、

「ふむ、たぶんこの写真はこの子のものだろう。念のためこの一枚はとっておく。あとは破棄しろ」

と命じた。

「はい。そうします」

兵士はアルバムを女の死体の上にほうり、その上に土をかけた。

「おい、懐中電灯をかせ！」

隊長が言い、兵士が懐中電灯を差し出した。

隊長は子供の目に光をあて、つぶやいた。

「それにしてもひどい傷だ。急いで応急処置をしなくては。衛生兵を呼べ」

「その子を連れて帰るんですか」

「そうだ。戦う時は皆殺しにする。しかし戦い終わったあとは、生存者の命を尊重するのが戦争の礼儀というものだ」

「ならば、この子に名前をつけませんか」

「なにかいい名前でも浮かんだか」

「ええ。ニーナ、はいかがですか」

そんな光景を背後に感じながら、ニーナは父と母の遺体を抱きしめ、大地に接吻した。

「お父さん、お母さん、私は帰ってきたんだわ」

大地は甘い味がした。

まぶしさで、ニーナは目をしばたいた。

強烈な光だ。

まぶしくてたまらない。

「お父さん、お母さん、会えて嬉しい」

ニーナはつぶやいたつもりだが、舌が口の中の上顎にへばりついていて、動かない。

「やっと意識がもどったようだ」

と言う男の声が聞こえる。

「助かったのかしら」

こんどは女の声がした。その声がソーニャのものであることをニーナは理解した。

どこかで、ピッピッピッピッという機械音が鳴っている。

私の心臓の鼓動を伝える音だ。

ニーナはじわりと喜びを感じた。

私は戦場から生きて帰ってきたらしい。

ニーナはそう思い、身体を動かそうとしたが、手にも足にもその意志は伝わらなかった。

また光をあてられたのか、目の中に閃光(せんこう)が走った。

ニーナはうめいた。

「大分、意識を取り戻しはじめました」

男が言い、それに応えてソーニャが、

「ニーナ、しっかりして。生きて！　生きて！　生きるのよ」

その声を聞きながらニーナは、たった今戦場で見た子供の顔が目に浮かんだ。

その子供にむかって、

「泣きなさい。大きな声で泣きなさい」

と必死で言っている自分の姿が見える。

子供が大きな声で泣いた。

ニーナはいつしか子供になり、子供はニーナの中に入り込み、ニーナは戦場で泣いていた子供のように泣いた。

「ニーナがなにか言っているわ」

とソーニャが言った。

「なんと言っているのかしら。分からないわ」

分かるはずがなかった。ニーナは酸素吸入器におおわれた口で泣いていたのだ。ただただ生きているのが嬉しくて、ニーナは泣いていた。戦場で発見され、助けられた子供と一心同体となって泣いていた。それはもう一度この世に生き返ってきたニーナの産声かもしれなかった。

「あら、ニーナは泣いているんだわ。こんなにいっぱい涙を流して……」

「ママ、ごめんなさい。私は悪い子でした」

と言っているつもりだが、声がくぐもって自分でもよく分からない。

頭が痛い、と思った時、自分が激突したトランバイ（路面電車）の大きさをまざまざと思い出した。

　この頭痛はどこから来るのだろう。トランバイにぶつかったせいだろうか。それとも戦場で爆風に飛ばされたからだろうか。ニーナは意識が朦朧（もうろう）としていて考えがまとまらない。とにかく管理人のカザコフからダヴィッドの亡命を知らされた時の、あの全身の血が引いていくような衝撃だけは鮮明に憶えている。

（亡命……私の一番恐れていた日がついにやってきた）

　つまりダヴィッドは日頃から胸の内に隠していた企みを実行に移したのだ。だからこの情報に間違いのあるはずがないとニーナは思い、次に、

（祖国までも棄（す）てたのだから、私のところへ帰ってくる望みは万に一つもあるまい）

と確信した。亡命がもし成功したのであれば、ダヴィッドのためには喜ぶべきことかも知れないが、棄てられたニーナとしては、絶望の淵（ふち）に突き落とされたようなものだった。

（私を棄ててもいい、私を裏切ってもいいとは言ったけれど、事情が違うのだ。私のお腹の中にはダヴィッドの子供がいるのだから）

　それだけではない。

　ニーナの頭は全速力で回転した。

（私のお腹の中にいる子は亡命者の、すなわち国家にたいする裏切り者の子なのだ）

　ということは……。

（私は、売国奴の恋人として、いや、その男の子供を宿した女として捕らえられるだろう）

　自分のお腹に宿した子供の誕生を待つという母親らしい喜びは、ダヴィッドがそばにいてこそ

成立するものであって、ダヴィッドがいなくなったら、それは大きな悲しみ以外のなにものでもなかった。母親となって子供を育てる幸福について想像する余裕はなかった。ましてや、ダヴィッドが亡命した今となっては、次に来る事態は、ソ連という国に生きるものには自明のことであった。つまり、国家を裏切った者の妻ないしは許婚者として収容所に送られ、四、五年は帰ってこられないだろう。それどころか、そこで死んでしまうかもしれない。たとえダヴィッドと結婚していなかったにしても、子供を産まなかったにしても、妊娠していたというだけで、いや、つきあっていたというだけで、ニーナが罪を着せられる可能性はほとんど百パーセントだった。ついこの間、実の姉がイスラエルへ亡命したせいで、将来を嘱望されていたユダヤ人チェリストが捕らえられ、シベリアの収容所送りになったという事件があった。ニーナが例外あつかいされることは考えられない。そうなれば、その禍いは恩人であるソーニャやムラビヨフにもおよぶことになる。

もはや私は、子供を産んではいけないし、生きてさえいてもいけない身なのだ。

そこまで考え、あとは前後不覚になった。

(死ななくては……死なななくては)

それだけをつぶやいて、ニーナは楽屋口のドアに背中をぶつけた。

「ニーナ、大丈夫か？　顔色が悪いぞ」

カザコフの声にかまわず、劇場の楽屋口を出たニーナは、劇場前の広場を横切ると、そのままレーニン大通りに飛び出し、行き交う車に目もくれず、右の方からやってきたトランバイにまっしぐらにぶつかっていった。

ニーナとしては、トランバイと線路の間に飛び込んで、轢かれて死のうと思っていたのだが、トランバイのスピードが思いのほか速く、激突する羽目になってしまった。

ニーナはベッドに拘束され、目も見えない状態で、なぜ今自分がこうしてここにいるのかを、暗闇の中で考えようとしていた。

緑色の大きな車体が目の前に現れ、激しい衝撃を感じたところまでは憶えている。が、そのあとどうなったのだろう。意識を失っていたのだろうか。それとも夢を見ていたのだろうか。とにかく気がついた時には、ニーナは硝煙弾雨の戦場にいて、飛び交う銃弾をものともせずひたすら歩きつづけた。すぐそばで爆弾が炸裂し、その爆風に吹き飛ばされたりもしたが、とにかく歩きつづけた。

(あの戦場へ私はなにをしに行ったのだろうか)

とニーナは自らに問う。

ニーナは、黒煙を噴き上げ真っ赤に燃えていた戦場で、発見され拾い上げられて泣いていた子供の顔を思い出した。

あの子は、すべての日本人が死に果てたあの戦場で、奇跡的に命を取り留め、救助されたのだ。

(あれが私だったのだ。私は自分の命の再生の場面を見るために、戦場へ行ったのだ)

ニーナは自分の命の貴さに打たれた。

そしてニーナは、自分の父と母に出会ったことを思い出した。

すでに死に果ててはいたが、自分の父と母に会えたことの喜び。

（私は父と母に会うために、あの戦場へ行ったのかもしれない）

ニーナは父と母の顔をしっかり脳裏に刻み込み、二人の遺体を抱きしめて泣いた。

そのことを思い出し、ニーナは包帯でおおわれた目から涙を流した。

「お父さん……お母さん……」

トランバイにぶつかったことが夢で、戦場をさ迷っていたことが現実なのか、それともその逆なのか、判然とはしないが、両親と抱きあっている幸せの中で、ニーナはまたしばらく眠りつづけた。

どのくらいの時間が経ったろうか。

「ニーナ、分かるかい？　あなたは助かったんだよ」

ソーニャの声だ。

「私はどこにいるの？」

自分の言った言葉がニーナ自身の耳にも聞こえた。その瞬間、ニーナは自分が生きていることを実感したが、自分の声があまりにしわがれているのには驚いた。

「あなたはずいぶん長い間、眠りつづけていたんだよ」

「どのくらい？」

「三日間」

「三日間も？」

「そうだよ。でも、助かってくれて良かった」

「私、どうしたの？」

「あなた憶えてないの？」

「あまり……」

「あなた、自分がトランバイに飛び込んだことは憶えているでしょう？」

「トランバイに？」

「そうだよ。トランバイに撥ね飛ばされたんだよ」

「ママ、見てたの？」

「管理人のカザコフから聞いたのよ。本当に、助かって良かったわ」

ソーニャはニーナの手の甲に触れた。

ニーナはソーニャの手を握ろうとしたが、腕は拘束されていて動かなかった。

「トランバイ……」

ニーナの目の前にトランバイが幻のように出現し、ニーナは恐怖を顔に浮かべてそれを避けようとしたが、身体が言うことをきかなかった。と同時に、ダヴィッドのことを思い出し、彼によって棄てられたことの絶望が痛みとともによみがえってきた。

「ダヴィッド……ダヴィッド……」

ニーナは身をよじってうめいた。

「ニーナ、今はそのことを考えないで」

ソーニャはニーナの肩に手をかけた。

「なんであなたは私に黙って行ってしまったの？」

ニーナはダヴィッドに話しかけ、ベッドの上で暴れた。

「私の身体の中にはあなたの子が宿っていたのに」

あまりに強く噛んだがために、ニーナの唇に血がにじんだ。

「しばらくそっとしておきましょう。かなり興奮しているようですから」

医者らしい男の声が聞こえ、腕にちくりと針の刺さるのを感じた。

ニーナは突然ぐったりとし、そのまま眠りに落ちた。

目覚めたら朝だった。

開け放たれた窓からさわやかな秋風が流れ込んでいるのが分かった。さわやかさと冷たさを感じるほどに、ニーナの五感はよみがえっていた。

ニーナは深呼吸をしてみた。新鮮な空気が胸いっぱいに入ってきた。

「目が覚めた？」

窓が閉じられる音がして、ソーニャが言った。

「目が覚めたけれど、どうして私の目は見えないの？」

ニーナの質問にソーニャは答えた。

「ニーナ、あなたはトランバイに五、六メートルも撥ね飛ばされて道路にたたきつけられたそうよ。だから大変な怪我をしてるのよ。右足の脛（すね）は骨折しているし、左の鎖骨も折れているわ。骨盤にも罅（ひび）が入っている。それだけではないわ。手術を受けてきれいになった右目をまた痛めてしまったわ。でも大丈夫。すべては元通りになるらしいわ。どう、まだ頭は痛む？」

「ええ、まだ少し」

「路面にたたきつけられて、相当に強く後頭部を打ったみたいね。脳震盪（のうしんとう）を起こして失神してたんだわ」

「三日間も？」

「むろん意識はすぐに回復したけれど、あなたは興奮していたから、お医者さんが鎮静剤を注射したの。それで眠っていたのよ」

ニーナはしくしく泣きだした。

「どうしたの？　ニーナ」

「ママ。ダヴィッドとのこと、ママはとても心配していてくれたけれど、私、ママの言うことをきかないで、本当に悪い子でした。ごめんなさい」

ソーニャはニーナの手をさすりながら言う。

「いいのよ。覚悟はしていたから。それよりあなたが哀れでならないわ」

ニーナは泣きながら、

「私のお腹の中にはダヴィッドの子供がいるの」

とぎれとぎれに言った。

「ああ、そのことなら……」

ソーニャは言いよどんだが、決心したような面持ちでつづけた。

「あなたが病院へ運び込まれた時に、すでに流産していたわ」

「流産？　ということは……」

「ひどい出血をしたらしいわ」

ニーナはこの事実をどう受け止めたらいいか分からなかったが、ダヴィッドとの絆がばっさりと断ち切られたことだけは確かだった。

「私、もう子供の産めない身体になってしまったのかしら」

「そうなるかもしれないとお医者さんが言ってらしたわ」

ニーナはすすり泣いた。

泣きながらニーナは自分に問うた。ダヴィッドのいない今、いったい誰の子を産みたくて泣いているのかと。で、自分に答えた。いや、あくまでも、ダヴィッドの子をいつの日か産みたいのだと。

「ダヴィッドはあなたが妊娠していたことを知ってたの？」

ソーニャの質問にニーナは首を横に振った。

「知っていても、やはり亡命したかしら」

ソーニャはまた尋ねた。

「さあ、どうかしら。私にも分からないわ。今日こそ告げようと思っていた日に、ダヴィッドは消えてしまったんですもの」

「でも良かったじゃない。妊娠していることを告げて、棄てられたのでなくて」

「でも、うすうす感づいていたんじゃないかしら」

「それでも、多少の救いにはなるわ」

ソーニャは溜め息をついた。

ニーナはふと冷静になって、手や足を動かそうとしてみたが、どちらも拘束されていてままならなかった。しかも手や足の指先をちょっと動かそうとしただけで激痛が走った。ニーナは自分が大怪我をしていることを自覚した。

次に目覚めた時、ニーナの左目から包帯がはずされた。

光を感知して、瞼の底が赤くなった。

「ゆっくりと、ゆっくりと目を開けてみてください」

医者に言われたとおり、ニーナは恐る恐る左目を開いていった。

目の前がまず真っ白になり、目が慣れてきて初めて物らしいものが見えた。白い天井、こちらをのぞき込む医者の顔。

「見えますか？」

「見えます。よかった。右目はまだなんですか？」

ニーナは不満そうに訊いた。

「右目の傷が治るにはまだまだ時間がかかります」

暗闇から這い出てきた動物のように、ニーナは片目を動かしてあたりを見た。

ソーニャの隣に男がいる。よく見ると、それは忘れもしない、優しい小父さん、ムラビヨフだった。

「ムラビヨフの小父さん……」

申し訳なさに胸がつぶれ、あとはなにも言えなかった。

「ニーナ、助かって良かった。今日はお前に、いい知らせを持ってきたよ」

「私みたいな悪い子にいい知らせですか？」

「そうだよ。お前の悩みはよく分かる。お前がこうなったのには、実は私にも責任があるのだ」

「小父さんにどんな責任があるのですか？」

ニーナはムラビヨフをみつめた。

「お前の出生について、ずうっと隠してきたことがあったのだよ」

「私の出生？　なぜですか？」

「お前の身の安全のためだよ」

ムラビヨフは穏やかに答えた。

「じゃあ、私は中国人ではないということですね」

ムラビヨフはうなずいた。

「私は何人なんですか？」

ムラビヨフは内ポケットから一葉の写真を取り出し、それをニーナの目の前にかざした。

それは一歳に満たない赤ん坊の写真だった。暖かそうな着物を着ている女の子だ。

「ニーナ、お前は日本人だよ。間違いなく」

「日本人？」

ムラビヨフはまたうなずいた。

ニーナの胸になにかもの凄く温かいものがこみあげてきた。

「ニーナ、お前はね……」

ムラビヨフは、一九四五年八月十六日にニーナが発見された時の状況について話しはじめた。

中国牡丹江市北東部と愛河駅の中間地点は今次大戦の満洲における最大の激戦地で、日本軍はよく戦ったが、全滅ないしは壊走し、ソ連軍の完全勝利に終わったこと。周囲四キロ以内に生きている日本人は一人もいないであろうという、そういう死屍累々たる世界で、崩壊し埋めつくされた日本軍の永久トーチカの土の中から、小さな子供が発見され、救出されたことなどを。

「その場面なら、私、憶えてるわ」

とニーナは言った。

「そんなバカな。お前はまだ二歳か三歳の子供だったではないか」

ムラビヨフは怪訝な表情を見せた。

「父と母は亡くなり、私だけが生き残ったんだわ」

「なぜ、お前はそれを知っているのだ？」

「私、見たんですもの」

「信じられない」

「戦場のあちこちにはまだ火がくすぶっていて黒煙があがっていた。大きな夕陽が美しかったわ」

ムラビヨフは唖然とした。あの日の落日の美しさはムラビヨフも憶えているからだ。

「そして、兵士たちがみんなで私にニーナ・フロンティンスカヤという名前をつけてくれたんですよね」

「なぜ、お前はそこまで」

「私はついさっきまでその戦場にいたんです。私はそこから帰ってきたばかりなんです」

ムラビヨフとソーニャは顔を見合わせ、

「おそらく夢でも見たんだろう」

とうなずきあった。

その時、担当の医師が言った。

「いや、ひょっとしたら幼い頃の記憶がよみがえったのかもしれません」

「人間の記憶は早くて三歳、普通は四歳から始まると言われてるんじゃなかったですか」

ムラビヨフは反論した。が、医師は、

「人間はこの世に生まれ出た瞬間から、いや母の胎内にいる時からすでに記憶が始まっているという説を唱える学者がアメリカに現れ、注目を集めています」

「それはどういう学説ですか？」

「人間の脳は、生まれ落ちた時から、いや、母の胎内にいる時から、身辺に起きたことのすべてを記憶しているのだけれど、生きていくために必要のないことは片っ端から忘れていってしまう。かわりに生きていくために必要なことはどんどん吸収し記憶していく。つまり生存本能がそうさせるんですね。しかし忘れられたはずの記憶は、消滅するのではなく、日常的には意識されない精神の深いところで眠っているのです。これを潜在意識下の記憶と呼ぶのだそうですが、それはなにかのきっかけで、思いもかけず表面に出てくることがあるという学説です。その説によると、ニーナさんは、トランバイに撥ねられて道路にたたきつけられ、頭を激しく打ったその衝撃で、忘れていたはずの記憶を思い出したのかもしれません」

医師はかんでふくめるように言った。

「そんなことってあるのでしょうか？」

ソーニャは信じられない面持ちだ。

「もしニーナさんの言うことに間違いがないなら、あながち無視できませんね」

医師は断固とした口調で言った。

「ふむ……」

ムラビヨフは黙りこくった。

すると、ニーナが言った。

「発見された時、私は目に怪我をしていたんですよね」

ムラビヨフは驚き、

「そのとおりだ。だからお前は野戦病院に連れてこられた。そしてそこで私とお前は出会ったのだ。ニーナ、お前、憶えているか？」

顔を紅潮させて訊いたが、

「憶えていません」

ニーナはかすかに首を振った。

ムラビヨフは言った。

ニーナの発見者であるボルコフ大尉はニーナの目を治療してもらうため、野戦病院に駆け付けた。そこにたまたま、流れ弾に当たって足を負傷していたムラビヨフがいたのだ。ニーナを助けたことで二人は意気投合し、お互いの名がピョートルだったことから、ニーナの父称をペトローヴナとしたのだった。ロシアにおける父称は父親の名から取られるものであるから、この時二人は、無言のうちにニーナの父親役を買って出たわけだった。

ボルコフは翌日、ふたたび戦場におもむかねばならず、ムラビヨフにニーナを託した。ムラビヨフはほんの一時的に預かるつもりで応じたのだが、残念ながらボルコフは戦死してしまった。

「ニーナ、これを見てごらん」

ムラビヨフはニーナに写真の裏を見せた。

そこには、17, abr. 1945と書いてあった。

「この意味が分かるかい？」

ムラビヨフが訊いた。

「私が助けられたのは十六日ですよね」

「そうだ」

「じゃ、分かりません」

「この日付は、お前の発見者であるボルコフ大尉が戦死した日だ。と同時に、私がお前の保護者となった日でもある。私はそのことを忘れないために、ここに記したのだ」

ムラビヨフは遠くを見るような目をした。ボルコフの冥福（めいふく）を祈っているのだろう。

「そのボルコフさんが、私の命の恩人なんですね」

「まったくそうだ。あの時、戦車がうなりを上げている戦場で、お前の泣き声が彼の耳に聞こえたことが奇跡だ。聞こえなかったとしても不思議はないし、よしんば聞こえたとしても、無視するのが普通だ。あれほど殺戮（さつりく）に殺戮を繰り返したあとだもの、死に損なった子供を助けるなんてことは結構面倒なことでもあるんだ。そんな時にそんな場所で、お前を発見し救出したのはボルコフ大尉だ。彼こそがお前の命の恩人だよ」

「そして、ムラビヨフ小父さん……」

「私は彼との約束を守っただけだ」

「なぜ、私のことを中国人にしたんですか？」

ニーナは悲しみに口をゆがめて訊いた。

「ボルコフ大尉の遺志でもあった。敵国である日本人の子だなんていったら、その後お前が生きていく上でどんな迫害を受けることになるか、火を見るよりも明らかだったからさ。ニーナというロシア風の名前を付けたのも、ボルコフ大尉のそういう気持の表れに違いない。とにかく、お前をチャムス生まれの中国人にしたのは、苦肉の策ではあったが、ボルコフ大尉と私が選択した最善の方法だったのだ。第一、日本の永久トーチカに中国人が紛れ込むなんてことは百パーセントありえないことだからね、ちょっと考えれば、すぐに分かることなんだが、とにかくその線で押し切ったのさ」

「ありがとう……」

「でも、ピョートル、そのことでニーナは深く思い悩んだんだわ」

ソーニャはムラビヨフをややとがめるように言った。

「悪いことをしたと思っている。しかしニーナはどう見たって東洋人の顔をしているじゃないか、ニーナを助けるためには、またニーナを養育する人に迷惑がかからないようにするためには、中国人であることが一番無難だったのだ。中国はわれわれの友好国だからね」

ムラビヨフは弁明した。

「お陰で私の命が助かったのですもの、私は感謝こそすれ、少しも恨みに思っていません。でも不思議ですね……」

ニーナはかすかに笑った。

「私はどうしてもチャムス生まれの中国人になりきることができませんでした」

「そりゃあきっと、お前の身体に流れている血のせいかもしれないね」

ムラビヨフが言うと、横から医師が、

「これこそ潜在意識下の記憶が本人の心や行動を左右している顕著な例ですね」

得意げに言った。

ムラビヨフは医師の話には乗らずに、

「私は見てはいないのだが、ボルコフ大尉から聞いた話では、お前のご両親と思われる人は確かに日本人で、立派な方だったようだ」

ニーナを慰めるように言った。

「私は知ってます」

「えっ、知ってる?」

ムラビヨフはまた目を丸くした。

「私の父は軍人で、口髭を生やした立派な人でした。母は細面色白の人で、小さな私を毛布にくるみ、抱きかかえたまま亡くなりました。私は母の腕と毛布の間にできたわずかな隙間の空気を吸って生きていたのです」

「どうしてお前はそんなことまで知っているのだ?」

「だって私はその場にいたんですもの」

「それにしても……」

「あの時、兵士の一人がアルバムを拾い、隊長のような人に、今にして思えば、その人がボルコフ大尉だったのですね、その人に渡しました。けれどその人は、念のためにと言って、一枚の写真をはがして胸にしまい、アルバムを兵士に返し、破棄せよと命じました。兵士はアルバムを私の両親の遺体の上にほうりました」

ニーナの記憶の鮮明さにみな驚きを隠さなかった。

「あの時、あのアルバムごと取っておいてくれたら、私の出生についてもっと色々と分かったでしょうに。残念だわ」

「その分、危険も増えたろう。一枚だけ取っておいたとは、ボルコフ大尉はさすが有能な軍人だ」

「それもそうですね」

ムラビヨフは振り返り言った。

「夢にしては細部が明瞭すぎる。先生、これはいったいどういうことですか？」

ついに医師の助けをあおいだ形だ。

医師はにこりと笑い、

「ニーナさんは、夢の中か、危うく死にかけた時に味わう臨死体験の中か、とにかく無意識の世界をさ迷っている時に、自分の潜在意識下の記憶と遭遇したのです。それを引き起こしたのはたぶん事故の衝撃でしょう。ちょっと目が離せない臨床例ですな」

興味しんしんだ。

「こういう話はオカルトの世界だけかと思ってました」

「人間の脳の神秘に、最近になって世界の精神医学界がやっと気付きはじめたのです」

ムラビヨフは、内ポケットから封書を取り出すと、あらためてニーナに訊いた。

「ニーナ、お前はその時、どんな服装をしていたと思う？」

ニーナはちょっと顔をしかめ、遠い記憶を引き戻した。

「私は、洋服を着ていました」

「どんな形の？」

「男の子の着るような上着とズボンです」

「色は？」

「日が暮れかかっていてよく見えない……でも、紺色だったと思います。毛布にくるまれ、母の腕に抱かれてはいたんですけれど、服には泥がいっぱいついてました」

ムラビヨフはしばし無言でいたが、

「驚いた。ここに書いてあるとおりだ」

ソーニャの手に封書を渡した。

ソーニャはその差出人の名前を見て、

「あら。イリーナってあの人？」

「うん。ニーナの二番目の里親だ。イリーナは復員した夫のことで国から脅され、ニーナを手放すことを半ば強引に迫られていたんだ」

「なぜ？」

「ニーナがもし日本人であるなら、自分たちの監視下に置きたいという国の意志のせいだ。ひょっとしたら日本にたいする外交カードにも使えるという魂胆があったのさ」

「まあ、かわいそうに」

「それで泣く泣くイリーナはニーナを手放して、夫のいるウクライナに帰ったんだ。そのいきさつを書いた手紙を私にくれたんだがね。その中に、ニーナの服をペチカで焼く件があるんだ」

「なぜ焼いたの?」

「自分たちの養育している子供が日本人だと知れたら、あらぬ疑いをかけられるからさ。特に夫のほうが神経質だったようだ」

ソーニャが読むイリーナの手紙を医師も横からのぞいた。そこには、ニーナが発見された時に着ていた服について細かく書かれてあったが、ニーナの言ったとおりだった。

「ニーナ、あなたはこのことについて憶えがあるの?」

ソーニャが訊いた。

「私の服のことでイリーナ・ママと夫のワレリーが言い争っているのは分かりました。でも私は部屋に閉じ込められていたので、よく聞こえなかったし、聞こえていたとしてもあまりに早口で、とても理解できませんでした。でも、ワレリーが私の服をペチカに投げ入れるところはこの目で見ました」

「その時、服を見なかったのですか?」

医師が質問した。

「私は部屋から飛び出し、ママ、私の服を燃やさないで、とお願いしたのですが、服は目に入りませんでした。ワレリーの怖い目に見据えられて、ペチカの火入れ口の蓋がガチャンと閉まる音と、中でなにかが勢いよく燃える音だけを聞いてました」

「その時、お前が日本人であることを二人は言ってなかったかい？」

ムラビヨフが訊いた。

「言ってたような気がしますけど、私は、イリーナ・ママに棄(す)てられないことだけを祈ってました」

ニーナはすすり泣き、ソーニャも泣いた。

「しかしあれから時は流れた。今では、ニーナ、お前が日本人であるからといって敵視する人はもういない。だから、こうして本当のことを言っているのだ。ニーナ、お前は正真正銘の日本人だよ」

ムラビヨフの言葉にニーナは安らいだ。

「祖国に帰るというのでしょうか、そういう帰還の旅の第一歩をようやく踏み出したような気がします」

ニーナの口許は笑っていた。

「この写真はお前に返そう」

ムラビヨフはニーナの写真を壁にピンで刺した。

私は日本人なのだ。

ニーナは今や遠い思い出となった出来事を手元に引き寄せ、それを楽しくもてあそぶ。孤児院や学校で、国なしニーナと嘲(あざけ)られた時の屈辱や、自分が中国人であることを中国人たちによって否定された時の心細さを。そして今さらのように、もう二度と、国なしニーナなんて呼ばせないと思うのだった。

ニーナは夢の中で死んだ父と母を抱きしめたが、その二人の面影が、ムラビヨフの話の中に出てくる人物と同じであったことがなにより嬉しい。

(私には日本人のしかも立派な軍人の血が流れている)

そう思うだけで、胸いっぱいにあたたかいものがあふれ、われ知らず笑みがこぼれてしまう。

ニーナは、壁にピンでとめられている、幼い自分の写真を横目に見ながら、

(お前はよくぞ助かったものだわね)

と、今度の事故から助かった自分に言い聞かせるようになんどもつぶやいた。

写真の子供は着物を着ている。

(これが日本の着物か……)

日本とは……。

ニーナにはなんのイメージもなかった。

ドイツ、イタリアとともに世界を敵にまわして戦って敗れた枢軸国。満洲ではソ連と戦い壊滅した。極東の島国。位置と形は地図で見て知っているが、そこにどんな人が住んでいるのか、どんな言葉を使っているのか、皆目見当がつかなかった。中国人や朝鮮人なら見たことがあるが、日本人というものをニーナは一度も見たことがなかった。

ニーナは、夢で見た戦場に登場した日本軍人の顔を思い浮かべてみたが、どれもこれも悪鬼のような形相をしていた。ニーナはあわてて父と母の面影に思いを切り換えた。

(なんという優しい顔立ちだったろう。あれが日本人なら、日本人はみな優しい人たちに違いな

い）

そう思うとニーナの胸にふたたびあたたかいものが込み上げてくる。

ニーナは、遠い国にいるであろうダヴィッドにむかって話しかける。

（ああ、ダヴィッド、あなたは今どこでなにをしているの？　ねえ、ダヴィッド、私が何人か分からないせいで、あなたに不安を与えていたと思うわ。だけど、私は日本人だったのよ。今なら、私、あなたの胸に刺さっている真っ赤に焼けたナイフを、もっと優しく抜いてあげることができるような気がするわ）

そして涙にくれるのだ。

これが若さというものだろうか。重傷と言われていたニーナの傷は医師の予想を上回る早さで回復していった。

入院一ヵ月で、傷ついていた眼窩が全治し、右目の包帯が解かれた。幸い眼球に異常はなかった。二ヵ月半で骨折した左鎖骨がほぼ治った。三ヵ月で骨折した右足のギプスがはずされ、歩行練習が始まった。

入院して百日目、主治医のニコライ・プラトノフは、

「骨盤の罅はもうしばらくかかりますが、自宅療養で大丈夫でしょう。それにしても、私としては、ニーナさん、あなたの脳の働きに興味がつきませんね」

と言って笑った。

エカテリンブルグ市民病院を退院する日、医師や看護婦が玄関口まで見送ってくれたのだが、そこには大勢の人がニーナを待ち構えていた。眼鏡をかけ、松葉杖をついたニーナが登場する

と、

「ニーナ、退院おめでとう」

「ニーナ、こっちをむいて笑って」

「ムラビヨフ閣下もどうぞご一緒に」

カメラのフラッシュがたかれ、シャッター音がつづいた。

「なにがあったの、ママ」

ニーナはソーニャに訊いた。

「ピョートルが新聞社に話したからだわ」

「ムラビヨフの小父さんが？」

ニーナは不審そうにムラビヨフを見た。

ムラビヨフは軽くうなずき、

「満洲の戦場で奇跡的に救われた子供がいて、実はその子がお前だということを、事実の通りに話したのさ」

「なぜ？」

「そうすることがお前が日本人として復権するためには一番の早道だと考えたからだ」

ソーニャが横からささやいた。

「あなたがダヴィッドに失恋してトランバイに飛び込んだという噂から注意をそらすための深謀遠慮よ」

「分かったわ」

ニーナはムラビヨフとソーニャにむかって利発そうにうなずいた。

(私には家族のように温かい人がいてくれる)

今までにない自信のようなものが湧いてきて、ニーナはカメラマンの注文に応じ、笑顔を作った。

ニーナは晴れやかな気持で、エカテリンブルグの冬の空を見上げた。飛行機雲が弧を描いたまま、西から東へゆっくりと流れていた。あとは抜けるように澄み切った青空だ。

(私は日本人である)

そんな実感につつまれ、幸福だった。

翌日、二つの新聞にニーナの記事が載っていた。「ウラル日報」にはムラビヨフとの写真とともに「ソヴィエト初の日本人残留孤児」というタイトルで、「ウラル労働者新報」には眼鏡をかけたニーナの顔のアップとともに「トーチカから来た女の子」というタイトルで。内容はムラビヨフがニーナに話してくれたものとほぼ同じだった。トランバイと激突したことは交通事故あつかいになっていて、ダヴィッドとのことについては一行も書かれてなかった。

ルナチャルスキー記念国立オペラ・バレエ劇場のコレペティートルである若い娘が、実はソヴィエト残留日本人孤児だったということで、ニーナは一躍人に知られる身になった。

2

年明けて、一九六一年早々、

「新聞見たわよ」

と言って、ターニャが見舞いにきてくれた。

「あなたがこんなに有名になるなんて、思いもしなかったわね。小さい頃、孤児院で同室だったということで、私まで取材を受けたわ。ニーナさんてどんなお人柄ですかって。大丈夫よ、たっぷり褒(ほ)めといたから」

相変わらずの明るさだが、陰りのあるところも昔と同じだ。

「ターニャ、あなたは今どうしているの？」

「私は相変わらずよ」

「相変わらずって？」

「今でも、アッツェヨープカ（ファザーファッカーの意）やって生きているわ」

「なにを言い出すの？」

「子供の頃の体験って人間の運命を決めるものね」

ターニャは憂い顔を作ったが、同性から見てもたまらない色気があった。体付きもなまめかしい。

「あなたとお別れしたのは確か一九五三年だったわよね。その二年後、私が八年生で十五歳の時、あるお金持のお医者さんの家に里子としてもらわれたの。その人は奥さんに先立たれて淋しかったんだと思うけど、すぐに養女として籍を入れてくれた」

「まあ、それは良かったじゃないの」

「でも実質的には彼の愛人なの」

「そうなの。でも、あなたたちは愛しあってるのでしょう？」

「どうかしら。親子なのに互いの肉体を求めあう愛。他人なのに近親相姦的な罪の意識に苛(さいな)まれる愛。どこに真実があるのかと解きほぐしていくと、結局はなにもない」

ターニャの目が青白く光った。

「でも、一緒に暮らしてるんでしょう？」

「ええ。暮らしてるわ」

「なんだか羨(うらや)ましいわ」

「平和と安全だけは保障されてるわ。でも世間的には普通の親子よ」

「その人いくつ？」

「今、六十六歳」

「奥さんにはなれないの？」

「私と彼は、背徳的な関係であるがゆえにつづいているところがあるから、正式の夫婦なんかになったら終わってしまうわ」

「非現実的な愛の暮らしも夢のようで楽しそうだわ」

「夢は虚無。それが私の人生」

ターニャは淋しく笑った。

「私はその人の娘としてウラル大学で美術を学んでいるわ。そう、ニーナ、あなたも大学へいらっしゃいよ。勉強って楽しいわよ」

どう答えていいか分からず、ニーナが口ごもっていると、

「孤児が生きていくのは本当に大変だわ。犯罪に走る男の子や売春婦になる女の子なんかも結構いるのよ。それに比べたら、私なんか幸せかなとも思うのよ。ニーナ、あなたは特に幸せ者。それを言いたくて、私は今日来たんだわ」

そのとおりだ、と思ったニーナの頭の中をムラビヨフとソーニャの顔が一瞬よぎった。

「そうだ、ニーナ、あなたの顔を描かせて」

ターニャは大きなバッグからスケッチブックを取り出すと、

「動かないで!」

真剣な目付きでニーナをにらみ、鉛筆を走らせた。

鉛筆と紙が触れる音がやんだと思うと、

「はい。できあがり。これがニーナ、今日のあなたの顔よ」

ターニャは仕上がった絵を見せた。そこには柔らかな微笑をたたえた、いかにも幸せそうなニーナの顔が描かれていた。しかもそっくりに。

「これ、あげるわね」

ターニャはその絵をニーナに差し出した。

「ありがとう。あなたにこんな才能があったなんて……」

「ニーナ、気をつけなくてはいけないわ」

ターニャが急に声を殺して言う。

「なにに気をつけるの?」

「世間は意地悪だということ。あなたは新聞に出て、ソヴィエト残留日本人孤児であることを公にしたけれど、そのことでまた意地悪をされるかもしれないということに」

「どう気をつければいいの？」

「慎重にね、ひたすら慎重にしていてね」

「なにそれ、孤児の知恵？」

「むろんそうよ。忘れちゃダメよ」

ターニャはウインクを一つ残して帰っていった。幼い頃と同じ蠱惑（こわく）的な目付きだった。

「慎重に……」

ニーナは考えたが、ダヴィッドのことにすぐ思いが至り、青ざめた。

ニーナは窓辺に駆け寄り、レースの隙間から外をのぞいた。

家からかなり離れたところに黒い車がこちら向きに止まっていた。ニーナは孤児院へ送られた時の黒い車を思い出し、ぞっとした。中に人がいるのかどうかはフロントグラスが光っていてよく見えない。警察とか政府関係の車なのかどうかなにも分からないのに、ニーナの胸は高鳴った。

ニーナは台所に行き、夕食の支度をしているソーニャに言った。

「ママ、家の近くに黒い車が止まっているけど、あれは私を監視しているのかしら」

ソーニャは野菜を切る手を止め、

「実は、私も前から気になっていたの」

「ママ、知ってたの？」

「知ってたわ、一週間ほど前から」

「あれってKGB（ソヴィエト国家保安委員会）の車？」

「かもしれないわね」

ニーナは背筋が凍る思いだった。

ダヴィッドのことで自分がどうなろうとかまわない。自分がしたことなのだから。しかしムラビヨフやソーニャに迷惑のかかることだけは避けたかった。が、どうしたらいいのだろう。

ニーナはおろおろと家の中を歩きまわった。

「ニーナ、そんなに怖がってもしょうがないわ。まだなにも起こっていないのだから。それよりも身体を完全に治しましょう」

ソーニャは努めて冷静を装いつつ、食卓の用意をした。

数日後、よく晴れた日だった。

「五年広場（一九〇五年広場の通称）に行ってみない？」

ソーニャが誘い、

「行きたいわ。そろそろ散歩してみたいと思っていたところなの」

とニーナが応じ、二人はでかけた。

一九〇五年広場では恒例の氷祭りがもよおされていて、たいそうな人出だった。樹木は七色のリボンで飾られ、それが白い雪景色に映えて美しい。大人も子供も毛皮の帽子をかぶり、氷でできた小丘を滑り降りて楽しんでいる。出店ではピロシキや駄菓子を売っている。

「久しぶりに人間世界を味わった気分だわ」

ニーナはご満悦だった。

家に着いて、ソーニャがドアの鍵を取り出したが、ドアはすでに開いていた。

「泥棒かしら？」とニーナ。

「違うわ。ＫＧＢだわ」とソーニャ。

二人はゆっくりと家の中へ入っていったが、どの部屋も荒らされ放題だった。本棚の本はすべて床に落とされ、引き出しはすべてひっくり返され、洋服もすべて投げ出されてあった。

ピアノの前にアルバムがひろがっていた。

ニーナはそれを点検した。

「ないわ」

「なにがないの？」

「ダヴィッドの写真がないわ。彼一人の写真も、彼と二人で撮った写真も、劇場の仲間たちと撮った写真も、みんなはがされてるわ」

二人は恐怖にふるえる目で互いを見た。

ガン、ガン、ガン、ドアが鳴った。

ソーニャがドアを開けると、ソフトをかぶった二人の男がいて、

「ＫＧＢ……」

と言い、内ポケットから取り出した身分証明書を見せた。

「なんのご用でしょう」

「ニーナ・ペトローヴナ・フロンティンスカヤさんにご同行願いたいのですが」

「理由は？」

「亡命したダヴィッド・レービンについて任意取り調べを行いたい」

ソーニャは振り返った。

ニーナは腰がくだけた。

「私の兄がソヴィエト陸軍第一赤旗軍の副司令官だったムラビヨフ中将であることはご存じなのでしょうね」

ソーニャは毅然として言った。

「もちろん存じ上げております。そしてあなたがルナチャルスキー記念国立オペラ・バレエ劇場のコレペティートルであり、功労芸術家の称号を得ていらっしゃることも、あなたのご亭主がスターリングラードの戦いで名誉の戦死をなさったことも」

二人とも黒いハットをかぶっているが、背の高いほうの男が慇懃にハットの鍔に指をそえて言った。

「分かっていて、どうしてこんな失礼なことをなさるのですか？」

「あなたにたいしては十分に敬意を表しているつもりですが」

「こんなに部屋の中を荒らしまわっておいて、よくもそんなことが言えるわね」

「職務です。ならばお訊きしますが、ソーニャさん、いや、ソフィア……」

「ソフィア・アンドレーヴナ・ブルドンスキーです」

「ソフィア・アンドレーヴナさん」

「ソーニャで結構です」

「ソーニャさん、あなたはなぜ、ニーナ・ペトローヴナという危険人物を匿っているのですか？」

　男はニーナのほうへ顎をしゃくった。

「匿うもなにも、ニーナはうちの娘です」

「でも、血はつながってはいらっしゃらない」

「ニーナの保護者はムラビヨフ中将です。どこが危険人物なんですか？」

　ソーニャは怒りをあらわにして言ったが、二人の男はにやにや笑うだけで、まともに答えようとしなかった。

「われわれKGBの取調官は、国家の安全を守るのが仕事です。そのためには自らの革命的良心の命ずるところに従い、必要と思われることはなんでもします。細心の注意を払い、最大の情報を集め、誰であろうと疑ってかかる。それでも私たちは裏切られつづけている。まったくもって反革命分子ってやつはどこにどう隠れているか分からないものなのです」

「ニーナが反革命分子だと言うのですか」

「少なくとも国家を裏切って亡命した人民の敵の許婚だったことは間違いない」

　ソーニャは振り返り、

「ニーナ、あなたなんとか言いなさい。言わないととんでもないことになるわよ」

　ニーナを叱った。

　ニーナはふと思いつくと、足下に散らかっているアルバムを拾い上げ、そこにある一枚の集合写真を指差して言った。

「ねえ、あなたがた見てください。これは五年生の夏休みにピオネール（共産党少年少女団）のキャンプに行った時の写真です。左側の髪の黒い子が私です。私だって真面目な共産党員なのです。分かってください」

「さほど真面目とは聞いてませんね」

背の高い男はアルバムを見もしなかった。

「…………」

「とにかくわれわれは、二人が結婚を前提とした交際をしていたことを、まわりの証言によって確認しています」

「結婚を前提としていたのなら、なんでダヴィッドはニーナをおいて亡命したんですか？」

ソーニャは反論した。

「ですから、その点についてお尋ねしたいことが沢山あるのです」

ニーナはおずおずと進みでて、

「結婚の約束などしていません」

か細い声で言った。

「約束とは言ってません。前提と言っている」

ニーナは反論したかったが、自分の正直な気持を思うと言葉が出てこなかった。

男は詰問口調で言った。

「医師の報告によると、ニーナさん、あなたは最近流産しましたよね」

「はい」

「子供の父親は誰ですか？」

「…………」

「父親の名はダヴィッド・レービンですよね」

一瞬ためらったが、

「はい」

もはや否定しても無駄だった。

「ニーナさん、あなたとレービンは昨年の七月初めから九月の初めまでの二ヵ月間強、毎日のように一緒にいた。いや、同棲していたといってもいい。その間、あなたたちはなにを話していたのですか？」

「なにをって、なにを？」

「ダヴィッド・レービンが国家にたいしてどのような敵意を抱いていたか。レービンを陰から糸を引いていたのは誰か。いつ頃から亡命の計画を立てていたか。近々あなたも亡命するとして、どこでレービンと落ち合うのか」

「そんな約束があるなら、トランバイに飛び込んだりはしません」

ニーナは泣きそうな声で言ったが、男は、

「あれは単なる事故でしょう」

と取り合わなかった。

「とにかく、ご同行願いましょうか」

有無を言わせぬ言い方だった。

背の低いほうの男がニーナに歩みより、手錠をかけようとした。

「任意同行なのになぜ手錠を?」

　ソーニャが叫んだ。

「一応規則ですから。令状ならありますよ」

　背の高い男が内ポケットから白い紙を取り出し、

「ご覧になりますか?」

「あなたがたいったい、うちのニーナのなにを調査したというのです」

　背の高い男が目配せし、低い男がニーナの右手と自分の左手を手錠でつないだ。

「ママ、助けて。私、怖いわ」

　手錠をはめられた手を見せ、ニーナはソーニャに哀願した。

「大丈夫、ニーナ。これはなにかの間違いよ。ピョートルに頼んで、できるだけのことはするから」

　ソーニャは男たちに訊いた。

「どちらに連れていかれるんですか?」

「それは国家機密です」

　返事はにべもない。

「手荒な扱いはしないでくださいね。この子は病み上がりなんですから」

　ソーニャはニーナの肩にコートを着せかけた。

　家の前に黒い車がエンジンをかけたまま止まっていた。後部座席にニーナを押し込み、左右を男たちが固めた。

振り返ると、黄昏時（たそがれどき）の道の上にソーニャが腕組みして立っていた。

「ママ！」

聞こえないとは分かっていたが、車が動きだす寸前、ニーナは叫んだ。

足早に家に駆け込むソーニャの影がちらりと見えた。

「静かにしてくれませんか」

背の高い男がドスのきいた声で言った。

車はデカブリストフ通りからルナチャルスカヴァ通りに出ると右折し、ニーナが通いなれたオペラ・バレエ劇場を左に見つつレーニン大通りを横切り、戦争歴史博物館を過ぎ、スヴェルドロフスク駅のそば近くにかかる陸橋を渡った。あたりは急に陰鬱な雰囲気になり、ニーナは背筋が寒くなった。

ＫＧＢは、革命的国家保安機関として自然発生的にできあがったＶＣＨＫ（ヴェチェカ）（全露非常委員会。チェカーと呼ばれ、その捜査官はチェキストと通称された）を格上げしてより一層の権威と権力を与え、国家的秩序の中枢として組織化されたＧＰＵ（ゲーペーウー）（国家政治保安部）をその前身とするものであるが、一九五四年、ソヴィエト連邦内務省より独立して、よりその力は強大になった。

今でも人々は保安機関の役人のことをチェキストと半ば皮肉を込めて呼びつつも、内心ではこの世のなによりも怖れていた。

おい、林檎ちゃん、
おい、林檎ちゃん、

どこへ転がっていくのさ？
KGB（カーゲーベー）のところよ。
それじゃあ二度と
戻ってこられないぞ！

こんな歌が街で密かに歌われていることくらいニーナだって知っている。

もう生きて帰れないかもしれない。

ニーナは暗澹（あんたん）たる気持になった。

車は、灰色のがっしりした建物の前で止まった。正面のポールにはソヴィエト連邦とロシアの二本の国旗が薄紫色の空にはためいていた。

中へ入ると正面に、大勢の人が忙しげに上り下りしている大きな階段があり、その左右に長い廊下があった。

一階左奥の部屋で手錠をはずされ、一人にされた。一つの机を挟んで二つの椅子があり、壁際にもう一つ椅子がある。入り口にはなんの標示もなかったが、ここが取調室であることはニーナにも分かった。大きな透かし鏡があり、そこから誰かによって監視されているのかと思うと足がすくんだ。

二人の男が、書類を持ってもどってきた。

背の高いほうの取調官が、

「座りなさい」

奥のほうの椅子を指差し、ニーナは座った。もう一人の男はドアに鍵をかけ、壁際の椅子に座り、こちらを注視した。

背の高い男は椅子にどっかと腰を下ろすと、

「KGB取調官は反革命分子を自分自身で逮捕し、告発し、予審を行い、起訴状を作成する。つまり君を起訴するもしないも、私の革命的良心次第だということだ。VCHK、GPU、KGBといかに名前を変えようと、チェキスト精神はわれわれの伝統であるということを忘れないでもらいたい。すなわち『誰が引き起こそうとも、全ロシアの反革命運動と怠業の企(くわだ)てと行動を監視し、これを撲滅すること』これがすべてだ」

と言ってふんぞり返った。

「君も、社会主義の法律は世界で最も人道的なものだと信じているだろうが……」

「ええ」

消え入るような声でニーナは答えた。

「しかしその人間愛がおよぶのは正直な勤労者であって、反革命分子にたいしてはきわめて厳しい。なぜなら彼らはわれわれの敵だからだ」

「私がなにをしたのでしょう」

「お前の許婚が亡命した。亡命とは反革命犯罪であり、反ソ宣伝活動のうちで最も悪質なもの、銃殺刑にも値する。お前はそれを知っていて密告しなかった」

ニーナは一瞬、なにを言われているのか分からなかった。

「密告？」

「そうだ。企図され、または実行された反革命犯罪について密告を忌避した場合は刑期六ヵ月以上、自由を剝奪する、とここに書いてある」

男は法律書をぽんと机の上に投げ出した。

「私は本当になにも知らなかったのです」

「パウリク・モロゾフを知っているか？」

「知りません」

「パウリク・モロゾフ少年は一九三二年、農業社会化時代だが、実の父親をGPUに密告した。そのために少年は村の人々によってなぶり殺しにされたが、国家は彼を人民英雄としてたたえた。君もこの少年を模範とすべきだったのだ」

「…………」

「わが国の法律は犯罪企図と犯罪実行を区別しない。亡命を実行した者も、その相談に乗った者も同罪、死刑だ」

「…………」

ニーナはふるえあがり、椅子ががたがたと鳴った。

「われわれは手段を選ばない。君を自白させるためならなんでもするということだ。マニキュアって知っているか？」

「マニキュアって、あのマニキュアですか？」

「むふっふっ……」

男は笑い、

「いや、爪をはがす拷問のことだ」

ニーナの全身から血の気が引いた。

「わが国の法律は、尋問の際の拷問やその他の特別手段を禁止していないということを前もって君に教えておこう」

そう言って男は机の上のライトの笠を傾け、光をまともにニーナのほうにむけた。ニーナは思わず手をかざし目をつぶった。

「手を下ろせ。目を開けてじっとライトを凝視するんだ」

ニーナは言われたとおりにしようとしたが、まぶしくてできない。それでも必死になって目を開けていると、涙が出てくるのだが、その涙がどんどん乾いていくのが分かる。

「拷問をするまでもない。結論を先に言うなら、ニーナ・ペトローヴナ、君の罪状は明らかであり、弁明の余地はない。しかも君の民族名は中国人でなく、日本人だったというではないか」

「それがなにか……」

「世界じゅうに散らばり、いつもどこかの国で国家転覆を画策しているユダヤ人と、今次大戦でわが国を敵にまわして戦いそして敗れた日本人が、夜毎に乳くりあい、その合間にいったいなにを共謀していたのだ！」

机をたたいて男は立ち上がった。

ニーナは呆然と男の大きな影を見上げた。男の目だけが光っていた。

男は低い声で法律書を読み上げた。

「『社会的危険行為を行った者、あるいは犯罪者仲間との関係又は過去の活動から考えて危険と思われる者に対しては司法・矯正的、医療的、あるいは医療・教育的性格をもつ社会防衛手段を適用する』刑法典二六、第七条」

男の声はニーナの頭の中で反響した。もはやなにを言われているのか分からない。男の黒い影がぐるぐると回った。

「国事犯ダヴィッド・エマニュエル・レービンの婚約者ニーナ・ペトローヴナ・フロンティンスカヤは犯罪者の家族構成員であり、加えて、亡命の企図および密告忌避の罪でラーゲリ（強制収容所）送りとする」

壁際の男がさっと立ってニーナの両手に手錠をかけた。顔に袋をかぶせられ、目の前が真っ暗になった。

ラーゲリ……私はもう生きて帰れない。この禍いがソーニャやムラビヨフ小父さんの身におよびませんように。ニーナはただそれだけを祈った。

ニーナはふたたび車に乗せられた。

車は、無言のうちに、動きはじめた。

頭から黒い袋をかぶせられていたので、まわりの世界はなに一つ見えないのだが、聞こえてくる物音で、車がスヴェルドロフスク駅に着いたことが分かった。

「降りろ」

と言われたが、先程までの男たちの声ではなかった。

「歩け」

もう一人の男が言った。この声も違った。

ニーナは自分の身柄が護送兵に渡されたことを理解した。その二人に左右の腕を支えられ、ニーナは歩いた。

駅舎を抜け、長いホームを歩いた。

大勢の人が行き来しているようだが、顔をおおわれているのが幸いだった。さもなくば、人目にさらされ死ぬほど恥ずかしかったであろう。

ホームの右側に列車が止まっているのが分かった。

(シベリア鉄道の列車だろうか。ならば私はシベリア送りだ。この真冬に……)

ニーナは黒い袋の中で泣いた。肩をふるわせ、泣きながら歩いた。

ホームの最先端まで行き、機関車が蒸気を吐きだす音を間近に聞きつつ列車に乗った。

客車の中に人の気配はなかった。

「座れ」

と言われて座席に座った。とたんにタバコの煙が匂ってきた。護送兵たちが吸っているのだろう。

「今夜は冷えるな」

「うん。この分ではむこうは氷点下五十度はかたいな」

なにがおかしいのか、二人は笑いあった。

「どこへ連れていかれるのですか?」

袋の中からくぐもった声でニーナが訊いた。

「なんだお前、知らなかったのか?」

「ええ。聞かされてません」

「シベリアのクラスノヤルスクさ」

ニーナには聞きおぼえのない街だった。

「帝政ロシア時代からの流刑地だ。デカブリストの乱(一八二五年十二月十四日、農奴制と専制政治の廃止を目的として、ペテルブルグで起きたロシアで最初の武装蜂起)で捕らえられた青年貴族たちや、まだ若い革命運動家だったレーニンが一八九七年に流刑にされた場所だ。そこにはお前たち女性や外国人のための秘密ラーゲリがあるんだ」

「遠いんですか?」

「距離にして約二千三百キロ。うんざりするほど遠い。ソ連が世界一大きな国だってことがイヤでも分かるだろうよ」

若い声が言った。

「まったく。なにしろ地球上の地面の六分の一がわが祖国ソ連なんだからな」

二人はまた笑った。

男たちが笑うたびに、ニーナは脅迫されているような気持になり、生きる気力が萎(な)えていった。

「どのくらいかかるんですか?」

「特急ロシア号なら三十時間で行けるんだが、この汽車は各駅停車だから四十時間以上はかかるだろう。それでも一等や二等のコンパートメントならまだましだが、われわれは三等寝台で、しかも原則としてベッドには寝ない。だからかなり疲れるぜ」

若い声が言った。

「囚人を甘やかすことはしないということさ」

この時初めて、ニーナは自分が日常の現実生活からはるかに遠いところへ来てしまっていることを思い知らされた。

（私は夢でも見ているのだろうか。この夢は覚めるのだろうか。いったいどうしてこんなことになったのだろう）

ニーナはダヴィッドとの甘美な抱擁を思い出した。あの抱擁がこんな残酷な事態をもたらすとは。なんということだろう。あの時、ソーニャがあんなにも心配してくれたのに、一顧だにしなかった自分の愚かさが悔しかった。が、ダヴィッドを愛したことについては、喜びこそあれ、悔いはなかった。しかしそれにしても、なんというあっけない転落だろう。ＫＧＢの取調官が家に来たのは午後四時頃だった。逮捕され、ＫＧＢに連れていかれて尋問され、あっと言う間に刑が確定して、シベリア送りとなった。ダヴィッドが言っていたとおり、国家というものは、やろうと思えば、国民にたいしてなんでもできるのだ。亡命したダヴィッドの気持が今更のようにニーナには理解できた。

「ま、あまり緊張しないでゆっくりかまえることだ。むこうに着くまで身がもたないぞ」

男たちはまた笑った。

汽笛が鳴り、ごとりと汽車が動きだした。

（私が戦場で助けられたのと同じように、今、私がこうしてシベリア送りになるのも運命なの

だ。最初から決まっていた筋書きなのだ）

一つ目の駅で汽車が止まった時、

「もういいだろう」

ニーナの頭から袋が取り去られた。

分厚いコートを着、毛の付いた帽子をかぶった護送兵が二人いた。あどけない顔をした若い兵士と髭を生やした将校だ。

「ニーナ・ペトローヴナ・フロンティンスカヤか。まだ若い女ではないか」

髭の将校が言い、手にある資料の写真と見比べていた。

ニーナの手錠からのびた鎖の先端はその将校の腕に結わえられていた。

汽車はふたたび走りはじめた。

ほかに客が一人もいないということは、ＫＧＢ専用なのだろうか、とニーナが考えていると、

「機関車のすぐ後ろの車両だから、うるさいことおびただしい。だから誰も乗ってこないのさ」

将校が言った。

汽車は走ったと思うとすぐに止まった。

無限につづくかと思えるような、緩慢な時の流れだ。

夜も深まってくると、二重ガラスの窓が凍てつき、氷の模様ができた。寒さが床の下から刺すように染み込んでくる。

太った女の車掌がやってきて、ストーブに石炭を足し、

「兵隊さん、ベッドをお作りしましょうか」

と言ったが、将校は、

「いや、その必要はない。が、車掌さん、お茶を三ついただけないか」

と命令口調で言った。

「ただ今お持ちします」

しばらくすると、車掌は耐熱ガラスのコップに入った紅茶を三つ、ワゴンに載せて運んできた。

「ほかになにか？」

「なにもいらない」

温かい紅茶を飲むと胃にしみたが、それでも人心地ついた。ニーナは夕食をとっていないことを思い出した。

進行方向に背をむけて座っているニーナの背中のすぐうしろが機関車だった。汽車が止まったり動いたりする時の音と揺り戻しが激しく、なんども嘔吐をもよおしそうになった。護送兵たちは慣れたもので、交替交替に座ったまま眠っていた。

ニーナはまんじりともせず、窓の外を見ていたが、ガラスに氷が張りついていてなにも見えなかった。時折、人家の明かりが流れ星のように現れ、消えていった。

女車掌は、ストーブに石炭を足し、灰をかき集めてバケツに入れ、ニーナのそばに来て言った。

「寒くありませんか？」

「寒いです。もう少し温かくなりませんか」

「これ以上はどうにもなりません」

「なぜ、スチームにしないのですか？」

「万が一スチームが故障したら、寒さで人が死んでしまうからです。ですから石炭ストーブが一番安全かつ有効なのです」

女車掌はニーナの手元を見て、ちょっと哀れみの表情を見せ、出ていった。が、すぐに戻ってくると、

「これ、貸してあげる」

毛皮の帽子と革の手袋を差し出した。

「ありがとう」

起きている若い兵士のほうをちらりと見たが、彼は口の中で「ハラショ（よし！）」と言った。

ニーナは帽子をかぶり、手袋をはめた。

身体の芯が暖まり、急に呼吸が楽になった。

機関車が絶え間なく吐きだす蒸気の音、車輪のきしみ、時々噴き上げる汽笛の音、列車の揺れと寒さ、それらのものに少しずつ慣れてくると、ニーナもうとうとするようになった。

目覚めても窓ガラスはまだ凍てついていて外はよく見えないのだが、東の空に朝日が昇りつつあるのは分かった。地平線のはるかかなたに太陽がわずかに顔を見せ、その光によって窓ガラス全体がオレンジ色に輝いた。

太陽が昇るにつれ、氷の結晶が作る美しい幾何学模様に罅（ひび）が入り、割れ目ができ、わずかに解け、小さな透明なのぞき穴ができる。その穴から見える世界は一面粉雪をかぶっていて、厳しい

寒さに黙然としていたが、今しも太陽の光をうけ、薄紅色にきらめいていた。

　どこまで行っても大雪原であった。

　あまりに同じ景色がつづくのに飽きて、しばし眠ってみても、目を開けるとやはり同じ景色で、この汽車は動いていないのではないか、永遠にこの大雪原を堂々巡りするのではないか、とそんな恐怖を覚えるほどであった。

　朝食は女車掌がワゴンでサービスしてくれた。キャベツとじゃがいもと鳥肉の入ったピロシキ一個と紅茶だった。

　昼食もまったく同じだった。

　午後四時、プラーミャという小さな駅に止まった。

　次の停車駅はオムスクという標示がある。

　髭の将校が久しぶりに口を開いた。

「オムスクは昔ドストエフスキーが流刑にされたところだ。彼は政治犯として逮捕され、死刑を宣告されたのだが、処刑の直前に減刑され、オムスクの監獄に入れられた。一八五〇年から四年間も。その時の体験をもとにして書いたのが『死の家の記録』だ。まったく人生ってやつはなにが起きるか分からない。ニーナ・ペトローヴナ、お前さんも希望を捨てるんじゃないぞ」

　そんなことを言われてもにわかに希望が湧(わ)くものでもないが、優しい言葉をかけてくれる髭の将校の気持が嬉しかった。

　汽車はオムスク駅に入った。

　停止した瞬間、ドアが開き、靴音もけたたましくこちらにむかってくる二人の男。よく見ると、ニーナを逮捕し尋問し、起訴したKGBの取調官たちだった。

ニーナは恐怖にふるえた。

二人の護送兵はさっと立ち上がり、敬礼し、不動の姿勢をとった。

「急いで降りるんだ」

KGBの背の高い取調官が言った。

「なにがあったんですか？」

髭の将校が質問した。

「反対側ホームにモスクワ行きのロシア号が止まっている。それに乗り移るんだ。質問はあとでいい」

ニーナは手錠を引かれて立ち上がり、歩きだした。振り返ると、女車掌が呆然とニーナたちを見送っている。

「あの、これ……」

ニーナが帽子と手袋を返そうとすると、女車掌は顔の前で手を振って、微笑んだ。

「いいのよ。差し上げるわ」

「ありがとう」

「急ぐんだ」

取調官たちにつづいて、護送兵たちとニーナも、ホームの反対側に止まっている汽車にあわただしく乗り移った。と同時に特急ロシア号が動きだした。

いったいなにがあったのか。

ニーナはただおろおろと、背の高い取調官の顔を見上げるばかりだった。

「事情があって、われわれはニーナ・ペトローヴナを連れてエカテリンブルグへ戻る」

取調官は護送兵から鍵を受け取ると、ニーナの手錠をはずした。

「君たちもこの列車で帰りたまえ。ご苦労だった」

護送兵たちは敬礼をして去っていった。

座席は二等の四人用のコンパートメントだった。そこに三人座って、ドアを閉めた。

「実は、あれからすぐにムラビヨフ中将がお見えになって……」

背の高い取調官が口ごもりながら言う。

「申し遅れましたが、私はＫＧＢの取調官ジェグーニンといいます。ムラビヨフ中将はあなたのことを命懸けで弁護しましてね……」

「命懸けとは？」

「ムラビヨフ中将はこう言いました。ニーナは自分の子供も同然である。自分の子供を弁護することがもし法に触れるのであれば、それも仕方ない。ラーゲリに送られようと処刑されようと甘んじて受けましょう。しかし、ニーナの命をあの戦場から救ったのは誰ですか？　ソ連という国ではないか。ソ連という国に生きた兵隊が、その人間愛に従って、日本人の子供の命を助けたのだ。そして、その後のニーナを育て、生かしたのもソ連という国である。これこそ人類の歴史に残る、奇跡的な喜びではないか。その喜びをなぜ、官僚的な手続きで台無しにしてしまわなければならないのか。例外的であれ、超法規的であれ、とにかくニーナの命を生かしつづけてこそ、われわれは永遠に喜びを分かちあうことができるのではないだろうか、と」

ニーナは声をあげて泣いた。

「ムラビヨフ中将の話にわれわれは感動したが、それだけであなたを解放するわけにはいかない」

「………」

「ムラビヨフ中将は国家への功績華々しい軍人であり、現在は退役なさっておられるが、この際、ウラル国立大学軍事訓練科の教授として後進の育成にあたってもらうことを条件として、あなたを釈放することにした。ムラビヨフ中将に感謝するんだな」

「私はもうラーゲリに行かなくてもいいんですね？」

ジェグーニンはタバコを出して火をつけ、煙と一緒に、うんと言った。

特急ロシア号は一路エカテリンブルグにむかって走っている。普通列車とは比較にならない速さだ。

「ムラビヨフの小父(おじ)さん、優しい小父さん、ありがとう」

ニーナは心の中で両手を合わせた。


一九六一年一月二十日、午前七時、特急ロシア号がスヴェルドロフスク駅に入った。

ホームに立ち、白い息を吐いているムラビヨフとソーニャの姿が窓から見えた。

ニーナは汽車が完全に停車するのも待ちきれず、ドアを開け、

「ムラビヨフの小父さん！」

ムラビヨフの腕の中へ飛び込んだ。

「ニーナチカ！」

ムラビヨフは初めてニーナを愛称で呼んだ。

「ママ、怖かったわ」

ソーニャとも抱きあった。

「ニーナチカ、無事で良かったわね」

ソーニャもニーナを愛称で呼んだ。

三人はまるで家族の再会のように、親密に抱きあった。

「ありがとう、ママ。ありがとう、ムラビヨフの小父さん」

「お前を死なせるようなことがあったら、私の人生そのものが失敗に終わってしまう。どんなことをしてでも助けるつもりだったよ」

「私、嬉しい……」

ニーナはムラビヨフの腕の中で泣いた。

「ニーナチカ、お前は私の子供だよ、いや子供以上だ」

取調官ジェグーニンはこの光景を黙って見ていたが、頃合を見計らうと言った。

「それではムラビヨフ閣下、私たちはこれで失礼します」

「色々とご配慮ありがとう。恩に着る」

「すべてはなかったことに。すべてはなかったことにです。お忘れなく」

取調官ジェグーニンはムラビヨフに敬礼をすると、黒いコートをひるがえして回れ右をし、部下を引き連れ、スヴェルドロフスク駅の長いホームを颯爽（さっそう）と歩いていった。

ニーナはムラビヨフに言った。

「ムラビヨフの小父さん……」

「もう、パパでいいよ」

「パパ・ピョートル……」

「それでいい。ニーナチカ」

「あなたのお陰で、私の帰還はまた一歩、前進したような気がします。ありがとう」

「ニーナチカ、お前が帰ろうとしているところがどこなのかは知らないが、とにかくそこが安らぎの国であることを祈るよ。なんならこのまま、どこへも帰らなくてもいいんだよ」

ムラビヨフの優しい言葉に嗚咽(おえつ)したニーナはソーニャの腕にすがって歩いた。

ムラビヨフとソーニャによって、ニーナは人の愛情というものを、いや、愛の力の偉大さについて知った。それまで天涯孤独とばかり思い込んでいた自分にも家族のような温かい人たちが、いや家族よりも親身になってくれる人たちがいるという喜び。ニーナは常日頃、ふと気がつくと、自分の運命を嘆いていることが多かったが、この日以来、そういうことはしなくなった。むしろ、三度も奇跡的に助けられたこの命を充実させて生きぬくことこそが、ムラビヨフやソーニャにたいする恩返しだと思うようになった。

ニーナはふたたびソーニャの家で暮らしたが、しばらく仕事を休んだ。病気療養が表向きの理由であったが、ダヴィッドとのこと、トランバイ事故のこと、KGBによって取り調べを受けたことなどの噂が下火になるのを待つためでもあった。その機会に、ニーナは以前から希望していたウラル国立音楽院に入り、卒業した。むろん奨学金をもらい、ムラビヨフとソーニャの協力を得てだ。

学生時代、ニーナは国家にたいする忠誠心を見せるため、コムソモール（共産主義青年同盟）に入り、真面目に活動した。

だが、ムラビヨフの話を聞いてからというものは、自分の民族名は「日本人」でありたいという思いが日に日に強くなり、ニーナは、幼児期の自分の写真とムラビヨフの証言などを添えて、エカテリンブルグ市に民族名変更を願い出てみた。しかし木で鼻をくくったような回答がきただけだった。

市民N・P・フロンティンスカヤ殿
貴下が提出した請願に対して、市ソヴィエト執行委員会は、以下のように通達する。
「ソ連身分証明書制度に関する規則」には一度確定されてのちは、身分証明書に記述されている民族名は一切変更されるべきでない、とある。よって市ソヴィエト執行委員会は、民族名変更に関する貴下の請願を聞き入れることはできない。
　ソヴィエト社会主義共和国連邦
　エカテリンブルグ市人民代議員
　市ソヴィエト執行委員会副議長
　　N・A・プロコフィエフ

ＫＧＢの取調官には、日本人であることがその理由の一つとして逮捕され、起訴されたにもかかわらず、その点については一顧だにされず、ニーナの請願は却下された。

その時、ムラビヨフが言った。

「すべてはなかったことに、ということさ」

「スヴェルドロフスク駅のホームで、ＫＧＢの取調官が言ってたことですね？」

「そうだ。取調官ジェグーニンは別れ際に、すべてはなかったことにと言ったが、あれはこういう意味だったのだろう。あまりことを荒立てないほうが良さそうだ」

ニーナも納得し、それ以来、二度とその種の請願を市にたいして出していない。だから、ニーナの民族名は中国人のままだ。

そして、四十三年の年月が流れた。その間に、ニーナの人生に起きたことといえば、ムラビヨフとソーニャ、二人の死がすべてだ。ムラビヨフは、一九六五年、ウラル国立大学軍事訓練科の教授として、多くの学生たちの尊敬を受けつつ、七十二歳で亡くなった。ムラビヨフより七歳年下のソーニャは、一九七六年、七十六歳で亡くなった。ソーニャが亡くなったあと、ニーナは立ち退きを命ぜられ、デカブリストフ通りにあったソーニャの家から現在のソヴィエツカヤ通りの家に移された。ほかにはなにもない。恋と名のつくようなことは一度としてなく、ルナチャルスキー記念国立オペラ・バレエ劇場のコレペティートルとして五十歳まで現場で働き、六十歳まで後進の育成にあたり、その後は年金生活をしている。むろん忘れてならないことの一つに、一九九一年、共産党が解散宣言し、ソヴィエト社会主義共和国連邦が解体したことがあげられるが、それとてもニーナの生活に大きな変化をもたらさなかった。

3

ニーナは、自分は三度死んで、三度生き返ったと思っている。最初は、幼児の頃、牡丹江の戦場のトーチカの中で、生き埋めにされたにもかかわらず、救助され生き返った。二度目は、十九歳の頃、トランバイに飛び込んで、瀕死(ひんし)の重傷を負いながらも、ソーニャの献身的な看病の甲斐あって九死に一生を得、生き返った。三度目は、亡命したダヴィッドの許婚(いいなずけ)として密告忌避の罪に問われ、シベリアのラーゲリ（強制収容所）送りになるところを、ムラビヨフの命を賭した嘆願によって赦免され、からくも死を逃れ、生き返った。

三度の再生を物語るものが三つあり、それをニーナは大切にしている。一つは、ムラビヨフからもらった幼児期の着物を着た自分の写真で、これは写真たてに入れて食卓の上に置いてある。二つ目は、トランバイ事故で入院し全快したあと、家に遊びに来たターニャが描いてくれた十九歳のニーナの顔だ。これも額に入れ、壁に飾ってある。三つ目は、密告忌避の嫌疑が晴れてのち、ムラビヨフとソーニャ、三人一緒に撮った写真だ。家族写真のように三人とも笑っている。それは写真たてに入れ、ベッドサイドのテーブルの上に置いてあり、朝起きた時、夜眠る時、かならず写真の中の二人に声をかける。スパスィーバ（ありがとう）と。

ラーゲリ送りとなって普通列車に揺られ、オムスク駅に着くまでの十八時間は文字通り絶望の淵への旅だった。シベリアに行ったら、どんな寒さが待っているのか、どんな強制労働をさせられるのか、なに一つ予測のつかぬまま、ただただ不安に怯(おび)え、二度と生きては帰れないと思いつめていた。

そして汽車がオムスク駅に入って停車した時、列車の中にニーナを逮捕し尋問し起訴したKGB取調官がどやどやと現れたのには、またなにか悪いことでもあったのかとニーナは肝を冷やした。が、予測に反して、事態は良いほうに変じた。なんと、信じられないことだが、ニーナは赦免されたのだ。

特急ロシア号でエカテリンブルグへ帰る時の十五時間は、まさに光にむかって飛翔する思いだった。黒い死の淵にむかって墜落していた自分が、突如機首をもたげて上昇旋回する飛行機のように、輝かしい命の光にむかって突進しはじめたのだ。ニーナはそれを運命のいたずらとは思わなかった。あくまでもムラビヨフという人の自分への深い愛が、大きな歯車の動きを止め、さらに逆方向へ強引に回して、この幸運を呼び込んだということを心の底から理解していた。もとはといえば、ムラビヨフがいたからこそこの世に自分の命があり、ムラビヨフがいたからこそソーニャがいて、自分のその後の命がつづいている。この二人ともしめぐり逢っていなかったら、現在の自分は存在しえなかったであろうと、ニーナは揺るぎなく思うのだった。

(もし私が日本人として認められたら、それは私の四度目の生き返りとなるだろう)

そう思いつつニーナは、今日訪れてくる、日本の厚生労働省の役人を待っていた。

ニーナが日本ウラル友好協会のフクシマと会ったのは二〇〇二年の八月だった。フクシマはニーナのことを新聞社に話し、ニーナは「ロシアで最初の残留孤児」として日本に報道された。そこでやっと日本の厚生労働省が動きはじめ、幼児期のニーナの写真と現在のニーナの写真を科学的に分析し、骨格検査をやった。その結果、ニーナはほぼ日本人であるらしいということになったのだが、それ以上の確証がない。そこで厚生労働省は、二〇〇四年の新年早々、極寒のエカテリンブルグへ役人を派遣してよこしたのだ。

　ニーナも、友人のアンナも朝からそわそわと落ち着かない。

「ニーナ、あなた、顔色悪いわよ。大丈夫？」

「大丈夫」

「今にも卒倒しそうな雰囲気だわ」

　アンナはわがことのように心配している。

「でも不安。喉から心臓が出そうだわ」

「でしょう？　ああ、私まで胃が痛くなってきたわ」

　アンナは太った身体で動きまわる。

「アンナ、少し落ち着いてよ。心配したってどうにもならないわ。決めるのは相手なんだから」

「ね、ニーナ、民族名ってどうやって決めるのかしら。肌の色？　骨格？」

「それはもう済んでいるの。最後の確認だと思うわ」

「だから、その最後の確認をどうやってするのかしら」

「私にだって分からないわ。だから不安なんじゃない」

　そうこうするうちに、家の前に車が止まり、やって来たのは二人の日本人男性と通訳のマリアだった。

　マリアは、五十がらみの男性をニーナに紹介した。厚生労働省社会援護局・援護企画課中国孤児等対策室・帰国援護第一係の人で、名前はナカムラといった。もう一人、三十代半ばの男性は駐ロシア日本大使館の公使だという。

ナカムラは、厚生労働省がなにゆえに二年近くも調査に時間がかかったのか、その理由をこまごまと話したあと、骨格検査によると、幼児期の写真はニーナ自身のものであることは間違いないと言いきった。そしてこう付け加えた。

「あのう、失礼かと存じますが、ニーナさんの左の腕を見せていただきたいのですが……」

「左の腕、なんのために？」

意味の分からないまま、ニーナは左の腕を差し出した。

「あのう、ちょっとまくっていただきたいのですが。そう、上のほうまで」

「なにを見るんですか？」

「種痘の跡があるかないか」

「はあ？」

種痘法というのが明治四十二年に制定され、翌年から施行された。それには、新生児にたいしては出生より翌年六月に至る間に種痘を行うべしとある。保護者、教育者、地方自治体、医師等はその義務を負い、違反した場合は罰金刑に処せられることになっている。もしニーナが戦場で救出された時点で満二歳になっていたとしたら、種痘の跡がなくてはならない。欧米では幼児のお尻や足の裏にほどこすのが通常だが、足の裏は牛痘（ぎゅうとう）が定着しづらく、お尻は大人になった時に、跡が拡大する嫌いがあるので、日本では左の上腕部に四ヵ所、スタンプ式でほどこす決まりになっている。これは日本特有のやり方である。つまり、もしニーナが日本人であるなら、左ないし右の上腕部に種痘の跡が四つなければならない、ということだった。

「この種痘法は、昭和二十三年に予防接種法ができたことによって廃止されたのですが、ニーナさんがお生まれになった頃はまだ実施されておりましたので……失礼」

と言ってナカムラはニーナの左の腕を見た。するとそこに、丸い種痘の跡が四つ、くっきりとあった。

「ありました。まさしくスタンプ式です。間違いありません。ニーナさん、あなたは日本人です。これがなによりの証拠です」

ナカムラは満面の笑みを浮かべて言った。

「おめでとう、ニーナさん」

公使が握手を求めてきた。

「こんなところに、私の出生の秘密があったなんて……」

ニーナは拍子抜けする思いだった。

「今年の夏頃には日本に一時帰国することになると思いますが、その連絡は後日……」

みんなが帰ると、

「良かったわね、ニーナ、あなたの期待通りで。あなたは日本人でありたかったのだもの」

ニーナとアンナはしばし涙にくれた。

ニーナの家の壁に一枚のチラシがピンで留められている。それは日本のオーケストラの演奏会告知だ。そこには指揮棒を持った白髪のダヴィッドの顔が載っている。

「ダヴィッド、私、日本に行けることになったわ。私はあなたに会うために、そのためだけに、日本へ行くんだわ」

ニーナはダヴィッドの顔にむかって語りかけた。

ニーナはまだ、ロシア連邦政府によってはその民族名を日本人として認められていない。もう一度、市に民族名の変更願を提出しようかと思ったが、どうせ市は、旧ソ連の「身分証明書制度に関する規則」を盾にとって、一度決められた民族名は二度と変更されるべきでないと答えるに決まっている。そんなことをしていたら、永遠に日本人になれない。そのうち死んでしまうかもしれない。いかに日本の厚生労働省が科学的判断に基づいて、ニーナを日本人として認めたところで、当のロシア連邦政府が認めてくれないことには、日本に一時帰国することだって夢に終わってしまう。

ニーナは居ても立ってもいられない気持で、エカテリンブルグ市を相手どり、自分の民族名に関する戸籍登録簿の間違いを確定してほしいという訴訟を起こした。

三ヵ月が過ぎた頃、ようやく判決が下った。

ロシア連邦の権限による決定

エカテリンブルグ市チカロフ地区裁判所は、戸籍登録簿の間違いを確定せよというフロンティンスカヤ・ニーナ・ペトローヴナの訴えを民事公開裁判で審議した結果、以下の決定を行った。

フロンティンスカヤ・N・Pが訴えを起こした理由は、戸籍登録簿に彼女は「中国人」として記載されているが、それは間違いであるからであるとする。その根拠としては、ムラビヨフ・P・A中将（元第一赤旗軍副司令官・故人）氏の証言をあげる。

一九四五年八月十六日、中国領内でソ連軍と戦ったのは日本関東軍であったということ。ソ連軍が牡丹江市北東地区、牡丹江と愛河駅の中間地点に構築されていたトーチカを攻撃し、これを壊滅させたが、それはまぎれもなく日本軍のものであったということ。日本軍のトーチカに中国人がまぎれこむ可能性は百パーセントないということ。トーチカにいた日本人は全員が死亡していたが、たった一人、目に傷を負い、失神している子供が生きていて、その子をボルコフ・P・I大尉（元第一赤旗軍第二六狙撃兵団先遣隊長・故人）が発見し救助した。子供のそばにはアルバムがあり、中には軍人家族の写真もあったが、彼女のものと思われる一葉の写真をボルコフ大尉は持ち帰った。

ボルコフ大尉は子供を野戦病院へ送り、そこで、たまたま負傷して治療を受けていたムラビヨフ中将と出会い、二人で子供の名前をフロンティンスカヤ・ニーナ・ペトローヴナと決め、日本が敵国であることを慮（おもんぱか）って、その民族名を中国人とした。しかしその時、子供は野戦病院で日本語とおぼしき言語を話していたという。発見者であるボルコフ大尉は翌日の戦いで不運にも亡くなったが、ムラビヨフ中将はフロンティンスカヤ・N・Pの保護者となって、彼女の養育に生涯にわたり関わってきた。フロンティンスカヤ・N・Pの二番目の養母であるルスチェンコ・I・Iは、発見された時に子供が着ていた、幼児期の写真に見られるキモノとは異なるが、あきらかに日本人のものと分かる服をしばらく保持していたが、身に危険の迫るのを恐れて焼却したと証言している。

フロンティンスカヤ・N・Pは、一九六一年に一度、民族名変更願をエカテリンブルグ市に提出し、市執行委員会によって却下されている。がしかし、日本国厚生労働省は、幼児期の写真と現在のフロンティンスカヤ・N・Pの顔の骨格検査をし、本人に間違いないとした。加えて先頃、同省はエカテリンブルグ市まで職員を派遣し、フロンティンスカヤ・N・Pに面会し、確かめたところ、彼女の左上腕部に日本式種痘の跡が四つあり、しかも四角を描いていた。これによって、彼女が「日本人」であるという事実が証明された。彼女は現在、肉親探しを目的として、日本への一時帰国を望んでいる。

以上の状況から鑑み、裁判所はフロンティンスカヤ・N・Pの訴えを受け入れるべきであると考える。

ロシア連邦民事訴訟法一九四―一九八条に基づき、裁判所は以下の判決を下す。

フロンティンスカヤ・ニーナ・ペトローヴナの民族名に関する「中国人」とある戸籍登録簿記載内容を「日本人」と改めることを命ずる。以上
二〇〇四年六月十六日に判決は発効する。

エカテリンブルグ市チカロフ地区裁判所

ニーナはついに日本人になることができた。いや、ニーナはロシア人であるが、その身体に流れている血が日本人のものであることを認められたのだ。

なんという長い年月だったろう。

自分がどこから来たのか分からぬまま、自分が何者か分からぬまま、あてどない思いで、眠れぬ夜を過ごしたことがいったいなんどあっただろう。

それがどこへむかっているのか、本人にもまだ分からないが、とにかくニーナの帰還はまた一

歩大きく前進した。

ニーナは、ロシアにおける最初の残留日本人孤児として、最初に関心を持ってくれた日本ウラル友好協会のフクシマに手紙を書いた。


親愛なるフクシマ様。

よい知らせです。

あなたと初めてお会いしてから、一年と十ヵ月が過ぎました。本当に時の経つのは早いものです。しかし喜んでください。先日、日本の厚生労働省の方がお見えになり、私と面会し、私の左上腕部に種痘の跡のあるところから、私を最終的に、日本人と認めてくださいました。そのことが功を奏したのでしょう。ロシア政府も正式に私が日本人であることをついに認めてくれたのです。この分でいくと、私は近いうちに、日本へ一時帰国できるかもしれません。嬉しいかぎりです。

あなたとお会いしたことも奇跡でしたが、こういう結果を迎えられたこともまた奇跡です。あなたに感謝します。

日本で、再会できることを念じつつ。

二〇〇四年六月二十日
ニーナ・フロンティンスカヤ

裁判所の判決が下りて二週間後の六月末、日本の厚生労働省から、ニーナにたいして肉親探しを目的とする日本への一時帰国の要請があり、同時に、ロシア連邦政府からその許可が下りた。時期は七月二十日頃だという。なんというあわただしさだろうと思ったが、裁判所の判決を待っていたから、仕方のないことだった。とにかく日本へ行ける。これはまさに、ニーナにとって人生の急転回であった。興奮するなと言われても、それは無理だった。

その頃、フクシマから手紙がとどいた。

親愛なるニーナ様。

いやあ、まさに万歳です。ついにやりましたね。わがことのように嬉しいです。たぶんこの手紙と前後して、厚生労働省からの通知がとどくと思いますが、あなたの日本への一時帰国が決まったようです。ただし中国残留孤児の中の例外的存在として扱われると思いますので、無味乾燥な来日になるかもしれません。それでがっかりしやしないかと心配です。あまり期待をなさらず、ふらりとやってきてください。しかしいずれにしても、これがあなたの祖国日本なのです。その目でしっかりと見てください。

ここまで見届けることができて、私もほっとしました。協力してくださった方々に感謝感謝です。おめでとうございます。

二〇〇四年七月二日

フクシマ・ヒロシ

「ニーナ、あなた、幸福そうね」

「そりゃあ嬉しいわよ」

「あなた最近、なにかというとすぐに、私の故郷とか、私の祖国日本とか、そういう言い方をするわよ」

　アンナはちょっと揶揄するように言う。

　ニーナはそれを否定しない。

「誰にだってある故郷というものが私にはずうっとなかったんですもの。口に出さなかったけれど、とても悲しかった。それが、私にも故郷があり、そこに一時的ではあれ、帰ることができるのよ。これを喜ばないでいられますか」

　ニーナはこみあげる笑みをこらえるようにして言う。

「でも、ニーナ、ロシアにはあなたの友達が大勢いるわ。それにムラビヨフ中将やソーニャ先生のような、家族のように親切にしてくださった人たちだっていたわ。それでも、故郷が欲しかったの？」

　アンナはちょっと納得のいかない顔をした。

「それはね、故郷のある人には分からない感情だと思うわ。自分のルーツをさぐる糸をたぐり寄せていくと、それが途中でぷつんと切れる。その瞬間、自分の人生が霧のようにかき消えてしまうのよ。その空ろな、心細さ……」

「あなたはロシア人でしょう？」

「もちろんよ。だけど、同じロシア人でも、ルーツはそれぞれみな違うはずよ。それを知ることが自分を知ることなんだわ。生きるってことは自分探しの旅ですもの」

「日本に行って、もしあなたの肉親が現れたら、どうするの？　日本へ帰るの？」

アンナはどうやら、この一言が訊きたかったようだ。

ニーナは薄く笑って言った。

「その可能性はほとんどないと思うけれど、もしそういうことがあったとしても、私は日本へ帰らないわ。私が生きて、そして死ぬところは、このロシアよ」

「ニーナ、それを聞いて安心したわ。私、あなたのような友達を失うのは悲しいもの」

アンナはにわかに元気になり、声をはずませて言った。

「ニーナ、あなた、日本についてなにか知っているの？」

「オペラ『蝶々夫人』以外なんにも知らない。テレビで一度、東京の朝のラッシュアワーを見たことがあるわ。人が大勢いる街って感じ。あとは、日本の政治家がプーチン大統領と握手しているのを見たぐらいかしら。私にとっては遠い国だわ」

「心もとないわね」

「でも、私の両親の国。私の身体にもその古い歴史が流れている。だから、この目でしかと見たいの。でも、見るのが怖いわ。日本に愛してもらえるかしら、果たして私は日本を愛せるのかしら、どちらも自信がないの」

ニーナは不安を隠さなかった。


二〇〇四年七月二十三日、ついに出発の日が来た。

スヴェルドロフスク駅まで見送りにきたアンナは言った。

「ニーナ、大丈夫？　あなた、日本まで行けるの？　ちゃんと日本行きの飛行機に乗りなさいよ。韓国や中国へ行かないでよ」

ニーナには笑う余裕もなく、

「実は私にも、なにがどうなるか、全然予想がつかないの」

青い顔をするばかり。

エカテリンブルグ市役所の職員は、

「ニーナさん、私は確かに、あなたを列車番号15の二等コンパートメントにお乗せしましたからね。ちゃんとモスクワまで行ってくださいね。むこうでは日本大使館の公使が出迎えますから」

なんども念を押した。

朝九時八分、モスクワ行き急行列車は出発した。モスクワまで二十六時間十七分かかった。時差が二時間あり、到着したのは翌朝の九時二十五分だった。

日本大使館の、先日ニーナの家に来たワタナベという公使が迎えてくれて、

「ニーナさん、おめでとうございます。ついに祖国へ帰れるのですね」

と声をかけてくれたが、

「ありがとうございます……」

ニーナは上の空だった。これから、生まれて初めて飛行機に乗るのかと思うと、ますます心落ち着かなくなるのだった。

シェレメチェヴォ国際空港待合室で夕方まで過ごし、

「日本に着きましたら、通訳のナベシマという女性が迎えにきてますから、ご安心ください。で

は良い旅を」

と言う公使の言葉を背に、二十四日、十九時二十分発、アエロフロートSU583のエコノミークラスに乗った。

飛行時間は九時間二十五分だった。ロシアは夏時間を採用しているので、通常なら六時間あるはずの時差は五時間、日本の成田空港に着いたのは、七月二十五日の朝、九時四十五分だった。

降りるとすぐ目の前に、ニーナ・ペトローヴナ・フロンティンスカヤと書いた紙を持って立っている女性がいた。

「長旅お疲れ様です。私は厚生労働省から派遣された通訳のナベシマです。今日から二週間、ニーナさんのお手伝いをさせていただきます。なんでも遠慮なくおっしゃってください」

ナベシマは四十代後半の日本人女性で、流暢(りゅうちょう)なロシア語を話した。

ニーナはナベシマに手を引かれるようにして空港内を歩いた。

空港そのものにはさして興味は持たなかったが、動いている人間の姿に目を奪われた。

(これが日本人か……)

ロシア人に比べ男も女も小さい。しかも確かに黄色人種だ。日本人のこの肉体的特徴は、ニーナがいつも自分自身について考えていることと同じだった。

(ああ、私はまさしく日本人なんだ)

ニーナはなんともいえない安心感に浸り、

(私は祖国に帰ってきた)

と思うのだった。

空港待合室で、ナベシマは今後のスケジュールをニーナに伝えた。ニーナはなにがなんだか分からないまま、漠然と聞いていた。

自分が日本へ来た目的は、むろん祖国日本の土を踏むということではあるけれど、ダヴィッドに逢うことでもあった。

「自由行動の日はあるのですか？」

ニーナは訊いた。

「来月の五日、六日が休養日になってます。なにか？」

「会いたい人がいるのですけど、ご協力願えますか？」

「なんなりと」

ニーナはダヴィッドの顔の載ったチラシを見せ、

「この人の演奏会が近々どこかでやってないか、調べておいていただけませんか？」

「ダヴィッド・レービン？」

「ええ。この指揮者の演奏を聞きたいのです」

ニーナはちょっと恥じらった。


「空港待合室でしばらくお待ちください」

と通訳のナベシマが言った。

なんのために？　とニーナは質問しなかったが、ナベシマが説明した。

「ニーナさんの日本への一時帰国は、中国残留孤児集団の一時帰国に組み込まれておりますので、行動は常にその人たちと一緒です。ですから、午後二時頃到着する中国残留孤児の皆さんをお待ちいただきたいのです」

「そうなんですか」

ニーナは少し不満だった。自分はロシアで発見された初めての残留孤児なのだから、意味合いが違うのではないかと思ったが、口には出さなかった。

午後二時、十一人の中国残留孤児たちが到着した。彼らと一緒に国立オリンピック記念青少年総合センターへ。

バスの窓から日本の景色を眺めながら、

「これが日本、私の祖国」

となんども自分に言い聞かせるのだが、嬉しいとか悲しいといった具体的な感情がなにも湧いてこない。ニーナの記憶の中になに一つとして、そういう感情を呼び起こすよすががないのだから、それも仕方ないことだった。

ニーナは出発前に旅行案内のようなものを読んで、日本についてにわか勉強をしたが、それによれば、日本という国はおとぎの国のようであった。豊かな民主主義国家とはいえ、天皇という王様がいて、民は王様を敬い慕って生きている。沢山の寺や神社があり、人々はみな信仰にあついらしい。瓦屋根、木でできた家、畳の部屋、障子という名のドア、そして着物、お茶、踊り、日本料理……そういうものを夢見てきたニーナの好奇心を満足させるような景色はいっこうに目の前に出現しないのだった。

午後五時半、青少年総合センター着。

もろもろの手続きが終わったあと、今後の日程説明があった。

日本への一時帰国を望む中国残留孤児たちの目的は肉親探しであり、肉親が名乗り出てきた場合は、または日本国がその資格ありと認めた場合は祖国への復帰がかなう。そうなった場合、彼ら孤児たちは、言葉の問題、仕事の問題などをどうクリアしていったらいいか、ということにテーマが置かれていた。

それらの説明をニーナはぼんやりと聞いていた。ニーナの肉親が現れるなんていう可能性は百パーセントなかろうし、もし現れたとしても、住みなれたロシアを離れて日本に住む意思はなかった。いやそれよりもなによりも、住みたいと思うほど、まだ日本という国を知らなかった。ニーナの心の中にあるせつなる思いは、自分の祖国である日本を見たい、知りたい、味わいたい、愛したい、愛されたい、自分の身体に日本人の血が流れていることを喜びたい、ただそれだけだった。それはもう腹の底のほうから激しく突き上げてきて、思わず身悶(みもだ)えしてしまうほどのものだった。

青少年総合センター泊。翌日から砂を噛むような時間が流れはじめた。

肉親探しにかんする調査状況の説明、肉親との対面調査、日本国の中国残留孤児にたいする援護施策についてのオリエンテーション、日本において就職する場合の心得などについてのオリエンテーション、祖国復帰を果たした元中国残留孤児たちの家を訪問、中国残留孤児の祖国復帰にかんする日本の現状についてのオリエンテーション、帰国者支援・交流センター見学、また祖国復帰にかんするオリエンテーション、対面調査、帰国した中国残留孤児を受け入れてくれる企業見学、日本の小学校訪問、またまた祖国復帰にかんするオリエンテーション……次から次と予定が組まれていて、羊が追われるように場所を移る。どれもが大事なことではあろうけれど、こう連日、無味乾燥にやられたのではげんなりしてしまう。中国残留孤児たちだって同じ意見であった。そんなことよりも、もっと優しく、こう言えないものなのだろうか。

「よくぞ日本へ帰ってきてくれました。さぞかしご苦労なさったことでしょう。私たち日本人は心からの親切といたわりをもってあなた方を迎えます。あなた方の祖国復帰については全力を注ぎます。そして見てください。これがあなた方の祖国日本です。あなた方の悲しみをよそに、日本はここまで復活しました。どうです、立派でしょう？　美しいでしょう？　あなた方が長年夢見た国にふさわしいでしょう？　あなた方のような不幸な人々を決して二度と作らないよう、絶対に戦争をしないよう日本は努力しています。私たちはあなた方を愛をもって迎えます。どうか、あなた方は全幅の信頼をもって祖国復帰してください。失望させるようなことは決してありません。それが、あなた方にたいする国家の責務なんですから」

言ってくれないまでも、雰囲気としてこんなメッセージを受け止めることができたら、中国残留孤児たちやニーナもいくぶんか心が慰められたであろうが、実態はまるで逆だ。むしろ祖国復帰したらなにかと大変だから、思いとどまったほうがいいのではないかと言わんばかりの光景が目の前を流れていく。

それでもニーナは、初めてのロシア残留孤児として特別扱いされ、新聞社の取材を単独で受け、翌日の新聞には記事となって掲載されたりしたが、肉親は、予想どおり、一人として名乗り出てこなかった。

「残念でしたね、ニーナさん」

ナベシマは気の毒そうに言ったが、

「いいえ、少しも。日本をこの目で見ただけで、第一の目的は遂げました」

ニーナはさばさばしたものだった。

「第二の目的があるのですか？」

「先日、お願いした件はどうなったでしょうか？」

「コンサートのことですか？」

「ダヴィッド・レービンの……」

「八月の四、五日の二日間、サントリーホールで東京管弦楽団の定期演奏会があり、ダヴィッド・レービンが指揮します。五日はニーナさん、ちょうど運良く自由行動の日なんですよ。チケットおさえますか？」

「高いんでしょうね？」

「ロシアの物価に比較したら驚くほど高いと思います」

「一番安い席でいいんですけど、買っておいていただけませんか？」

「それでも、ニーナさんがもらっている年金一月（ひとつき）分の四分の一が飛んでしまいます」

「ええ？」

ニーナは驚きに目をみはったが、

「かまいません。買ってください」

意を決して言った。

ナベシマはにっこりと笑い、

「それが第二の目的なんですね？」

ニーナは恥ずかしそうにうなずいた。

「そのチケットは私がニーナさんにプレゼントしましょう。私にとってはさほどの出費にはなりませんから」

「そんなご迷惑をかけるつもりはありません」

「私、ニーナさんとお会いできたことを非常に喜んでおります。きっといいお友達になれるのではないかしら。お近付きの印に是非そうさせてください」

毎日行動を共にしているうちに、ナベシマとは名前で呼び合う仲になっていた。特にロシア残留孤児はニーナ一人であったから、二人は片時も離れない、仲のよい友達のようであった。

「ありがとう、マリ。あなたのご厚意に甘えます。ですがその日も、私のそばについていてくださいね」

「もちろん」

ナベシマ・マリはニーナの手をしっかりと握った。

七月三十一日から大阪に移動した。大阪中国帰国者センター見学のためである。ほかに企業や帰国残留孤児の家などを訪問して、八月二日に東京に戻った。こんどの宿泊施設は新高輪プリンスホテルで、これまでに比べたら快適さは数倍だった。

三日は、所沢の公共職業安定所と中国帰国者定着促進センター、川越の高等技術専門学校の三ヵ所を見学。もうくたくただった。

四日は都内見学。浅草雷門へ行き、仲見世通りなどを歩いて、日本情緒をほんのわずかに味わった。とにかくせわしなく場所を移動する。

「日本の桜ってどんな木？　ロシアのとはどう違うの？」

とニーナがナベシマに尋ね、ナベシマがきょろきょろとあたりを見回していると、

「時間がありませんから」

厚生労働省の職員は先を急がせる。

街も食べ物もなに一つ味わうということができない。


五日、休養日、ダヴィッドの演奏会に行く日となった。

ニーナはもう朝から落ち着かない。

ダヴィッドと別れてから、いや、あれは棄てられたというべきか、とにかくダヴィッドがニーナの目の前から消えて四十四年が経っている。

（ダヴィッドは私のことなどすっかり忘れているだろう。私が生きているか死んでいるか、そんなことなどまるで念頭にないに違いない。そんな彼の目の前に私が現れたら、彼は卒倒するかもしれない。いっそ演奏会に行くことをやめようか。とはいえ一目だけでも、ダヴィッドの元気な姿を見たい。それなら会うことは考えないで、会場の隅の席に身を埋め、演奏だけを聴いて帰ればいいではないか。しかしそれではあまりに悲しい。ダヴィッドに再会することだけを夢見て、今日まで生きてきたのだから。なんとしても楽屋に訪ねていこう。それにしても、ああ私はあまりに歳を取り過ぎた。もうすっかりおばあさんだ。ニーナと名乗ってもたぶん、分かってもらえないだろう。その時はどうしよう）

ニーナは胸が痛くなるほど思い悩んだ。

午後六時十五分、ホテルまでナベシマが迎えにきてくれ、

「サントリーホールはすぐ近くですから」

とタクシーに乗った。

入ってすぐ右のエスカレーターで二階に上がった。

全体が木でできている素晴らしいホールだ。正面にはパイプオルガンもある。

ニーナの席は、ステージにむかって右側の張り出した部分の最前列だった。

ナベシマはニーナにパンフレットを渡し、

「ニーナさん、演奏が終わったら、エスカレーターを降りたところで会いましょう」

「あなたは聴かないの？」

「私はロビーでお待ちしてます。早めにいらしてください。マエストロの楽屋にお連れします」

「マリ……いつの間にそんなことを決めたの？」

「あら、その予定じゃなかったんですか？」

「…………」

「ホールの支配人に言って、了解を取ってありますから。ではごゆっくり」

ナベシマはニーナ一人を残して出ていった。

ダヴィッドに会える……そう思うだけで、ニーナの胸はおさえようもなくときめいた。

パンフレットを開くと、そこにダヴィッドの写真がある。白髪の哲学者のような風貌に眼光が鋭い。しかも若々しく輝いている。

(ああ、ダヴィッド、会いたかったわ)

ニーナは座席に座っていることさえ苦しいような、心臓の高鳴りにあえいだ。

オーケストラのメンバーが左右から現れ、持ち場に着くと、コンサートマスターが立ち上がり、チューニングを始めた。

ニーナはオーケストラのチューニングの音を聞くのが大好きだ。気持が洗われる。

チューニングが終わると、ニーナの席からちょうど真正面に見えるドアが開いて、靴音も高らかに指揮者が登場した。

ダヴィッド？　……ダヴィッドだ。

燕尾服に身をつつみ、指揮台のそばまで来ると、笑みをたたえた顔で聴衆にむかってお辞儀をした。そしてくるりと振り向いて指揮台に上がると、一瞬にして厳しい表情になり、激しく指揮棒を振り下ろした。

弦楽器が劇的にうめいた。マーラーの交響曲第二番『復活』が始まった。

ニーナの席から指揮者はすぐ目と鼻の先だ。ダヴィッドがちょっと右をむくと、その懐かしい横顔が手に取るように見える。

(こんな日が来るなんて。今日まで生きてきて良かった)

マーラーは自分自身に「人生は生きるに値するか。値するなら死後にも意味はあるのか」と問いつづけている。その苦悶の音調に魅せられて、いやダヴィッドの影響かもしれないが、ニーナはこの曲を愛してやまない。

長い第一楽章が終わり、ダヴィッドは白いハンカチで額の汗をふいた。

第二、第三楽章が終わると、ソリストが一人加わり、第四楽章が静かに始まった。

アルトのソロが歌う。


おお、紅の小さき薔薇(ばら)よ！

人間は大いなる困窮のうちにある！

人間は大いなる苦痛のうちにある！

願わくば我を天国にあらしめん！


ダヴィッドとの甘い思い出でニーナの頭ははち切れそうになる。そのダヴィッドが今、目の前で、指揮をしている。

我は神から生まれたが故に
神のもとへと再び帰るのだ

ニーナは涙をふこうともせず、流れるにまかせていた。

第四楽章が終わると、それまで空席だったオーケストラ背後の座席部分に大勢の合唱団員がならび、もう一人ソリストが加わった。

第五楽章は、ソプラノと合唱が歌う。

短い休息のあと
お前は再びよみがえるだろう
信じなさい
お前は意味もなく
この世に生まれたのではない！
意味もなく
生き苦しんだのではないことを！

ニーナの中にあった、ダヴィッドにたいする恨みのようなものが、涙とともに外へ流れでていくのがはっきりと感じられた。

よみがえるために
私は死にゆくのだ

オーケストラと合唱、ソプラノとアルト、そしてオルガンが鳴り響き、『復活』を高らかに歌って演奏は終わった。
鳴りやまない拍手。なんどもステージに呼び出されるダヴィッドを、ニーナは涙でかすむ目で見ていた。

エスカレーターで一階ロビーへ降りると、ナベシマが待っていた。

ホールの支配人の案内でロビーを抜け、下手側にある関係者専用のドアを開けるとバックステージだった。演奏会の終わったあとのバックステージの雰囲気は、長年ルナチャルスキー記念国立オペラ・バレエ劇場のコレペティートルをやっていたニーナにとっては馴染みのものだ。頬を紅潮させて話しあっている演奏家たちの間をぬっていく。

「こちらがマエストロ・レービンのお部屋です。お客様のお名前は伝えてありますので、どうぞご遠慮なく」

支配人はドアを開けた。

ニーナは一瞬たじろいだが、意を決し、一人で中へ入った。

最初に目に入ってきたのは、ダヴィッドのうしろ姿だった。シルクのシャツを脱ぎ、今しもブルーのガウンに袖を通すところだった。ニーナがかつて見た、若さのみなぎる肉体は跡形もなく消えていて、肘のあたりの肉がたるんでいた。

なんという長い年月が流れたのだろう。

ダヴィッドのそばには着替えを手伝う妻らしき女の姿があった。

ダヴィッドはガウンの前を整えると、指揮棒を黒い革のケースに収め、妻らしき女に部屋を出てゆくよう目配せをした。女は静かに出ていった。

「マエストロ・レービン、お忙しいところへお邪魔してすみません。私はニーナ・ペトローヴナ・フロンティンスカヤと申しますが、憶えていらっしゃいますでしょうか？」

「憶えているともニーナ、一日だって、いや一秒だって忘れたことはない。元気でいてくれたんだね。それだけで私は嬉しいよ」

　ダヴィッドは両手をひろげたが、その中にニーナは飛び込んでいかなかった。気まずい空気がふと流れた。

「今の方、奥様ですか？」

「そうです」

「ユダヤ人の方？」

「ユダヤ系フランス人です」

「やはり……。お子さんは？」

「十八になる娘が一人いる」

「あら、お嬢さんが？」

「ニーナという名前だ」

「えっ」

　ニーナは絶句した。

「君の名前を忘れないために、いや、私が君に犯した過ちを一生忘れないために、そう名付けたのだ」

「…………」

「君の名前を呼びつづけていたかったこともあるが」

　決して泣くまいと思っていたのだが、ニーナの目に涙があふれてきた。

「私のようなものが今頃突然現れて、さぞかし不愉快なことでしょうね」

「とんでもない。ついに私たちにも再会の日が来たと思い、心底喜んでいる」

ダヴィッドはしきりに首を振った。指揮をしている時はあんなにも颯爽(さっそう)としているのに、今ニーナの前にいるのはやや背のかがんだ老人だった。炯々(けいけい)たる眼光だけは昔と同じだが。

「素晴らしい演奏でしたわ。特に私は、マーラーとなると平常心では聴けませんの」

ニーナに打ち明けないまま、ダヴィッドが亡命を企図していた頃、毎晩のように二人で聴いていた曲がマーラーの『さすらう若人の歌』だった。ニーナは暗にそのことを指して言ったのだが、ダヴィッドはいち早くそれと気付いて、

「私は君にたいして酷(ひど)い仕打ちをした。謝って許されることではないが、謝りたい。許してくれ」

ダヴィッドは頭を下げた。

「そのことでしたら、謝る必要なんかありませんわ。出会いがあれば別れもあるのが世の常ですから」

「そうは言っても、私のやったことは酷い」

ニーナはちょっと声に力をこめて言った。

「私がなんのために、あなたに会いにきたかお分かりですか？」

「…………」

ニーナはきっぱりと言った。

「私にはあなたにお尋ねしたいことがたった一つあって、その答えの得られないうちは死んでも死にきれない思いでいたのです」

「…………」

「マエストロ、いえ、ダヴィッドと呼ばせていただくわ。あなたと私は激しく愛しあった」

「私は真剣に君を愛していた。君は最高の恋人だった」

「まわりの人々はみな私たちが将来結婚するものと思っていましたね」

「私自身そう思っていた」

ニーナは溜め息を一つつくと、

「それはたぶん嘘でしょうね」

「嘘ではない。本当のことだ」

「ダヴィッド」

ニーナは尋問口調になっていた。

「あなたは私と出会う前から亡命を企図していたんですよね」

ダヴィッドはうなずいた。

「私と出会っても、その意志に変わりはなかった」

ダヴィッドはまたうなずいた。

「その意志を私にももらすことはなかった」

「悪かったと思っている」

「少しも悪くないわ。そう易々（やすやす）と恋人ごときに大事を打ち明けるような人では亡命に成功するはずがありませんもの」

「それはそうだが……」

「私はあなたに愛されて、男を知り、生きていることの喜びを知りました。あなたは私の肉体とその存在に意味を与えてくれました。私はあなたに感謝こそすれ、微塵も恨みになど思っておりません。ただ一つ、どうしても腑に落ちないことがあるのです」

「腑に落ちないこととは？」

ダヴィッドは遠い昔を思い出すような目付きをした。その目は優しかった。ニーナはこの目に愛された日々のことを思いだした。

「ダヴィッド、あなたはなぜ、これ見よがしに、みんなの前で私と仲良くしてみせたのですか？　むしろ隠すのが普通でしょうに」

「それは本当に君のことが好きだったから、自然と態度に出てしまったのだろう」

「本気でそう思ってらっしゃるのですか？」

「むろんだ」

ニーナはダヴィッドに詰め寄った。

「あなたはあなた自身に嘘をついている」

「どういう意味だ」

「自分の罪深さから目を逸らすために」

「なにを言うんだ？」

「ダヴィッド、あなたには私との仲を周囲に認めさせる必要があったのです」

「必要とは？　どんな」

「あなたは、いかにも近い将来、ニーナという名の女と結婚するような芝居を打つ必要があったのです」

「芝居？　なんのために」

「KGB（カーゲーベー）を油断させるためです」

「まさか、そんなことをするはずがない」

　ダヴィッドの声は弱々しかった。

「ユダヤ人音楽家のあなたは、特にご両親の問題もあって、KGBからマークされていた。その目をくらますために、あなたは私との恋を利用したのです」

「ニーナ、君は私をそこまで悪人と思っているのか？」

「善も悪もないわ。あなたはそうするしかなかったのですもの。私は事実を確かめたいだけ。そうしないと、あの時の私の人生がこの世からかき消えてしまうんです。あなたは右手で人の目をくらましておいて、さっと左手で技をやってのける手品師のように、私との恋を目くらましに使ったのです」

「…………」

「あなたは私に命の喜びを教えておきながら、その命そのものを否定しようとした」

「ああ、ニーナ、そんなつもりは……」

　ダヴィッドの目が涙にうるんだ。

「ニーナ……すまなかった」

　ダヴィッドはくずおれるようにニーナの膝にすがった。

「ダヴィッド、私があなたに言ってほしいのは、ありがとうなの。その一言を言ってくれたら、あの時の私の人生にも存在意義があったと思えるのです。さもないと、あのあとにつづいた私の人生のすべてが虚構になってしまうんです。だから言ってください。ありがとうと」

ダヴィッドはニーナを見上げて言った。

「ニーナ、ありがとう。すべては君のお陰だ」

ニーナの全身から力が抜けた。

「ああ、もういつ死んでもいいわ。日本へ来て良かった。あなたに会えて良かった。そしてなによりも、生きていて良かった。ダヴィッド、私はあなたに心からのお礼を言うわ。私みたいな女を愛してくれて、ありがとう」

「ああ、ニーナ、私は今でも君を愛している」

「最後に愚痴を言わせて」

ニーナは微笑みつつ言った。

「あなたは私の身体を隅々まで知り尽くしていながら、私の心の中は全然分かっていなかった。私はあなたが考えているよりもはるかに頼りになる女だったのよ。あなたがもし私を亡命の共謀者にしてくれていたら、世間を欺(あざむ)くための結婚だってしたでしょう。子供だって産んでみせたわ。あなたのためになることだったら、なんだってしてあげる覚悟だったのに、あなたは私を理解してくれなかった。私は、私という人間の尊厳をあなたに無視されたことがなにより悲しいのです」

ダヴィッドに棄てられたあとトランバイに飛び込んだこと、ダヴィッドの子供を流産したこと、亡命の企図および密告忌避の罪で逮捕され、シベリア送りにされそうになったことなど、言葉が喉元までこみあげてきたが、飲みくだした。

「ニーナ……逢いたかった」

「私だって。ダヴィッド、あなたは私がこの世で愛したたった一人の人ですもの」

「もう一度言う。許してくれ」

「ダヴィッド、あなたはもう私にたいしてなんの借りもないわ。堂々と栄光への道を突き進んでください。さようなら」

ダヴィッドの手を振りほどき、ニーナはドアにむかった。ダヴィッドのすすり泣きが聞こえた。


ドアを開けてバックステージに出ると、ダヴィッドの妻がやや離れたところに控えていた。自分たちの娘と同じ名前の女が突如出現したことに驚いているのか、その顔は青ざめていた。

「失礼いたしました」

ニーナが丁寧にお辞儀をすると、

「どういたしまして」

ダヴィッドの妻もそれ以上に丁寧なお辞儀を返した。

「もう、よろしいですか？」

心配そうな表情で訊くホールの支配人に、

「ありが……」

お礼を言おうとした時、足がもつれた。

「大丈夫ですか？　ニーナ」

ナベシマがニーナを支えた。

「大丈夫。きっと疲れが出たんだわ」

ニーナは淋しく笑い、立ち直った。

「そうですよね。連日の強行軍でしたものね」

ナベシマの言葉は当たっていなくもなかったが、ニーナは肯定しなかった。

「私は、今日という日を待って待って待ちくたびれたんだわ」

つぶやくように言うと、

「マリ、色々とありがとう。あなたのお陰で、私の一時帰国はとても有意義なものだったわ」

ナベシマの手を握った。

「ニーナ、あなたと友達になれて嬉しいわ」

「私もよ、マリ」

ニーナとナベシマとは互いの頬に、右、左、右と軽いキスをした。

「さ、ホテルへ帰りましょう」

ニーナの笑顔は晴れやかだった。


ニーナの祖国日本への一時帰国はこうして終わった。二日間かけてエカテリンブルグのわが家に着いたのは八月十日だった。

もう思い残すことはない。そんな虚脱感にひたっているニーナのもとに手紙がとどいた。

親愛なるニーナ様
さて、ニーナさん。私はまだあなたにたいしてし残していることがあるのです。一九四五年八月十六日、幼いあなたがボルコフ大尉によって発見された場所をなんとしても特定しなければなりません。目下それと思われる場所の遺骨収集を進めております。もう少しでたどりつけそうですが、あなたの協力が是非とも必要です。急いで中国行きのビザを申請してください。ナベシマさんがお迎えにあがります。
二〇〇四年九月二日
フクシマ・ヒロシ

九月の終わりにビザが下りた。

数日後にナベシマ・マリがはるばるエカテリンブルグまで迎えにきてくれた。

「マリ、あなたとエカテリンブルグで会えるなんて……」

「ニーナ、私も嬉しいわ」

「ぜひ、私の家に泊まって！」

ニーナに請われるまま、ナベシマはニーナの小さなアパートに泊まった。

「ねえ、ニーナ、あなたの身の上話をほんの少しでいいから聞かせてくれないかしら。ダヴィッド・レービンのことだけでも」

ナベシマは遠慮がちに切り出したが、

「そうね、あの時、あなたには大変なお世話をかけたのだから、その理由ぐらいはお話しないといけないわね」

ニーナは嫌な顔をしなかった。

その夜、ニーナはナベシマにダヴィッドとの悲しい恋物語を話して聞かせた。

聞きながらナベシマはなんども嗚咽し、その涙に誘われてニーナも泣いた。

白々と夜が明けそうになってから、二人はほんのわずかに眠った。ベッドにナベシマが、ニーナはソファに。

午前十時、牡丹江へ行くために家を出たのだが、ニーナ一人ではとてもたどり着けそうにないほどの長旅だった。

エカテリンブルグのコリツォヴォ空港から飛行機でウラジオストックへ。そこからシベリア鉄道で国境を越え中国へ入り、約十時間揺られて牡丹江に着いた。

牡丹江駅には、すっかり日焼けしたフクシマが迎えにきていた。

「ニーナさん、ナベシマさん、長旅お疲れさまです」

「フクシマさん、本当になにからなにまでありがとうございました」

ニーナは心からの礼を言った。

「なあに、お楽しみはこれからですよ。このまま終わったのでは画竜点睛を欠くと言いましてね」

「なんですか、それ?」

「一番大事なものが欠けてるってことですよ。とにかく、ニーナさんが発見された場所を特定しないことには、あなたの人生は永遠に宙に浮いたものになってしまう。ですから、ニーナさん、あなたに来ていただいたのです」

「私がお役に立てるようなことがあるのでしょうか」

ニーナは不得要領な顔で尋ねた。

「車に乗ってください。道々話しましょう」

駅前で待っていたフクシマの車に乗った。

フクシマは助手席から振り返りつつ話す。

「私はね、ニーナさん、あなたはたぶん、三歳か四歳の時に発見されたに違いないと踏んでいるのです」

「なぜですか？」

「あなたの二番目の里親の……」

「イリーナ・ママ……」

「イリーナさんは、一九四六年の十月、市役所に行って、あなたの年齢を六歳とし、生年月日を一九四〇年八月十六日としましたよね」

「ええ。でもそれは間違いでした」

「分っております。翌年、七歳になったはずのあなたは発育不全を理由に入学を断られる」

「私は六歳とされました」

「そうです。あなたは六歳にされました」

「私にとっては、六歳であることも負担でした。私はまだほんの二年しかこの世に生きた実感がなかったものですから」

「そのお気持は分かります。あなたの人生は、トーチカの土の中から救出された時に始まったようなものだからです。そして見たことも聞いたこともないロシア語の世界にほうり出され、そこで懸命に生きはじめてわずか二年しか経っていない」

「そうです」

「ですが、ニーナさん、私は、あなたの年齢の二度目の査定は大きく間違っていなかったと思うのです」

「なぜですか？」

ニーナは不満そうだった。

「学校側も慎重を期したであろうと思うことと、もう一つは、救助されたばかりの幼いあなたは野戦病院でなにか言葉のようなものを話していたというではありませんか」

「私はなにも憶えていない」

「裁判所に提出されたムラビヨフさんの証言にそうあります」

「日本語だったのでしょうか」

「たぶんそうでしょう。言葉が話せたとなると、あなたはその時、四歳か少なくとも三歳、つまり一九四一年生まれであることの可能性は高い」

「日本語なんて私は一言も知らない」

「幼いあなたは、ロシア語の世界で生きるために、日本語をさっさと忘れていったのです。と同時に、幼児期の記憶も無意識の闇のかなたに葬りさったのです」

「私にどうしろというのですか？」

「その時になれば分ります」

車は大きな河にかかった橋を渡った。

「これが牡丹江という名の川ですよ。現場はもう少しです」

川を越えてしばらく行くと、なだらかな斜面にさしかかった。

「ニーナさん、ソ連軍の戦記によりますと、あなたは牡丹江市北東地区、牡丹江市と愛河駅の中間地点に構築されていた永久トーチカで発見されたことになるのですが、今そこを掘り返しているところです」

三十分ほど走って着いたところは、遺骨収集団が大掛かりに土を掘り返していた。が、このあたりの風景はニーナにとってまさに既視感（デジャヴュ）の世界だった。

「私はこの場所を見たことがある」

ニーナは思わずつぶやいた。

「なんですって？」

フクシマは驚きの声をあげた。

「このなだらかな丘の頂上にそのトーチカは建っていて、それをめがけて無数のソ連軍戦車が集中砲火を浴びせていた。空からはソ連軍飛行機が次々と爆弾を落とし、ことごとく命中していた。炎のあがったトーチカから日本兵は飛び出し、叫び、剣を振り上げて大勢こっちにむかって攻めてきた。それをソ連軍の戦車が撃ち殺し、轢き殺していったんだわ」

「ニーナさん、そんな記憶をどこに眠らせていたんですか？」

「…………」

ニーナは、トランバイに飛び込んだあとの臨死体験で見た夢を思い出していたのだが、ニーナの言葉どおりの風景が目の前にあった。そしてその戦いで死んでいった兵隊たちの骸骨が掘り出され、累々とうちつづいていた。

「この丘のむこうに大きな太陽が沈んでいった」

ニーナは、まるでわが家の庭でも歩くように斜面を上っていく。

「ほら、あの日と同じように、太陽が沈んでいく」

牡丹江を黄金色に染めて、太陽は今しも沈みつつあった。轟音が聞こえるような勢いある落暉(らっき)だった。

ニーナは振り返り言った。

「ちょうどこのあたり、この土の下に私の両親が埋まっているはずです」

ものにでも憑かれたような目をして地面を指差した。

フクシマを筆頭に遺骨収集団の人々は、沈みゆく太陽と競うようにして、土を掘り返していった。すると、そこは確かにトーチカの跡で、土砂やコンクリートの瓦礫の下から無数の人骨が折り重って出てきた。

「おお、ニーナさんの言うとおりだ」

フクシマはほとんど絶句していた。

ニーナはまわりを制止して言った。

「ちょっと待ってください。この二つの人骨は私の父と母です」

「どうしてそれが分るんですか？」

フクシマの質問に、

「ここにアルバムがあるではないですか」

ニーナは迷いもなく答えた。

「アルバム？」

「ボルコフ大尉が写真を一枚抜き取ったあと、ソ連軍兵士が母の死体の上に投げ出したあのアルバムです」

「その話は確かに聞いたことがある」

フクシマはおろおろとうなずいた。

ニーナはひざまずき、土の中から病葉（わくらば）のように朽ち果てたものを拾いあげた。それは確かに分厚い表紙のアルバムだったが、写真はすっかり変色し、なにが写っているのか分からない。触ればぼろぼろと崩れ落ちそうだった。

ニーナはそのアルバムの頁をゆっくりとめくっていたが、ふと手を止めると、

「フクシマさん、見てください。写真のはがされた頁があるわ」

アルバムをフクシマのほうに見せた。

「本当だ。とすると、ここがニーナさん、あなたが発見された場所ってことか……」

フクシマの顔に喜びがこみあげてきた。

「そう。そうだわ。間違いないわ。ああ、私はついに帰ってきたんだわ、私が再生した場所へ」

ニーナは大地に横たわる二つの人骨にむかって、とはいえどこまでがどの人の骨なのかは判然

としないのだが、言った。

「お父さん、お母さん」

日本語だった。

「えっ、今なんて言った？」

「ニーナさん、あなた今、日本語をしゃべったようだが……」

「えっ、私が日本語を？　まさか……」

「そうだよ、日本語だよ。ねっ、ナベシマさん、あなたも聞いたでしょう？」

フクシマが同意を求めると、ナベシマはうなずき、

「聞いたわ。私も確かに」

初めは半信半疑の表情をしていたが、やがてニーナの顔を歓喜の色がおおいつつんでいく。

「私は……お父さん、お母さんというこの二つの日本語だけは忘れていなかったんだわ」

フクシマとナベシマは互いにみつめあい、うなずきあう。

ニーナははるか牡丹江をながめやった。太陽は河の水を真紅に染めて、まさに沈みきるところだ。

「お父さん、お母さん、今日からまた新しい私の帰還が始まるんだわ。あなたたちの名前をきちんと突き止める日が来るまで」

ニーナの手にあるアルバムは風に吹かれ、はらはらと、枯れ葉のように散っていった。

〈参考資料〉

☆書籍

『ラーゲリ（強制収容所）註解事典』ジャック・ロッシ著／恵雅堂出版
『さまざまな生の断片―ソ連強制収容所の20年』ジャック・ロッシ著／成文社
『影の兄弟 上・下』マイケル・バー＝ゾウハー著／早川書房
『収容所群島1～6』ソルジェニーツィン著／新潮文庫
『イワン・デニーソヴィチの一日』ソルジェニーツィン著／新潮文庫
『戦史叢書　関東軍1、2』防衛庁防衛研修所戦史室編／朝雲新聞社
『第百七師団史　最後まで戦った関東軍』太田久雄著／大盛堂出版部
『世界の軍服』穂積和夫、斉藤忠直共著／婦人画報社
『関東軍壊滅す』ソ連邦元帥マリノフスキー著／徳間書店
『最後の関東軍』佐藤和正著／白金書房
『地球の歩き方　シベリア』／ダイヤモンド社
エカテリンブルグ国立アカデミー・オペラ・バレエ劇場第90シーズン・パンフレット
マーラー『さすらう若人の歌』ウィリアム・フルトヴェングラー指揮　フィルハーモニー管弦楽団　歌＝フィッシャー・ディスカウ　ライナーノート・西野茂雄訳より／ＥＭＩ
マーラー『交響曲第二番・復活』クラウス・テンシュテット指揮　ロンドン・フィルハーモニー管弦楽団及び合唱団　ライナーノート・岡俊雄訳より／ＥＭＩ

☆地図

満州帝国分省地図並地名総攬
最近満蒙地図　南満州鉄道㈱庶務部調査課
満蒙鉄道概見図　帝国在郷軍人会本部
エカテリンブルグ・シティガイド
エカテリンブルグ・ツーリストガイド
黒龍江省牡丹江市地図

牡丹江市鉄道地図

☆新聞

二〇〇二年八月十二日／讀賣新聞
二〇〇四年九月二十五日／日本経済新聞
二〇〇四年十月十七日／朝日新聞
二〇〇四年十一月八日／東京新聞
二〇〇四年十一月十九日／西日本新聞
二〇〇四年十一月二十五日／朝日新聞
二〇〇四年十一月三十日／朝日新聞
二〇〇四年十二月二日／朝日新聞

☆映像

『エカテリンブルグとベルゴフーリエ』（ロシア・ビデオ）
『運命のいたずら、それとも「いい湯でしたか！」』（ロシア映画）
『誓いの休暇』（ロシア映画）
『スターリン時代のモスクワ生活記録』（ロシア映画）
『ルナチャルスキーオペラバレエ劇場』（ロシア・ビデオ）
『エカテリンブルグ』（ロシア・ビデオ）
『私を探して～ロシアで育った日本人残留孤児』（九州朝日放送・テレビ番組）

☆インターネット

http://uralring.eunnet.net/Ekaterinburg
http://www2.odn.ne.jp/cae02800/russia/sv/pr-urvo.htm
http://www.russigator.ru/89/sverdlovsk.htm
http://www.kikokusha-center.or.jp/joho/
http://www.geocities.jp/nakanolib/hou/hm42-35.htm
http://www.dias.ru/maps/eka/

なかにし礼（れい）

1938年、旧満州牡丹江生まれ。立教大学文学部仏文科卒業。在学中よりシャンソンの訳詩を手がけ、作詩家として活躍し、日本レコード大賞ほか多くの音楽賞を受賞する。その後、作家活動を開始、2000年『長崎ぶらぶら節』で直木賞を受賞。その他の著書に『翔べ！わが想いよ』『兄弟』『赤い月』『夜盗』『さくら伝説』『黄昏に歌え』などがある。

戦場のニーナ（せんじょう）

第一刷発行　二〇〇七年一月三十一日
第二刷発行　二〇〇七年六月二十一日

著者　なかにし礼（れい）
発行者　野間佐和子
発行所　株式会社　講談社
〒112-8001 東京都文京区音羽二-一二-二一
電話　出版部　〇三-五三九五-三五〇五
販売部　〇三-五三九五-三六二二
業務部　〇三-五三九五-三六一五

印刷所　凸版印刷株式会社
製本所　黒柳製本株式会社

定価はカバーに表示してあります。

Printed in Japan ISBN978-4-06-213825-3

N. D. C.913　427p　20cm